P9-CSB-543

VIVE LE FRANÇAIS!

5

G. Robert McConnell
Coordinator of Modern Languages
Scarborough Board of Education
Scarborough, Ontario

Rosemarie Giroux Collins
Elora Senior Public School
Wellington County Board of Education
Elora, Ontario

Alain M. Favrod
Undergraduate Coordinator
Department of French Studies
York University
Toronto, Ontario

Addison-Wesley Publishers
Don Mills, Ontario • Reading, Massachusetts
Menlo Park, California • London • Amsterdam • Sydney

Consultants

Anita Dubé
Professor, Faculty of Education
University of Regina
Regina, Saskatchewan

Donald Mazerolle
French Coordinator
School District 15
Moncton, New Brunswick

Maria Myers
Head of Modern Languages
Queen Elizabeth High School
Halifax, Nova Scotia

Claire Smitheram
French Curriculum Consultant
Department of Education
Charlottetown, Prince Edward Island

Design and Art Direction:
Maher & Murtagh

Illustration:
Alan Daniel
Tony Heron
Peter Grau

Cover and Interior Photography:
Jeremy Jones

Printed in Canada
ISBN 0-201-14766-1

E F —BP— 87

Photo Credits/Acknowledgements:
Mike Barber, p. 3; Courtesy of J.M. Fitzgerald, Lester B. Pearson Collegiate Institute, p. 156; Institut Belge d'Information et de Documentation, p. 127; Miller Services, p. 43 (middle); G. Robert McConnell, p. 115; "Le Créole et les Créoles" extracted from **Tantine**, © 1981, National Materials Development Center for French and Creole, Bedford, New Hampshire. Text and illustration reprinted courtesy of Julien Olivier, p. 58; Ontario Ministry of Industry and Tourism, p. 44 (right); Régie Autonome des Transports Parisiens, p. 15; Saskatchewan Government Photograph, p. 50; Services Officiels Français du Tourisme, p. 45; Swiss National Tourist Office, pp. 26, 27; Toronto Star Syndicate, pp. 33, 34–5, 43 (right); Andy Yull, pp. 60, 113.

table des matières

UN

language the pronouns y and en ● the verb mettre

communication describing where you have been and what you have done

situation a television interview

une interview avec

Marcel Météore

LOUISE – Bonjour, chers téléspectateurs! Ici Louise Cormier à l'aéroport de Mirabel. Je parle avec le célèbre chanteur de rock, Marcel Météore, qui rentre de Paris. Est-ce que tu peux répondre à quelques questions, Marcel?

MARCEL – Bien sûr, Louise. Vas-y!

LOUISE – Alors, ta visite à Paris...

MARCEL – Ma visite à Paris? Un désastre, un vrai désastre!

LOUISE – Mais comment? D'après les journaux, ton concert a été un succès fou! Tout le monde en parle!

MARCEL – Ah, le concert! Bien sûr! Mais on a eu aussi un tas d'ennuis! Avant de quitter le Canada, on a mis ma guitare avec les bagages. Imagine! On a pris ma guitare!

LOUISE – Euh... oui. Et ton concert? On a dit que 40 000 personnes y ont assisté!

MARCEL – Tu sais quoi? La ligne aérienne a donné la place de ma guitare à une vieille dame!

LOUISE – Mais le concert, Marcel...

MARCEL – Et au retour, la même chose! Ma guitare a fait le voyage avec les bagages! Je n'en reviens pas!

LOUISE – Oui, oui. Mais Paris, Marcel, c'est formidable, non? La Seine, la tour Eiffel, les beaux hôtels...

MARCEL – Les beaux hôtels? Tu parles! J'ai eu une chambre non-climatisée! L'humidité a eu un effet terrible sur ma guitare!

LOUISE – Mais les restaurants, la cuisine française...

MARCEL – Les restaurants? Ne m'en parle pas! Chez Maxim's, j'ai dû laisser ma guitare au vestiaire! Quelle insulte! Ma guitare, c'est comme ma femme: où je vais, elle y va toujours!

LOUISE – Encore quelques questions, Marcel...

MARCEL – Écoute, Louise. Je regrette, mais je dois filer. Je suis certain qu'elle m'attend déjà!

LOUISE – Elle? Mais qui? Ah! Je comprends... Une de tes «fans», sans doute!

MARCEL – Mais non, Louise! Ma guitare! Elle m'attend à la douane!

avez-vous compris?

1. Où est-ce que Louise Cormier attend Marcel Météore?
2. D'où rentre Marcel?
3. Comment a été sa visite, d'après Marcel? D'après les journaux?
4. Où est-ce qu'on a mis la guitare de Marcel pendant le voyage?
5. À qui a-t-on donné la place de la guitare de Marcel?
6. Combien de personnes ont assisté à son concert?
7. Pourquoi Marcel n'a-t-il pas aimé sa chambre à l'hôtel?
8. Où a-t-il dû laisser sa guitare chez Maxim's?
9. Selon Marcel, pourquoi sa guitare est-elle comme sa femme?
10. Pourquoi Marcel doit-il filer?

entre nous

1. Quelle est ton émission favorite à la télé? À la radio?
2. Quelle sorte de musique préfères-tu?
3. Qui est ton chanteur de rock favori? Ta chanteuse favorite?
4. As-tu assisté à un concert de rock? Où? Quand?
5. Où est l'aéroport de Mirabel?
6. As-tu voyagé en avion? Quelle sorte d'avion? Où es-tu allé?
7. Quelle est la capitale de la France?
8. Comment s'appelle ton restaurant favori?
9. À ton avis, à quel âge est-ce qu'on devient vieux?

avant de partir

Quand vous faites vos bagages, n'oubliez pas d'y mettre...
...une brosse à dents
...une brosse à cheveux
...un peigne
...un rasoir
...de la pâte dentifrice
...du shampooing
...un désodorisant
...et une guitare électrique, mais seulement si vous avez les initiales M.M. sur vos bagages!

vocabulaire

masculin

les bagages luggage
un chanteur singer
le désodorisant deodorant
un ennui worry, problem
un journal (des journaux) newspaper
un peigne comb
un rasoir razor
le shampooing shampoo
un vestiaire cloakroom

féminin

la cuisine cooking
une brosse à cheveux hairbrush
une brosse à dents toothbrush
une dame lady
la douane customs
la pâte dentifrice toothpaste
une place seat

pronoms

en of it, of them; from it, from them
y there; to it, to them

verbes

filer* to dash, to rush (off)
mettre to place, to put (on)

adjectifs

quelques some, a few
vieux (vieil), vieille, vieux old

expressions

faire ses bagages to pack one's luggage
je n'en reviens pas! I can't get over it!
mettre la table to set the table
un succès fou a tremendous success
un tas de* lots of
tu sais quoi? you know what?
vas-y! go ahead!

les mots-amis

un désastre **imaginer** **un succès**

***langue familière**

avez-vous remarqué?

un journal → des journaux
un hôpital → des hôpitaux
un animal → des animaux
un canal → des canaux
un général → des généraux

complétez les phrases!

1. Il y a beaucoup d'... au zoo.
2. D'après tous les ..., Météore a eu un succès fou.
3. Les ... passent l'armée en revue.
4. Il y a un service des urgences à tous les ... .
5. «Ce soir, aux ... 3, 5 et 13: une interview avec Marcel Météore!»

la langue vivante

Voici quelques usages utiles du verb **mettre**:

1. Paul! Lise! Le dîner est prêt! Vous **avez mis la table**?
2. **Mets ta veste**! Il fait froid aujourd'hui!
3. Tu vas **mettre un disque**? Oui, je vais mettre le nouveau disque de Marcel Météore!
4. Tiens! Il y a un concert de Bach à 7 h 00! **Mettons la radio**!
5. **Mettez en français** les cinq phrases suivantes!
6. Dans cet exercice, on doit **mettre** les phrases **au pluriel**!

savoir-dire

Pour poser des questions avec l'inversion quand le sujet est un nom:

Est-ce que **Marcel** est content?
→ **Marcel** est-**il** content?
Est-ce que **Paul** écoute la radio?
→ **Paul** écoute-t-**il** la radio?
Est-ce que **l'avion** va partir bientôt?
→ **L'avion** va-t-**il** partir bientôt?
Quand est-ce que **la dame** arrive?
→ Quand **la dame** arrive-t-**elle**?
Où est-ce que **tes parents** sont allés?
→ Où **tes parents** sont-**ils** allés?

le bon usage

On **laisse** un objet ou une possession, mais on **quitte** un pays ou un endroit.

J'ai dû **laisser** ma guitare au vestiaire!
Il va **quitter** le Canada avec sa guitare.

laisser ou **quitter**?

1. Avant de ... l'école, il a fini ses devoirs.
2. Il veut ... sa voiture au parking.
3. Avez-vous dû ... vos bagages à la douane?
4. Je vais ... Montréal le 3 octobre.
5. Quand vas-tu ... le Canada?

le langage du rock

La musique «rock», qui a ses origines dans le jazz et le rythme et blues américain, est une musique universelle . . .

vocabulaire utile

un album	album
un animateur / **une animatrice**	disc jockey
un succès	hit
un 45 tours	single, 45
le palmarès*	hit parade, top ten
un tube*	hit song, record

***langue familière**

observations

le pronom y (there)

comparez:

a) – Elle habite **à Paris**?
– Oui, elle habite **à Paris**.

b) – Elle habite **à Paris**?
– Oui, elle **y** habite.

Quand vous voulez parler d'un endroit, vous pouvez utiliser le pronom **y**.
Le pronom **y** représente une expression (une préposition + un nom) ou le nom d'un endroit déjà mentionné.

exemples

1. – Vous allez **en ville**?
   – Oui, nous **y** allons.
2. – Est-ce que l'autobus est **devant l'école**?
   – Oui, il **y** est!
3. – Vont-ils **chez Pierre**?
   – Non, ils n'**y** vont pas.
4. – Est-ce qu'on doit passer **à la douane**?
   – Bien sûr, on doit **y** passer.
5. – Tu es **dans la salle de bains**?
   – Oui, j'**y** suis!
6. – Tu es allé **au concert**?
   – Oui! 40 000 personnes **y** ont assisté!
7. – Je vais visiter **Paris** cet été!
   – Vraiment? On **y** est allé l'année dernière!

---

le pronom y (to it, to them)

comparez:

a) – Tu réfléchis **à la réponse**?
– Oui, je réfléchis **à la réponse**.

b) – Tu réfléchis **à la réponse**?
– Oui, j'**y** réfléchis.

Quand vous ne voulez pas répéter la préposition **à** + un nom qui représente une chose, utilisez le pronom **y**.

exemples

1. – Est-ce qu'il joue **au hockey**?
   – Non, il n'**y** joue pas.
2. – Penses-tu **aux vacances**?
   – Oui, j'**y** pense souvent!
3. – Avez-vous réfléchi **à vos problèmes**?
   – Oui, nous **y** avons réfléchi.
4. – Est-ce qu'ils ont répondu **à cette question**?
   – Non, ils n'**y** ont pas répondu.
5. – Quand vas-tu répondre **à la lettre de Guy**?
   – Je vais **y** répondre tout de suite!
6. – Tu vas **au match** ce soir?
   – Oui! **Y** vas-tu aussi?

à + un nom qui représente une personne → lui ou leur
à + un nom qui représente une chose ou un endroit → y

---

le pronom **en** (of, from, about it/them; some; any)

comparez:

a) – A-t-il parlé **de son voyage**?
– Oui, il a parlé **de son voyage**.

b) – A-t-il parlé **de son voyage**?
– Oui, il **en** a parlé.

Le pronom **en** représente **de, du, de la, de l', des** + le nom d'une chose.

exemples

1. – Prends-tu **de la soupe**?
   – Oui, j'**en** prends.
2. – Est-ce qu'il y a **du vin**?
   – Non, il n'y **en** a pas.
3. – As-tu fait **des achats**?
   – Oui, j'**en** ai fait beaucoup!
4. – Tu es certain **de la date**?
   – Non, je n'**en** suis pas certain.
5. – Ont-ils acheté trop **de vêtements**?
   – Oui, ils **en** ont trop acheté.
6. – Avez-vous préparé **des sandwichs**?
   – Non, nous n'**en** avons pas préparé.
7. – Tu ne vas pas parler **de tes projets**?
   – Mais si, je vais **en** parler!
8. – Tu n'as pas écouté le nouveau disque de Météore?
   – Non, pas encore! Qu'est-ce que tu **en** penses, toi?

---

le pronom **en** avec les nombres

1. – Marcelle a **une guitare**?
   – Oui, elle **en** a **une**.
2. – Est-ce que tu as **un stylo**?
   – Oui, j'**en** ai **un**.
3. – As-tu pris **des photos**?
   – Oui, j'**en** ai pris **vingt-cinq**!
4. – Combien **de jours** y a-t-il en mars?
   – Il y **en** a **trente et un**.

---

le pronom **y** ou **en** précède l'infinitif!

– Tu as répondu à la lettre de Jean-Marc?
– Non, mais je vais **y** répondre.

– Paul t'a parlé de son bulletin de notes?
– Non, il n'a pas voulu **en** parler!

Le participe passé ne s'accorde jamais avec le pronom y ou en.

---

l'adjectif **vieux**

1. Cet enfant a donné sa place à un **vieil** homme.
2. Ce **vieux** rasoir marche toujours bien!
3. Tu as des devoirs et tu ne peux pas mettre la table? Ça, c'est une **vieille** excuse!
4. Qu'est-ce qu'on va faire avec ce tas de **vieux** journaux?
5. Tu n'as pas vendu cette **vieille** auto? Tu dois en acheter une nouvelle!

L'adjectif **vieux**, comme les adjectifs **ce, beau** et **nouveau**, précède le nom. N'oubliez pas qu'il y a des formes spéciales devant un nom masculin avec une voyelle initiale!

le verbe **mettre** (to put)

au présent

je mets	nous mettons
tu mets	vous mettez
il met	ils mettent
elle met	elles mettent

Attention au participe passé!
J'ai **mis** la liste sur la table.

on y va!

A je sais le pronom y!

1. Tu vas **chez Paul**?
   ▶ **Tu y vas?**
2. Elle a répondu **à la porte**.
   ▶ **Elle y a répondu.**
3. L'enfant est monté **à sa chambre**.
4. Penses-tu **aux vacances d'été**?
5. Nous sommes restés **à la maison**.
6. Est-ce que vous allez descendre **en ville**?
7. Voulez-vous entrer **dans le salon**?
8. Qui a répondu **au téléphone**?
9. Jouent-ils **au tennis**?
10. On a assisté **à une course de moto-cross**.

B je sais le pronom en!

1. Veux-tu **de l'eau**?
   ▶ **En veux-tu?**
2. Ils ont acheté assez **de bonbons**.
   ▶ **Ils en ont acheté assez.**
3. Qu'est-ce que tu penses **de l'interview**?
4. Je n'ai pas besoin **d'argent**.
5. Il a acheté deux **journaux**.
6. Vous avez fait beaucoup **de travail**?
7. Tout le monde a **des ennuis**.
8. Veut-il faire **du ski**?
9. Je n'ai jamais assez **de temps**.
10. Veux-tu faire **des projets de vacances**?

C je sais le verbe mettre!

1. Donnez les formes du présent du verbe **mettre** à l'affirmative et à la négative avec les pronoms **je, il, nous, vous** et **elles**.
2. Donnez les formes du passé composé du verbe **mettre** à l'affirmative et à la négative et à l'interrogative avec les pronoms **tu, elle, vous** et **ils**.
3. Mettez au passé composé et au futur proche:
   a) J'y **mets** les bagages.
   b) Il n'y **met** pas ses lunettes.
   c) Est-ce que vous y **mettez** de l'argent?
   d) Y **mettent**-ils leurs billets?
   e) Tu en **mets** sur la table?
   f) Elle n'en **met** pas sur la pizza.
   g) Est-ce que nous en **mettons** trop?
   h) Combien en **mettent**-elles?

D je sais l'adjectif vieux!

1. Mon rasoir est cassé.
   ▶ **Mon vieux rasoir est cassé.**
2. Ce docteur est très sympa.
3. J'adore cet acteur!
4. Ça, c'est une histoire!
5. Ces écoles n'ont pas de piscine.
6. Il y a beaucoup d'hôtels à Paris.
7. Sa voiture est en panne.

E questions personnelles

Réponds aux questions suivantes par **oui** ou **non**. Remplace les mots en caractères gras par le pronom correct, **y** ou **en**.

1. Vas-tu souvent **à la bibliothèque**?
   ▶ **Oui, j'y vais souvent.**
   ▶ **Non, je n'y vais pas souvent.**
2. Prends-tu du lait **dans ton café**?
3. Penses-tu **à ton avenir**?
4. Est-ce que tu as une **guitare**?
5. Fais-tu **du sport**?
6. Achètes-tu beaucoup **de jeans**?
7. Est-ce que tu assistes **aux courses de moto-cross**?
8. Est-ce que tu manges toujours **à la cafétéria**?
9. As-tu assez **d'argent**?
10. Réponds-tu **à ces questions**?

F c'est logique!

Complétez chaque phrase avec la forme correcte du verbe **mettre** et le mot logique.

1. Jean-Luc! ... le lait dans (le journal, le frigo, la guitare) tout de suite!
2. As-tu ... de la moutarde dans (ta soupe, ton thé, ton sandwich)?
3. Papa va ... de l'argent à (la banque, l'école, la bibliothèque).
4. Il neige! As-tu ... (ton bikini, ta veste, ton vestiaire)?
5. Je ... souvent des oignons dans (ma salade, mon gâteau, mes bagages).
6. M. Leduc! ... les journaux sur (le téléspectateur, la dame, la table), s'il vous plaît!
7. Paul! Maman dit que le dîner est prêt! On doit ... (la cuisine, la table, nos skis)!

8. Nous … toujours (des peignes, des frites, du fromage) sur les pizzas!
9. On … de la pâte dentifrice sur (un rasoir, un peigne, une brosse à dents).

G un peu de maths!

1. Combien de jours y a-t-il dans une semaine?
   ▶ **Il y en a sept.**
2. Combien de jours y a-t-il dans six semaines?
3. Combien de jours y a-t-il en septembre?
4. Combien de jours y a-t-il dans une année?
5. Combien d'heures y a-t-il dans quatre jours?
6. Combien de minutes y a-t-il dans deux heures?
7. Combien de secondes y a-t-il dans cinq minutes?
8. Combien de pages y a-t-il dans ton livre de français?
9. Combien de questions y a-t-il dans cet exercice?
10. Combien de chanteurs y a-t-il dans un orchestre symphonique?

H une visite à Paris

1. Est-ce que tu es resté **à l'hôtel de Paris**?
   ▶ **Oui, j'y suis resté.**
   ▶ **Non, je n'y suis pas resté.**
2. Est-ce que tu as pris **des photos**?
   ▶ **Oui, j'en ai pris.**
   ▶ **Non, je n'en ai pas pris.**
3. Est-ce que tu as dîné **chez Maxim's**?
4. Est-ce que tu as mangé **des escargots**?
5. Est-ce que tu es resté **en ville**?
6. Est-ce que tu es monté **à la tour Eiffel**?
7. Est-ce que tu es allé **à l'Opéra**?
8. Est-ce que tu as eu **des ennuis**?
9. Est-ce que tu as acheté **des vêtements**?
10. Est-ce que tu as rapporté **des souvenirs**?
11. Est-ce que tu as assisté **au concert de Météore**?
12. Est-ce que tu as appris **de nouvelles chansons**?

I mais pourquoi?

1. Marc est allé **chez le docteur**.
   ▶ **Mais pourquoi est-ce qu'il y est allé?**
2. Je vais acheter **des billets d'avion.**
   ▶ **Mais pourquoi est-ce que tu vas en acheter?**
3. Maman téléphone **à la pharmacie**.
4. Je suis allé **à l'hôpital**.
5. Nous voulons prendre **des leçons de danse**.
6. Les Lachance doivent aller **à Ottawa**.
7. Je suis content **de mes notes**.
8. Les Leblanc parlent toujours **de leur visite à Paris**.

J entre copains

– Je pense que je vais devenir **cascadeur** plus tard.
– **Pas possible**! Tu en es certain?
– Bien sûr! Pourquoi?
– Eh bien, pour être cascadeur, on doit avoir **du courage**!
– Et alors?
– Toi, tu n'en as pas!

1. chanteur de rock
   comment
   de l'énergie
2. professeur
   quoi
   de la patience
3. acteur
   pas vrai
   du talent
4. journaliste
   sans blague
   de l'imagination

K tu sais quoi?

– Tu as passé un bon week-end?
– **Ne m'en parle pas**! Un vrai désastre!
– Mais comment? **Tu n'es pas allé à la party**?
– Si, j'y suis allé.
– Alors, qu'est-ce qui est arrivé?
– Tu sais quoi? **On a joué de la musique classique**!

1. je n'en reviens pas
   assister au concert de rock
   donner ma place à un autre
2. tu plaisantes
   aller à la danse
   avoir un accident d'auto
3. tu parles
   voyager à Vancouver
   perdre mes bagages
4. je ne veux pas en parler
   aller au match
   perdre 10 à 0

l'Europe sans peur!

Jean Lachance, qui est en France depuis un mois, nous écrit avec quelques conseils pour d'autres étudiants qui ont l'intention d'aller en Europe cet été.

Faire ton premier voyage en Europe, c'est facile, n'est-ce pas? Tu achètes un billet d'avion et la chose est réglée! Attention, mon ami! Ton rêve peut facilement devenir un cauchemar! Moi, j'ai dû tout apprendre sur place... et à la dure!

D'abord, ton passeport. Quand tu quittes le Canada, ne le mets pas dans ta valise ou dans ton sac à dos! N'oublie pas que tu dois le présenter à la douane en Europe avant de récupérer tes bagages!

Maintenant, l'essentiel... l'argent. Mais, combien d'argent? Évidemment, ça dépend de combien de temps tu vas passer en France. Mais attention! L'Europe, c'est cher. Je te conseille de garder le maximum d'argent en chèques de voyage... c'est plus sûr! Fais attention à tes dépenses aussi! Prépare un budget pour chaque jour et sois prudent! Moi, ça fait une semaine que je mange des hot-dogs trois fois par jour!

Maintenant, parlons un peu des bagages... Qu'est-ce que tu vas mettre dans ton sac à dos? Moi, j'ai emporté trop de choses. (C'est lourd, un stéréo de luxe «portatif»!) Profite de mon expérience personnelle et emporte le minimum. Tu vas surtout avoir besoin de vêtements «laver et porter», de chaussures confortables et d'un convertisseur de courant. Et, un petit conseil tout à fait personnel... emporte aussi du savon et une serviette pour les auberges de jeunesse!

À la fin du voyage, n'oublie pas de reconfirmer ta place dans l'avion au moins 48 heures avant ton départ. Moi, ça fait trois jours que j'attends à l'aéroport. Dieu sait quand je vais avoir une place!

Alors, si tu arrives à l'aéroport Charles de Gaulle dans quelques jours et tu vois par hasard dans la salle d'attente un type avec le drapeau canadien sur son sac à dos et un grand stéréo de luxe «portatif» à la main, viens me dire bonjour!

Jean Lachance

petit vocabulaire

à la dure	the hard way
une auberge de jeunesse	youth hostel
au moins	at least
un cauchemar	nightmare
une chaussure	shoe
un chèque de voyage	traveller's cheque
cher, chère	expensive
un convertisseur de courant	voltage transformer (120→240)
une dépense	expense
Dieu sait...	God knows...
un drapeau	flag
écrit (écrire)	writes
emporter	to take along
«laver et porter»	"wash and wear"
lourd	heavy
par hasard	by chance
passer (du temps)	to spend (time)
la peur	fear
portatif (-ive)	portable
plus sûr	safer
récupérer	to claim
régler	to arrange
un rêve	dream
un sac à dos	backpack
une salle d'attente	waiting room
le savon	soap
une serviette	towel
sur place	on the spot
surtout	especially
tout à fait	completely
un type	guy, fellow

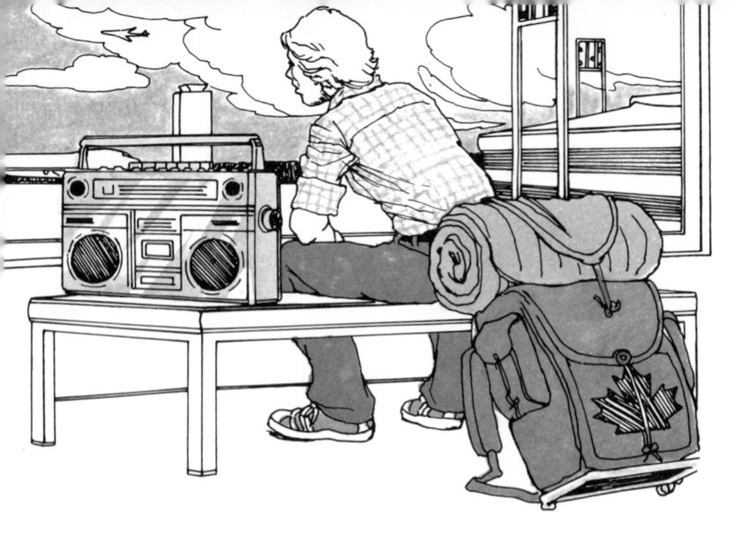

A questions

1. Depuis combien de temps Jean Lachance est-il en France?
2. Selon Jean, pourquoi est-ce qu'un voyageur ne doit pas mettre son passeport dans sa valise?
3. Comment doit-on garder le maximum d'argent?
4. Selon Jean, on doit faire attention aux dépenses. Pourquoi?
5. Prouvez que Jean n'a pas préparé de budget.
6. Quelles sont les trois choses que Jean conseille d'apporter en Europe?
7. Pourquoi est-ce que ça fait déjà trois jours que Jean attend à l'aéroport Charles de Gaulle?
8. Comment peut-on identifier Jean dans la salle d'attente?

B au contraire!

Trouvez le contraire de chaque mot ou expression.

1. dernier
2. difficile
3. un beau rêve
4. arriver
5. beaucoup
6. le maximum
7. grand
8. après
9. l'arrivée
10. au revoir

C les conseils ne coûtent pas cher!

Tu pars pour ton premier voyage en France. Tes amis te donnent un tas de conseils! À ton avis, quels sont les bons conseils? Pourquoi?

1. «Apporte un parachute!»
2. «Ne mets pas ton passeport dans ta valise!»
3. «Fais ton testament!»
4. «Va aux toilettes avant de partir!»
5. «Achète des chèques de voyage!»
6. «Prépare un budget!»
7. «Au retour, reconfirme ta place dans l'avion!»
8. «Apporte ta collection de disques!»
9. «Achète de l'assurance-vie!»
10. «Apprends un peu de français!»

D quiz

1. Quand on a un mauvais rêve, on a...
   A une chaussure B un cauchemar C des bagages
2. Sur le drapeau canadien, il y a...
   A une rose B un sac à dos C une feuille d'érable
3. On porte des chaussures...
   A aux pieds B aux mains C au dos
4. Une auberge de jeunesse est une sorte...
   A de discothèque B d'hôtel C d'école
5. D'habitude, on trouve du savon...
   A dans la salle de bains B dans la salle d'attente C dans la salle à manger
6. Un équivalent de l'expression «un type», c'est...
   A une secrétaire B un gars C une lettre

E sous le ciel de Paris...

1. Comment s'appelle le fleuve qui traverse Paris?
   A le Saint-Laurent B la Loire C la Seine
2. Un des grands monuments parisiens s'appelle...
   A la tour CN B Marcel Météore C la tour Eiffel
3. À quel restaurant parisien préfères-tu dîner?
   A Chez Maxim's B McDonald's C le Chalet suisse
4. Qui a été le premier empereur de France?
   A Jacques Cartier B Jules César C Napoléon
5. Un des grands moyens de transport parisiens s'appelle...
   A l'ascenseur B le métro C le sac à dos
6. Quand on visite le Louvre, on visite...
   A un hôtel B un restaurant C un musée
7. Un des aéroports parisiens s'appelle...
   A Mirabel B Charles de Gaulle C Jeanne d'Arc

bon voyage!

A du tac au tac

Pour chaque phrase de la liste A, choisissez une réponse de la liste B.

liste A

1. Dis, Jeanne! Tu es rentrée hier de Paris, n'est-ce pas?
2. Alors, tu as beaucoup aimé le voyage?
3. Comme ça, tu as passé de bonnes vacances?
4. Qu'est-ce que tu as fait?
5. Tu as aimé ta chambre à l'hôtel?
6. Comment as-tu trouvé la cuisine française?
7. Tu as visité beaucoup de monuments?
8. Tu as pris des photos?
9. As-tu dépensé beaucoup d'argent?
10. Et tu as assisté au concert de Marcel Météore, n'est-ce pas?

liste B

Eh bien, j'ai fait un tas de choses!
Mais naturellement! J'en ai pris beaucoup!
Oui, on est arrivé vers minuit samedi.
Le concert? Ne m'en parle pas! Un vrai désastre!
Un voyage formidable! Je n'en reviens pas!
Et comment! J'ai eu une belle chambre climatisée!
Ah, oui! Deux semaines sensationnelles!
Bien sûr! Notre-Dame, le Louvre, la tour Eiffel...
Superbe! Et tu sais quoi? J'ai même dîné chez Maxim's!
Tu parles! Je suis complètement fauchée!

B pas vrai!

Trouvez les erreurs et corrigez les phrases!

1. Marcel Météore est une planète.
2. Un homme de 90 ans est assez jeune.
3. On met de la pâte dentifrice sur une brosse à cheveux.
4. Chez Maxim's, la douane française est superbe!
5. Pour aller à Paris, on doit réserver des peignes.
6. D'habitude, tous les voyageurs apportent des vestiaires.
7. Quand on a des problèmes, on dit qu'on a des rasoirs.
8. La tour Mirabel est à Montréal.
9. Quand on est pressé ou quand on doit partir, on peut dire: «Désolé, je dois chanter!»
10. Avant de dîner, on doit mettre du désodorisant.
11. Avant de partir en voyage, on doit faire la vaisselle.

C rends-moi service!

Avec un partenaire, jouez les deux rôles dans chaque situation suivante.

1. Tu pars pour le cinéma quand ton père t'arrête. Il te dit d'aller à la banque pour y mettre de l'argent, puis de passer au supermarché pour acheter un kilo de fromage. Finalement, il te rappelle ton rendez-vous chez le coiffeur.
2. Tu pars pour rencontrer tes amis au restaurant. Ta mère t'arrête. Elle te demande de descendre en ville pour chercher ta soeur. Après ça, tu dois passer à la pizzeria et commander deux grandes pizzas. En plus, elle te rappelle ta leçon de piano.
3. Tu pars pour un match de hockey, mais ton père te dit de passer d'abord chez les Boudreau et de leur rapporter quelques disques. Ensuite, tu dois passer chez les Blanchard pour leur apporter deux litres de lait. Enfin, il te rappelle l'arrivée de ta tante Mathilde.
4. Tu quittes la maison pour aller à un concert. Ta mère t'appelle et elle te demande d'acheter un journal à la pharmacie, puis de passer au supermarché pour acheter deux kilos de pommes de terre. Elle te rappelle aussi ton rendez-vous chez le docteur.

Comment va être la conversation? Peut-être un peu comme ceci:

– Au revoir, maman! Je vais jouer au tennis!
– Minute! J'ai une commission pour toi! Tu peux le faire en route!
– Ah, non! Qu'est-ce que c'est?
– D'abord, tu vas à la bibliothèque.
– La bibliothèque! Pourquoi?
– Tu y rapportes ces livres!
– D'accord. Au revoir!
– Attends! Ensuite, tu passes à l'épicerie.
– À l'épicerie?
– Oui. Tu y achètes du lait.
– Bon, les livres et le lait. Au revoir!
– Tu en achètes deux litres, d'accord?
– Très bien! Je dois filer!
– N'oublie pas que tu as rendez-vous chez le dentiste!
– Ah, non! Pas aujourd'hui!
– Si, aujourd'hui... et dans une heure!

petit vocabulaire

une commission	errand
d'abord	first
ensuite	then, next
rappeler	to remind of

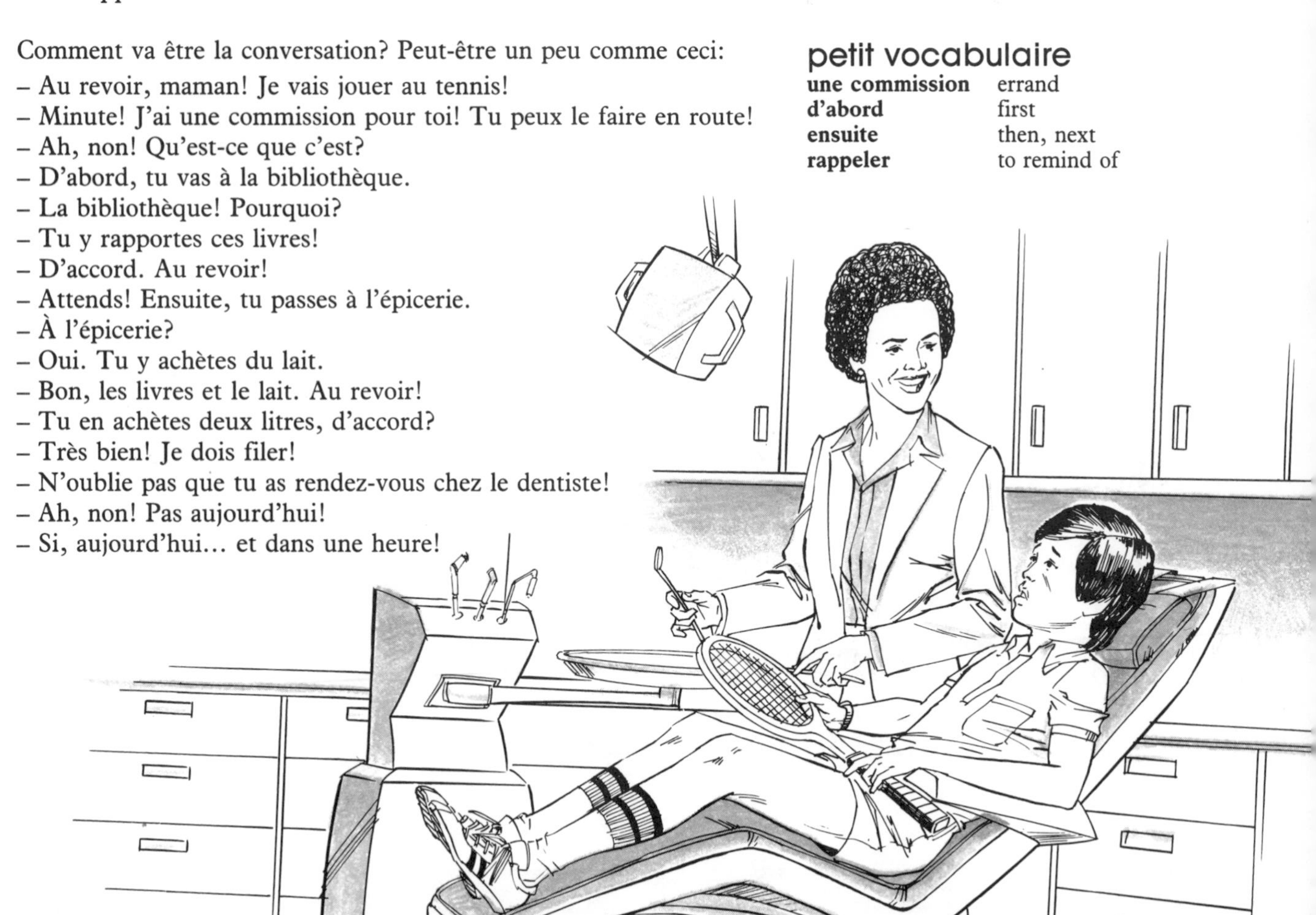

D les cartes postales

C'est les vacances d'été et tu as décidé de voyager en France. Te voilà à Paris, où tu vas passer une semaine avant de retourner au Canada. Tu as déjà préparé un itinéraire. D'après le modèle, écris une carte postale pour chaque journée de la semaine!

petit vocabulaire

un bateau-mouche sight-seeing boat
une carte postale postcard
faire le touriste to go sight-seeing

	LE MATIN	L'APRÈS-MIDI	LE SOIR
LUNDI	monter à la tour Eiffel	visiter la cathédrale de Notre-Dame	dîner dans un restaurant près de la Seine
MARDI	visiter le Louvre	visiter l'Arc de Triomphe	dîner à la place Charles de Gaulle
MERCREDI	faire une promenade dans le bois de Boulogne	faire le touriste aux Champs-Elysées	visiter le jardin des Tuileries
JEUDI	monter à l'église Sacré-Coeur	poser pour un portrait à la place du Tertre	dîner au restaurant "Chez la mère Catherine"
VENDREDI	acheter des souvenirs	aller au cinéma	sortir à une discothèque
SAMEDI	faire une promenade en bateau-mouche	prendre des photos	visiter les Folies-Bergère
DIMANCHE	retourner au Canada!		

le 19 juillet

Chère Lauraine,

J'adore Paris! Il fait très beau! Aujourd'hui, je suis monté à la tour Eiffel, j'ai visité la cathédrale de Notre-Dame et j'ai dîné dans un restaurant près de la Seine. Demain matin, je vais visiter le Louvre.

Je passe de très bonnes vacances!

Amitiés,
Jean-Paul

RÉPUBLIQUE FRANÇAISE
★180
POSTES
G 3558

Lauraine Cormier
178, rue Bonaccord
Moncton, N.-B.
CANADA E1C 5L9

E le métro de Paris

À Paris, il y a treize lignes de métro. Tous les trains portent le nom de leur destination, c'est-à-dire le terminus de la ligne. Comme cela, les voyageurs peuvent identifier la direction d'après le nom de la dernière station. Par exemple, pour aller de **Concorde** (**B2**) à **Bastille** (**C2**), on prend la ligne 1, direction **Château de Vincennes** (**D3**). Très souvent, on doit changer de ligne ou **faire une correspondance**. Par exemple, pour aller de **Concorde** (**B2**) à **Odéon** (**C2**), on peut prendre la ligne 1, puis faire la correspondance à **Châtelet** (**C2**). Là, on peut prendre la ligne 4, direction **Porte d'Orléans** (**B3**).

1. Pour aller de la station **Concorde** (**B2**) à **Pigalle** (**C1**), quelle direction doit-on prendre? Est-ce qu'on doit changer de ligne?
2. Pour aller de **Concorde** (**B2**) à la **Gare du Nord** (**C1**) sur la ligne 1, quelle direction doit-on prendre? Quelle est la correspondance?
3. Pour aller de **Concorde** (**B2**) à **Trocadéro** (**A2**), quelle direction doit-on prendre? Où peut-on faire la correspondance?
4. Quel monument est-ce qu'on trouve près de **Charles de Gaulle-Étoile** (**A2**)?
5. Quel monument célèbre est situé près de **Trocadéro** (**A2**)?
6. Quelle église peut-on trouver près de la station **Anvers** (**C1**)?

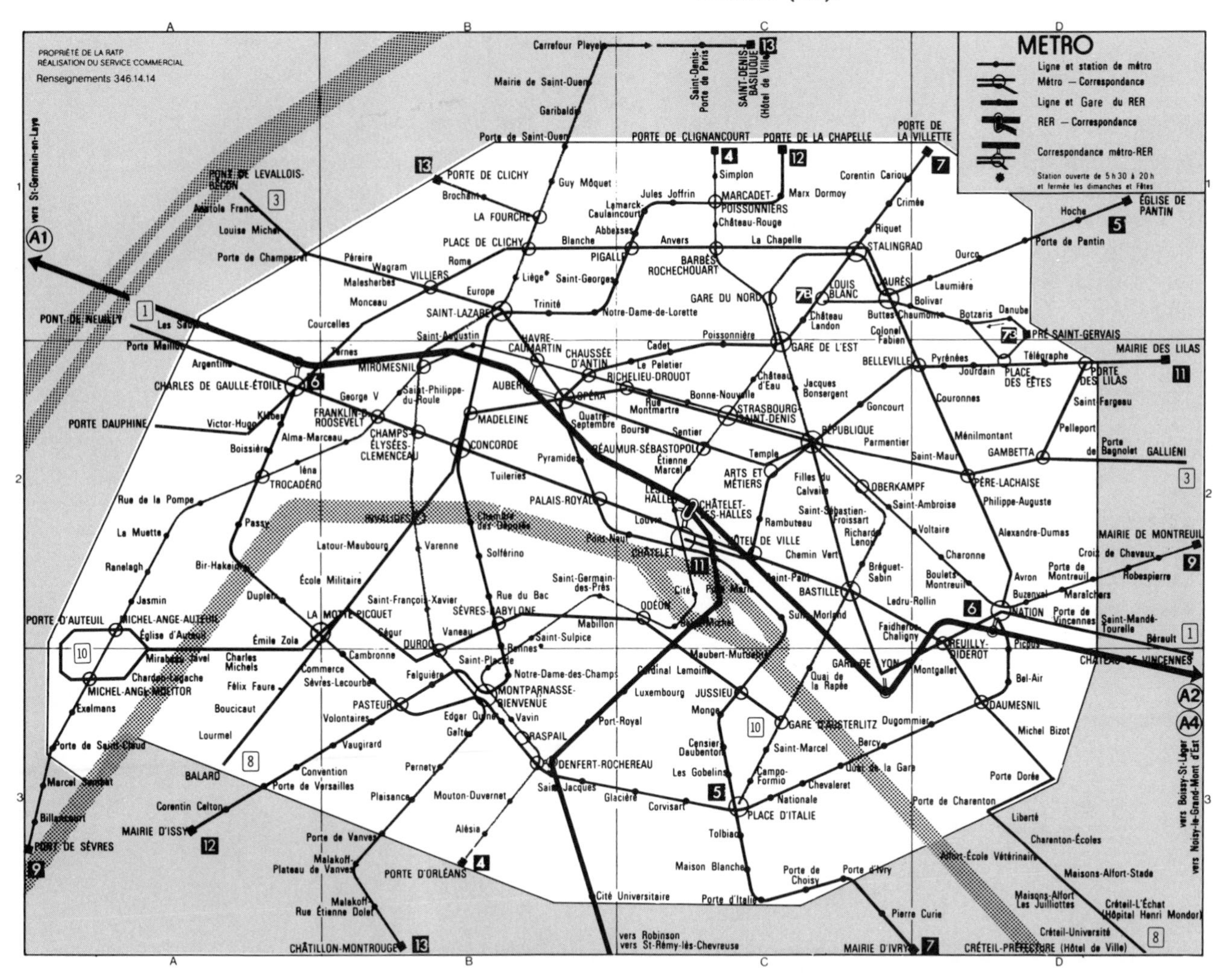

je me souviens!

les pronoms objets

les objets directs **me, te, nous, vous, le, la, l', les**

Elle prend **le métro**?	Oui, elle **le** prend.
Où est **ta soeur**?	**La** voilà.
As-tu **tes lunettes**?	Oui, je **les** ai.
Aime-t-il **la salade**?	Non, il ne **l'**aime pas.
Est-ce que tu **m'**aimes?	Bien sûr, je **t'**aime!
Où est-ce qu'on **nous** attend?	On **vous** attend devant le stade.
Tu vas mettre **ta veste**?	Oui, je vais **la** mettre.

les objets indirects **me, te, nous, vous, lui, leur**

Vas-tu parler **au conseiller**?	Oui, je vais **lui** parler.
Tu donnes ta place **à la dame**?	Oui, je **lui** donne ma place.
Parle-t-elle **à ses parents**?	Non, elle ne **leur** parle pas.
Tu peux **me** téléphoner ce soir?	Oui, je peux **te** téléphoner.
Tu **nous** montres ton journal?	Non, je ne **vous** montre pas mon journal!

A les substitutions

Remplacez les mots en caractères gras par un pronom (**le, la, l', les, lui** ou **leur**).

1. Nous aimons beaucoup **la cuisine française**.
2. Elle met **ses bagages** dans le taxi.
3. Est-ce que tu vas acheter **le journal** aujourd'hui?
4. Il donne sa place **à la vieille dame**.
5. Les parents disent **aux enfants** de rentrer bientôt.
6. Doit-il téléphoner **à Henri**?
7. Il ne laisse jamais **sa guitare** au vestiaire.
8. Chantal ne veut pas perdre **son argent**.
9. Tu vas commander **le sandwich sous-marin**?
10. Peux-tu montrer cette photo **à mes copains**?
11. Elle n'aime pas **les oignons**.
12. Est-ce que tu mets **ta robe bleue** aujourd'hui?

B mais oui!

Répondez à chaque question avec **oui**. Utilisez un pronom objet dans vos réponses pour remplacer les mots en caractères gras.

1. Tu **me** réponds tout de suite?
2. Vous voulez **nous** expliquer le problème?
3. Est-ce que tu vas **me** donner des ennuis?
4. Vas-tu **nous** inviter à la party?
5. Allez-vous **nous** raconter cette histoire?
6. Je **vous** rencontre à 7 h 00, n'est-ce pas?
7. Je peux **t'**acheter un billet?
8. Est-ce que je dois **t'**attendre ici?

DEUX

language agreement of the past participle with a preceding direct object • sequence of pronoun objects before the verb • the verbs **espérer** and **ouvrir**

communication discussing plans • checking that instructions have been carried out • reacting to and expressing annoyance

situation party preparations

surprise-party à Genève

À Genève, ville importante de la Suisse, la vie est assez tranquille. Mais pas ce soir, parce que Jacqueline Dumont prépare une surprise-party pour son ami Gilles. Elle a passé toute une semaine à faire les préparatifs! Jacqueline vérifie tous les détails avec son frère Paul...

JACQUELINE – Bon! Seulement dix minutes avant l'arrivée des autres! J'espère que tout est prêt. Dis, Paul, où est ma liste?

PAUL – Minute! Minute! La voilà! Je l'ai mise sur la table. Ça te crève les yeux!

JACQUELINE – Ah, oui. Bon! Voyons... la bannière avec *Joyeux anniversaire, Gilles!*, c'est fait, n'est-ce pas?

PAUL – On l'a finie hier soir! Bien sûr, c'est fait!

JACQUELINE – C'est vrai. Mais les décorations... ?

PAUL – Mets tes lunettes! Regarde donc la salle! Vraiment, Jacqueline, tu m'énerves!

JACQUELINE – Ne fais pas tant d'histoires! Maintenant, les boissons...

PAUL – Bon, d'accord! Les cocas, je les ai mis dans le frigo et le punch,

tu vas le trouver sur la table.

JACQUELINE – Avec des glaçons?

PAUL – Mais qu'est-ce que tu penses? Bien sûr, avec des glaçons!

JACQUELINE – Tu as oublié l'ouvre-bouteille, sans doute!

PAUL – Comment? J'en ai même apporté deux! Voilà! Je te les donne!

JACQUELINE – Et les disques, ils sont là?

PAUL – Mais oui! C'est Jean-Marc qui nous les a prêtés. Il y a même des «slows» pour toi et Gilles!

JACQUELINE – Bon! Bon! Ça suffit! Les bougies, tu les as mises sur le gâteau?

PAUL – Oui. Et je les ai même comptées! Tu es contente maintenant?

JACQUELINE – Oh! Tu es pénible! ... Oh là là! Encore deux minutes!... Ouf! Il fait chaud ici! Tu peux ouvrir les fenêtres?

PAUL – Mais elles sont déjà ouvertes!

JACQUELINE – ... Tiens! C'est drôle... Il est déjà huit heures. Où sont nos invités? Tu as bien mis huit heures sur les invitations, n'est-ce pas?

PAUL – Les invitations? Tu ne les as pas mises à la poste, toi?

avez-vous compris?

1. Que fait Jacqueline Dumont ce soir?
2. Pour qui est la surprise-party?
3. Combien de minutes y a-t-il avant l'arrivée des invités?
4. Pourquoi est-ce que Jacqueline cherche sa liste?
5. Pourquoi est-ce que Paul demande à Jacqueline de mettre ses lunettes?
6. Où est-ce que Paul a mis les boissons?
7. Qu'est-ce que Jean-Marc a prêté à ses amis?
8. Pourquoi Jacqueline demande-t-elle à son frère d'ouvrir les fenêtres?
9. Pourquoi est-ce que les invités ne sont pas arrivés?
10. Qu'est-ce que tu penses de Jacqueline? De Paul?

entre nous

1. À quelles partys as-tu déjà assisté cette année?
2. C'est quand, ton anniversaire?
3. À ton avis, quels sont les préparatifs essentiels pour une bonne party?
4. Qu'est-ce que tu aimes manger et boire à une party?
5. Quelle sorte de musique préfères-tu?
6. Est-ce que tu fais souvent des listes? Pourquoi?

avez-vous remarqué?

un Frigidaire → un frigo

1. un professeur → ?
2. le métropolitain → ?
3. une automobile → ?
4. une motocyclette → ?
5. la télévision → ?
6. une photographie → ?
7. les mathématiques → ?
8. un laboratoire → ?
9. un cinéma → ?
10. un Coca-Cola → ?

à table!

Quand on met la table, on met **un couvert** pour chaque personne. Voici un couvert typique:

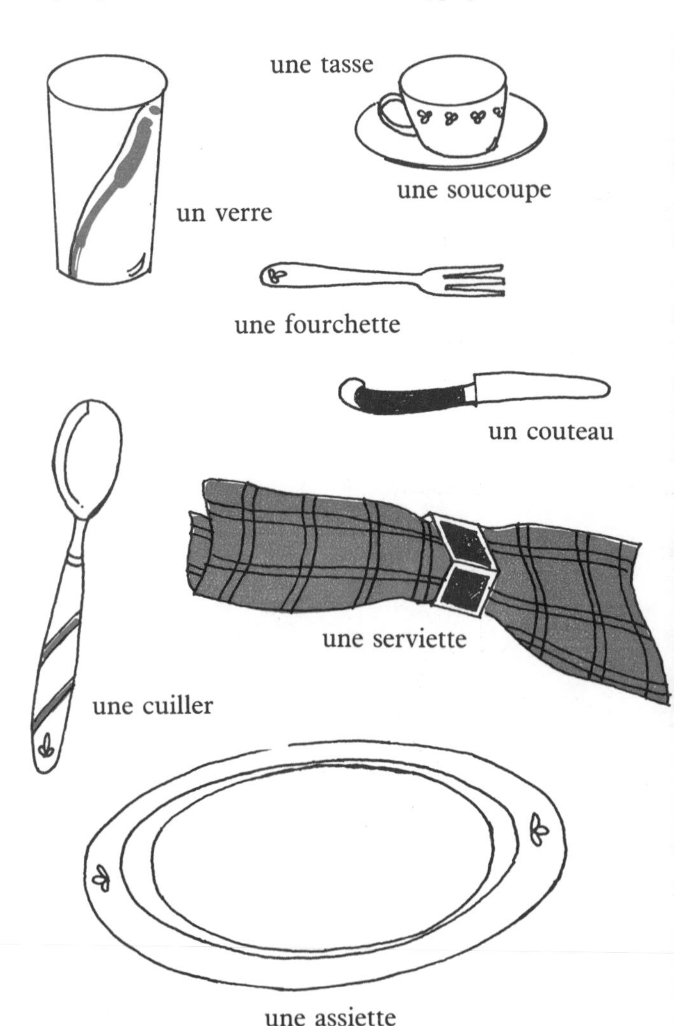

En Suisse, bien sûr, la fourchette indispensable, c'est la fourchette à fondue!

le «Ping-Pong» verbal!

quand on n'est pas content...	réactions possibles...
Je suis vraiment fâché!	Du calme!
Tu m'énerves!	Sois raisonnable!
Imbécile!	Excusez-moi!
Idiot!	Pardon!
Quel désastre!	Je regrette...
Je n'en reviens pas!	Désolé, mais...
Tu es pénible!	Oui, c'est de ma faute.
Oh là là!	Non, ce n'est pas de ma faute!
Ce n'est pas vrai!	Tu as raison.
Tu exagères!	C'est vrai.
Ce n'est pas possible!	Ça suffit!
Ça, c'est la limite!	Laisse-moi tranquille!
Tu plaisantes!	Et alors!
Ce n'est pas drôle!	C'est dommage!

vocabulaire

masculin

un couteau (des couteaux) knife
un couvert place setting
un glaçon ice cube
un invité guest
un ouvre-bouteille *(invariable)* bottle-opener
un préparatif preparation
un verre glass

féminin

l'arrivée arrival
une assiette plate
une bougie candle
une cuiller spoon
une fourchette fork
une invitée guest
une soucoupe saucer
la Suisse Switzerland
une tasse cup

verbes

compter to count
espérer to hope
ouvrir to open
prêter (à) to lend (to)
vérifier to check

adjectifs

drôle funny, strange, odd
ouvert open
tranquille peaceful, quiet

adverbes

même even
tant de so many

expressions

ça suffit! that's enough!
c'est fait! it's done, they're done
mettre à la poste to put in the mail
tiens! hey!
tu m'énerves! you're driving me crazy!
voyons... let's see...

les mots-amis

une décoration
une invitation
une liste
une serviette
une suprise-party

observations

l'accord du participe passé

comparez:

a) – Où est **la liste**?
– J'ai **mis la liste** sur la table.

b) – Où est **la liste**?
– Je **l'**ai **mise** sur la table.

Si vous utilisez un pronom objet direct avec le passé composé, vous devez faire attention au participe passé! Il s'accorde en **genre** (masculin/féminin) et en **nombre** (singulier/pluriel) avec l'objet direct qui précède le verbe.

exemples

1. – Tu as l'ouvre-bouteille?
– Non! Je **l'**ai donné à Paul.
2. – Ouvre la fenêtre, s'il te plaît!
– Je **l'**ai déjà ouvert**e**!
3. – Où sont mes disques?
– Je **les** ai prêté**s** à Paul!
4. – Où sont les invitations?
– Je **les** ai mis**es** à la poste!
5. – Tu es fâchée, Gisèle?
– Oui! On ne **m'**a pas invité**e** à la party!
6. – Salut, Paul! Ça va?
– Tiens, Lise! Je **t'**ai cherché**e** partout!
7. – Vous avez parlé à Jean ce week-end?
– Oui, il **nous** a rencontré**s** en ville.

Le participe passé, c'est comme un adjectif régulier!

	masculin	**féminin**
singulier	prêté / vendu / fini / fait / mis	prêté**e** / vendu**e** / fini**e** / fait**e** / mis**e**
pluriel	prêté**s** / vendu**s** / fini**s** / fait**s** / mis	prêté**es** / vendu**es** / fini**es** / fait**es** / mis**es**

L'objet direct qui précède le verbe peut être aussi un nom!

Combien de **bougies** as-tu mis**es** sur le gâteau?
Quelle **chemise** a-t-il mis**e**?

Il n'y a jamais d'accord avec le pronom **en**!

C'est drôle! Je lui ai donné une salade aux sardines, mais il n'**en** a pas **mangé**!

---

l'ordre des pronoms

ME	LE	LUI	Y	EN
TE	LA	LEUR		
NOUS	LES			
VOUS				

exemples

1. au présent

a) – Tiens! Ta vieille guitare, tu **me la** vends?
   – Non, je **te la** donne! Bon anniversaire!

b) – Tu as prêté ta moto à Paul?
   – Quoi! Je ne **la lui** prête jamais! Où est-il?

c) – Puis-je avoir des glaçons?
   – Bien sûr! Je **t'en** donne tout de suite!

2. au passé

a) – Tu as mis les bougies sur le gâteau?
   – Oui, je **les y** ai mises.

b) – Lui a-t-il demandé de l'argent?
   – Oui, il **lui en** a demandé.

c) – Vous a-t-elle parlé de la surprise-party?
   – Non, elle ne **nous en** a pas parlé.

3. avec l'infinitif

a) – Vous avez donné les cadeaux à vos parents?
   – Pas encore! On va **les leur** donner ce soir.

b) – Pouvez-vous nous expliquer ce problème?
   – D'accord, je vais **vous l'**expliquer...

c) – Mais, tu ne peux pas leur raconter cette vieille histoire!
   – Comme tu veux! Je ne vais pas **la leur** raconter.

d) – Tu as déjà montré ton bulletin à papa?
   – Tu es fou? Je ne vais jamais **le lui** montrer!

	à l'affirmative	à la négative	à l'interrogative
1.	Il **les lui** donne.	Il ne **les lui** donne pas.	**Les lui** donne-t-il?
2.	Il **les lui** a donnés.	Il ne **les lui** a pas donnés.	**Les lui** a-t-il donnés?
3.	Il va **les lui** donner.	Il ne va pas **les lui** donner.	Va-t-il **les lui** donner?

le verbe espérer (to hope)

j'espère	nous espérons
tu espères	vous espérez
il espère	ils espèrent
elle espère	elles espèrent

Attention aux accents! Le verbe **espérer** est comme les verbes **répéter** et **préférer!**

le verbe ouvrir (to open)

j'ouvre	nous ouvrons
tu ouvres	vous ouvrez
il ouvre	ils ouvrent
elle ouvre	elles ouvrent

Attention au participe passé!	Paul a **ouvert** les fenêtres.
Attention à l'impératif!	**Ouvre** des cadeaux! **Ouvres**-en!

on y va!

A je sais faire l'accord du participe passé!

1. Tu as fait **la liste?**
   ▶ **Bien sûr! Je l'ai faite hier soir!**
2. Tu as fait **les gâteaux**?
3. Tu as fait **les préparatifs**?
4. Tu as fait **la pizza**?
5. Tu as fait **la vaisselle**?
6. Tu as fait **les sandwichs**?
7. Tu as fait **les bagages**?
8. Tu as fait **la salade**?
9. Tu as fait **le ménage**?
10. Tu as fait **les achats**?

B je sais utiliser les pronoms!

1. Tu as passé **du ketchup à Paul**?
   ▶ **Oui, je lui en ai passé.**
2. Tu as passé **des gâteaux à mon frère**?
3. Tu as passé **du pain à mon père**?
4. Tu as passé **du vin à nos invités**?
5. Tu as passé **de l'eau aux enfants**?

C je sais l'ordre des pronoms!

1. Je donne **mon stylo à mon copain.**
   ▶ **Je le lui donne.**
2. Je donne **mon shampooing à Claudette.**
3. Je donne **ma guitare à Robert.**
4. Je donne **mes disques à mon amie.**
5. Je donne **mon assiette à ma mère.**
6. Je donne **mes devoirs aux profs.**
7. Je donne **mon avis à tous mes amis.**

D je sais combiner les pronoms!

1. Tu as prêté **ta guitare à Jeanne**?
   ▶ **Oui, je la lui ai prêtée.**
2. Tu as prêté **ton magnétophone à Jean**?
3. Tu as prêté **ta moto à Gisèle**?
4. Tu as prêté **tes disques à tes copains**?
5. Tu as prêté **ton rasoir à tes frères**?
6. Tu as prêté **ta radio aux Dubé**?
7. Tu as prêté **tes devoirs à Guy**?

E je sais le verbe espérer!

Donnez les formes du présent du verbe **espérer** à l'affirmative et à la négative avec les pronoms **je, elle, nous, vous** et **ils**.

F je sais le verbe ouvrir!

1. Donnez les formes du présent du verbe **ouvrir** à l'affirmative et à la négative avec les pronoms **je, il, nous, vous** et **elles**.
2. Donnez les formes du passé composé du verbe **ouvrir** à l'affirmative, à la négative et à l'interrogative, avec les sujets **tu, elle, nous, vous** et **ils**.

G c'est fini!

1. combien de lettres / mettre à la poste
   ▶ **Combien de lettres as-tu mises à la poste?**
2. quels souliers / porter
   ▶ **Quels souliers as-tu portés?**
3. combien d'invitations / préparer
4. quelles fenêtres / ouvrir
5. combien de tables / mettre
6. combien de couteaux / compter
7. quels voisins / inviter
8. quelle assiette / casser
9. combien de tasses / acheter
10. combien de serviettes / mettre sur la table

H j'espère que oui!

1. je / tout est prêt
   ▶ **J'espère que tout est prêt!**
2. je / tu as tout vérifié
3. je / les décorations sont faites
4. je / les invités vont arriver bientôt
5. je / tu as mis les invitations à la poste
6. je / tu peux expliquer
7. je / tu as de l'assurance-vie

I ouvertures

1. La porte? Je l'ai déjà … !
   ▶ **La porte? Je l'ai déjà ouverte!**
2. Les fenêtres? Il les a déjà … .
3. Est-ce que tu peux … cette bouteille?
4. Tu cherches le journal? … les yeux! Il est là!
5. Tu sais quoi? J'ai dû … une boîte de sardines pour le dîner!
6. On a … un nouveau restaurant au centre d'achats.
7. On doit … ses bagages à la douane.
8. La lettre de grand-mère, tu ne l'as pas encore … ?
9. Il est minuit! On … les cadeaux de Noël maintenant?
10. Quand j'… le journal, je regarde d'abord la météo.

J bon appétit!

Complétez les phrases suivantes!

1. Pour manger du rosbif, on a besoin de…
2. Pour manger de la soupe, on a besoin de…
3. Dans une tasse, on peut boire…
4. D'habitude, sous une tasse, on met…
5. Dans un verre, on peut boire…
6. Dans un restaurant «fast-food», les … sont d'habitude en plastique et les … en papier.

K mais si!

1. Il ne t'a pas vendu sa moto?
   ▶ **Mais si, il me l'a vendue!**
2. Elle ne vous a pas prêté ses disques?
3. Il ne veut pas te prêter sa moto?
4. Vous ne leur avez pas montré vos photos?
5. Elle ne t'a pas raconté toute l'histoire?
6. Ils ne vous ont pas parlé de leurs vacances?
7. Tu ne veux pas leur donner les cadeaux?
8. Tu ne vas pas en parler à tes parents?
9. Tu ne les as pas rapportés à la bibliothèque?
10. On ne vous a pas donné de serviettes?

L on ne peut pas tout faire!

– **L'ouvre-bouteille**, tu y as pensé?
– Bien sûr, je l'ai mis **sur la table**!
– Et **les décorations**, tu les as faites?
– Je ne peux pas tout faire, imbécile!

1. les cocas
   dans le frigo
   la pizza
2. les bougies
   sur le gâteau
   les invitations
3. le fromage
   sur l'assiette
   la salade

M une réponse à tout!

– C'est ta **moto**, ça?
– Non, c'est **Paul** qui me l'a prêtée.
– Pourquoi?
– Parce que je vais la réparer.
– Et quand est-ce que tu vas la lui rapporter?
– **Ça suffit** avec tes questions!

1. bicyclette
   Lisette
   arrête
2. tourne-disque
   Roger
   tu m'énerves
3. voiture
   les voisins
   laisse-moi tranquille

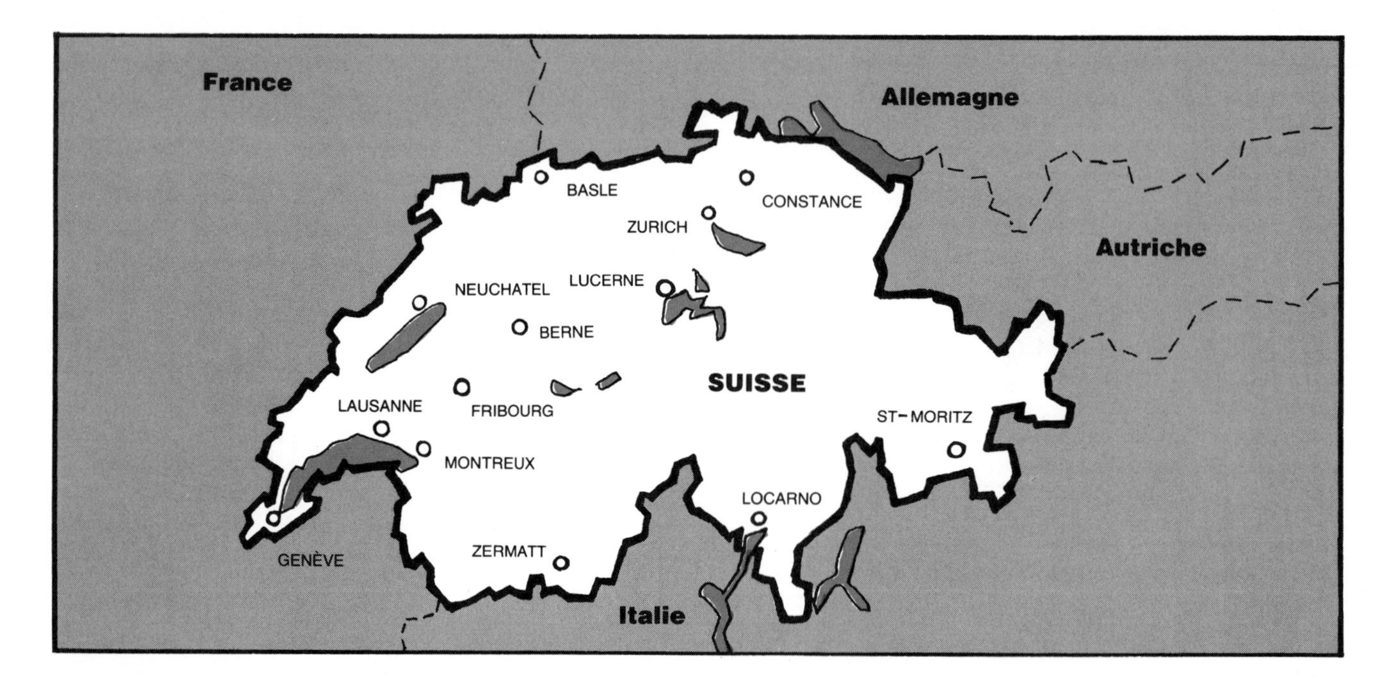

PETIT GUIDE DE LA SUISSE

Quand on parle de la Suisse, on pense d'abord aux montagnes neigeuses des brochures touristiques. Mais la Suisse est aussi le pays de villes cosmopolites comme Genève, Zurich et Lausanne. C'est un pays riche en contrastes et diversité.

la géographie

Située en plein milieu de l'Europe, la Suisse est entourée de plusieurs pays: la France, l'Italie, l'Autriche et l'Allemagne.

les langues

Il y a quatre langues officielles en Suisse: l'allemand (75% de la population), le français (20%), l'italien (4%) et le romanche (1%).

le gouvernement

La Suisse, avec une population de six millions d'habitants, est une confédération formée de 23 cantons. Chaque canton est un petit état bien distinct, mais la capitale de tout le pays est la ville de Berne.

la monnaie

L'unité de monnaie suisse est le franc suisse. Chaque franc est divisé en cent centimes.

les produits

La Suisse est célèbre dans le monde entier par son chocolat et ses fromages. Parmi les fromages, l'Emmental et le Gruyère sont particulièrement connus.
De tous ses produits industriels, les montres et les pendules suisses ont surtout une réputation mondiale.

les sports et les loisirs

La Suisse est le pays des loisirs sportifs par excellence. Le cyclisme, le vol delta et le tennis sont très populaires, mais la Suisse est surtout connue pour l'alpinisme en été et le ski en hiver. En Suisse, on n'est jamais loin des montagnes!

En tout, la Suisse est un pays moderne et sophistiqué. Mais si, un jour, vous faites une promenade dans les alpes suisses, ne soyez pas surpris de rencontrer par hasard un type en costume traditionnel, un Alpenstock à la main et un coucou sous le bras — ça, c'est un touriste!

petit vocabulaire

d'abord	at first
l'Allemagne (f.)	Germany
l'alpinisme	mountaineering
l'Autriche (f.)	Austria
connu (**connaître**)	known
un coucou	cuckoo clock
le cyclisme	bicycling
entourer	to surround
un état	state
faire une promenade	to take a walk
les loisirs	leisure activities
mondial	worldwide
une montagne	mountain
une montre	watch
neigeux (**-euse**)	snow-covered
par hasard	by chance
parmi	among
un pays	country
une pendule	clock
en plein milieu de	right in the middle of
plusieurs	several
un produit	product
surtout	above all, especially
un type	fellow
le vol delta	hang gliding

A je connais la Suisse!

1. À quoi pense-t-on quand on parle de la Suisse?
2. Quelles sont trois villes suisses?
3. Où la Suisse est-elle située?
4. De quels pays la Suisse est-elle entourée?
5. Quelles langues parle-t-on en Suisse?
6. Quelle est la langue de la majorité de la population?
7. Quelle est la population de la Suisse?
8. Combien de cantons y a-t-il en Suisse?
9. Quelle en est la capitale?
10. Quelle monnaie est-ce qu'on utilise en Suisse?
11. Quels sont trois produits très connus de la Suisse?
12. Quels sont cinq sports populaires en Suisse?

B association d'idées

Trouvez dans la liste B le mot qui va avec les mots de la liste A.

liste A	liste B
1. vol	alpinisme
2. traditionnel	ville
3. brochure	delta
4. franc	touristique
5. cosmopolite	costume
6. montagne	centimes

C quiz

1. La Suisse est divisée en...
   A régions **B** cantons **C** provinces
2. Une langue qui n'est pas officielle en Suisse, c'est...
   A l'italien **B** le français **C** l'espagnol
3. En Suisse, on ne trouve pas...
   A de touristes **B** de montagnes **C** d'océan
4. La Suisse n'a pas de frontière avec...
   A l'Allemagne **B** le Portugal **C** l'Autriche
5. Un fromage typiquement suisse, c'est...
   A le camembert **B** le cheddar **C** le gruyère
6. Une célèbre montre suisse, c'est...
   A une Seiko **B** une Rolex **C** une Timex
7. Pour faire du cyclisme, on a besoin...
   A d'une machine à laver **B** d'une bicyclette
   C d'un cyclone
8. Un coucou suisse, c'est...
   A un animal domestique **B** un imbécile
   C une pendule

D la famille des mots

Trouvez dans l'histoire un autre mot (nom, adjectif ou verbe) associé aux mots suivants.

1. les Alpes	4. habiter
2. le sport	5. gouverner
3. l'industrie	6. produire

E c'est logique!

le chiffre	le français standard	le français de la Suisse
70	soixante-dix	septante
80	quatre-vingts	huitante
90	quatre-vingt-dix	nonante

bon voyage!

A du tac au tac

Pour chaque phrase de la liste A, choisissez une réponse de la liste B.

liste A

1. Il fait vraiment chaud ici!
2. Zut! J'ai oublié l'ouvre-bouteille!
3. Je vais prendre du coca.
4. Il y a seulement dix minutes avant l'arrivée des autres.
5. Où est ma liste?
6. Tu as acheté le gâteau?
7. Tu oublies toujours quelque chose!
8. Les invitations, c'est fait?

liste B

Avec ou sans glaçons?
Oui, et j'y ai même mis les bougies!
Et toi, tu exagères toujours!
Alors, ouvre la fenêtre!
Pas de problème! J'en ai apporté un!
Zut! Je les ai oubliées!
Tiens! La voilà sur la table!
J'espère que tout est prêt!

B les pays d'Europe

Trouvez les informations qui manquent!

pays	population	capitale	langue(s) officielle(s)	monnaie
1. la Suisse	6 millions	Berne	l'allemand le français l'italien le romanche	le franc
2. ...	60 millions	Paris	le ...	le franc
3. l'Allemagne de l'Ouest	...	...	l'...	le mark
4. l'Espagne	...	...	l'...	la peseta
5. ...	...	Londres	l'...	la livre
6. l'Autriche	...	...	l'...	le schilling
7. ...	...	...	le hollandais	le guilder
8. ...	...	Rome	l'...	la lire
9. ...	...	Bruxelles	le ... le...	le franc
10. le Danemark	...	...	le ...	la couronne

C un tas d'ennuis!

Trouve une bonne expression pour les situations suivantes.

1. Ton prof t'a donné une très mauvaise note au dernier test.
2. Ton petit frère n'arrête pas de te poser des questions.
3. Tu as gagné à la loterie, mais tu as perdu ton billet.
4. Tes amis vont au cinéma, mais toi, tu es fauché.
5. Tu veux sortir samedi soir, mais tu dois garder ta petite soeur.
6. Tu es en train d'étudier, mais le téléphone n'arrête pas de sonner.
7. Encore une fois, ton copain te demande de lui prêter de l'argent.
8. La ligne aérienne a donné ta place à une guitare.
9. Ton ami a oublié d'inviter tous les copains à la party.
10. Tu es très fatigué, mais ton père te demande de faire la vaisselle.
11. Tu arrives au concert, mais c'est la mauvaise date.
12. Tu mets la table, mais tout à coup tu casses trois assiettes en même temps.
13. Tu es dans la salle de bains, mais il n'y a pas de papier.

quelques possibilités

Ah, non! Pas encore!
Ce n'est pas vrai!
Je n'en reviens pas!
Ce n'est pas drôle!
Quel désastre!
Laisse-moi tranquille!
Zut, alors!
Ce n'est pas possible!
Sois raisonnable!
Ça suffit!
Imbécile!
Il n'en est pas question!
Tu plaisantes!
Tu m'énerves!

D une affaire sérieuse!

– Dis donc! On organise une party pour l'Halloween?
– Bonne idée! Tu peux apporter des disques!
– Bien sûr! J'en ai beaucoup!
– Qu'est-ce qu'on va manger?
– De la pizza! Et parce que c'est l'Halloween, **des bonbons**!
– Et comme boissons?
– Du coca, du root beer et de l'orangeade!
– J'ai oublié quelque chose?
– Mais oui! C'est l'Halloween! On doit **porter des masques**!
– D'accord! je vais **acheter une citrouille** aussi!
– Une citrouille? Tu plaisantes! Ça, c'est pour les enfants!

Imaginez que vous organisez une party pour d'autres occasions, par exemple, Noël, Pâques, la Saint-Valentin ou l'anniversaire de X...

Comment va être la conversation?

quelques suggestions

bonbons
gâteau de Noël
biscuits en forme de coeur
chocolats
gâteau d'anniversaire

acheter un arbre de Noël
avoir un père Noël

décorer la salle
acheter des ballons
apporter des chapeaux en papier
décorer des oeufs
acheter un lapin en chocolat
échanger des cartes

petit vocabulaire

un chapeau	hat
une citrouille	pumpkin
un coeur	heart
échanger	to exchange
un lapin	rabbit
un oeuf	egg
Pâques	Easter

E je n'en reviens pas!

Après une party sensationnelle, toi et quelques camarades devez faire la vaisselle et tout ranger. Heureusement, c'est toi qui organises — tes camarades vont faire le travail! Réponds à leurs questions!

1. «Qu'est-ce que je fais avec les couteaux?»
2. «Qu'est-ce qu'on doit faire avec les assiettes en papier?»
3. «Où est-ce que je mets les fourchettes?»
4. «Où doit-on ranger les tasses?»
5. «Qu'est-ce que je fais avec les casseroles?»
6. «Où est-ce que je range les cuillers?»
7. «Où est-ce qu'on doit ranger le sel et le poivre?»
8. «Qu'est-ce que je vais faire avec les bouteilles vides?»
9. «Qu'est-ce que tu veux faire avec la nappe en papier?»
10. «Où est-ce qu'on met les cocas?»
11. «Qu'est-ce qu'on fait avec les décorations?»
12. «Il y a encore de la crème glacée! Qu'est-ce que je dois en faire?»
13. «Les bacs à glaçons sont vides! Qu'est-ce qu'on doit en faire?»
14. «J'ai lavé tous les verres! Où est-ce que je vais les ranger?»
15. «Les casseroles sont toutes finies! Où doit-on les mettre?»

petit vocabulaire

le bac à glaçons	ice cube tray
le buffet	buffet
la casserole	saucepan
le congélateur	freezer section of refrigerator
la crème glacée	ice cream
en papier	paper
l'évier (m.)	kitchen sink
jeter	to throw (away)
laver	to wash
le lave-vaisselle	dishwasher
la nappe	tablecloth
le placard	kitchen cupboard
le poivre	pepper
la poubelle	garbage can
remplir	to fill up
le tiroir à couverts	cutlery drawer

F la comptabilité

Tu es le trésorier d'un club. C'est la fin de l'année et tu dois faire le rapport annuel. Étudie toute la documentation que tu as gardée, puis complète ton rapport!

RAPPORT ANNUEL

DATE	ITEM	RECETTES	DÉPENSES	SOLDE
11/3	solde			167.39
12/20	arbre de Noël		25.00	142.39
12/20	38 billets à $3	114.00		256.39

12/20
PÂTISSERIE NORMANDE:
bûches de Noël $24.75
PÉPINIÈRE LEVERT:
arbre de Noël $25.00
SUPERMARCHÉ:
boissons $48.00

2/14
LES MANIAQUES:
orchestre $275.00
DÉLICATESSEN ADOLPH:
charcuterie $41.30
SUPERMARCHÉ:
boissons $39.42
bonbons $39.50
BILLETS VENDUS: 30 à $8.00

6/25
AGENCE BOILEAU:
bol et tasses $24.75
REGIS BONENFANT:
disc-jockey $100.00
SUPERMARCHÉ:
punch $62.15
BILLETS VENDUS: 43 à $10.00

petit vocabulaire

une bûche de Noël	Yule log (cake)
la charcuterie	cold cuts
une dépense	expense
une pépinière	nursery
les recettes (f.)	receipts, revenue
un solde	balance
un trésorier	treasurer

je me souviens!

le présent des verbes

A choisissez bien!

Choisissez le bon verbe et mettez chaque phrase au présent.

1. Vous (manger, parler) souvent à vos profs?
2. Ils ne (sauter, finir) jamais leur travail.
3. Elle (vendre, porter) tous ses vieux disques.
4. Nous (prêter, manger) toujours à la maison.
5. Les élèves (étudier, danser) fort pour le test.
6. Marc (espérer, acheter) un nouveau tourne-disque.
7. Nous (commencer, voyager) en France cet été.
8. Mon prof ne (répéter, dépenser) jamais ses instructions.
9. Nous (ranger, commencer) les préparatifs demain.
10. Je (filer, espérer) que vous allez avoir un succès fou!

B d'un verbe à l'autre

Remplacez le verbe dans chaque phrase par le verbe en parenthèses.

1. Nous attendons à l'aéroport. (aller)
2. J'arrive chez le dentiste. (aller)
3. Je ne porte jamais assez d'argent. (avoir)
4. Mes parents répondent que c'est vrai. (dire)
5. Les trois amis travaillent toujours ensemble. (sortir)
6. Tu deviens assez pénible! (être)
7. Tiens! Vous mangez tous les biscuits! (prendre)
8. Ils ouvrent les bagages tout de suite. (faire)
9. À quelle heure sortez-vous? (partir)
10. Tous mes amis assistent au match. (venir)
11. Paul ne prend pas de lait. (vouloir)
12. Ils ne veulent pas y aller. (pouvoir)
13. Quoi! Vous ne portez pas vos jeans? (mettre)
14. Nous avons un compte à la banque. (ouvrir)

TROIS

language the imperfect tense

communication receiving and relating information

situation reading a newspaper

TREIZIÈME ANNÉE N° 4 140

ÉDITION NAT

LA GAZ

LES CANADIENS EN PREMIÈRE PLACE!

Les Canadiens, qui étaient un match derrière les Leafs de Toronto, sont maintenant en première place après leur victoire contre les Red Wings à Détroit. Pendant que les Canadiens gagnaient leur match, les Leafs perdaient contre les Nordiques à Toronto. / page **B9**

LA MÉTÉO

aujourd'hui
minimum: 0°
maximum: 4°
possibilité de neige
page **A2**

TRIOMPHE POUR MARCEL MÉTÉORE!

Marcel Météore est rentré au Canada de New York dans son nouveau jet privé. Il a eu un succès fou: 30 000 jeunes Américains sont venus l'écouter à son concert. «C'était une expérience incroyable!» a dit Météore.
page **A12**

JEU

NALE

ETTE

ÊTES-VOUS MILLIONNAIRE?

Voici les numéros gagnants de la loterie nationale: 1005623, 2536799, 6243006.

MOTOCYCLISTE RENVERSÉ PAR CHAUFFEUR INCONNU

Hier soir, pour la troisième fois cette année, il y a eu un accident au coin des rues Guy et Vanier. Cette fois, une auto a renversé un jeune motocycliste. D'après la police, il neigeait fort et la visibilité était mauvaise. La police est à la recherche d'une grande voiture blanche. / page **A9**

ÉDITORIAL

La violence à la télé. /page **A6**

QUOI DE NEUF?

OTTAWA – Le comité d'experts qui a déclaré l'été passé que le coût de la vie allait augmenter de seulement 5%, annonce aujourd'hui une augmentation probable de 10%. Le gouvernement a annoncé ce matin la formation d'un deuxième comité pour étudier le rapport du premier comité. / page **B1**

avez-vous compris?

1. Qui a gagné le match entre les Canadiens et les Red Wings?
2. En quelle place étaient les Leafs avant ce match?
3. Quelle est la température minimum et la température maximum aujourd'hui?
4. Quel temps va-t-il faire probablement?
5. D'où est-ce que Marcel Météore est rentré?
6. Comment a-t-il voyagé?
7. Combien de jeunes Américains y avait-il à son concert?
8. Qu'est-ce que Marcel a dit après le concert?
9. Quels étaient les numéros gagnants de la loterie nationale?
10. De quelle couleur était l'auto qui a renversé le motocycliste?
11. Quel temps faisait-il quand l'accident est arrivé?
12. Quel est le sujet de l'éditorial dans le journal d'aujourd'hui?
13. Selon le premier comité d'experts, de combien est-ce que le coût de la vie allait augmenter?
14. De combien va être l'augmentation probable?
15. Pourquoi va-t-on former un deuxième comité?

entre nous

1. Quelle est ton équipe de hockey favorite? De quelles couleurs est leur uniforme?
2. Aimes-tu la neige? Pourquoi? Pourquoi pas?
3. As-tu jamais voyagé dans un jet? Où es-tu allé?
4. As-tu jamais acheté un billet de loterie? As-tu jamais gagné de l'argent? Combien?
5. À la télé, quelle est ton émission favorite? Dans quelles émissions y a-t-il de la violence?
6. Quelle est ta bande dessinée favorite? Pourquoi?
7. Qu'est-ce que tu aimes lire dans le journal? Qu'est-ce que tu n'aimes pas lire?
8. Dans un journal, où cherches-tu de l'information sur les films et les spectacles?
9. D'habitude, combien d'argent est-ce que tu dépenses chaque semaine?
10. Qu'est-ce que tu préfères faire pendant ton temps libre: (a) regarder la télé, (b) lire le journal ou (c) écouter la radio? Pourquoi?

le pouvoir de la presse!

on peut lire...
...un journal
...un livre de poche
...un magazine
...des bandes dessinées
...un manuel scolaire
...un dictionnaire
...et si vous parlez la langue populaire, pour vous, les livres sont des **bouquins**!

avez-vous remarqué?

du nom au verbe...

une formation	→ former	une déclaration	→ ?	une recommandation	→ ?
une augmentation	→ augmenter	une exploration	→ ?	une consultation	→ ?
une organisation	→ ?				

---

vocabulaire

masculin

un chauffeur	driver
un dictionnaire	dictionary
un livre de poche	paperback book
un manuel scolaire	textbook
un motocycliste	motorcyclist
un numéro	number
un rapport	report
un spectacle	show

féminin

une annonce classée	classified ad
une bande dessinée	comic (strip)
une loterie	lottery
la météo	weather report

verbes

augmenter (de)	to increase (by)
neiger	to snow
renverser	to knock down

conjonction

pendant que	while

adjectifs

incroyable	unbelievable
privé	private

expressions

au coin de	at the corner of
quoi de neuf	what's new?

les mots-amis

un(e) Américain(e)	**un jet**
déclarer	**un magazine**
une édition	**le maximum**
une expérience	**le minimum**
un expert	**la police**
le gouvernement	

avez-vous remarqué?

C'est un **Italien**. Rome est une ville **italienne.**
Beaucoup d'**Américains** visitent le Canada.
Washington est la capitale **américaine.**

nom ou adjectif?

1. **Marcel Météore est un chanteur... .**
2. **Napoléon était l'empereur des... .**
3. **La Rolls-Royce est une voiture... .**
4. **Bella Bambola est une actrice... .**
5. **Elle? Elle est de Winnipeg. C'est une... !**

le bon usage

Un ou une **libraire** travaille dans une **librairie**, un magasin où on **vend** des livres.

Un ou une **bibliothécaire** travaille dans une **bibliothèque**, un édifice public où on **prête** des livres.

savoir-dire

As-tu **jamais** visité la France?
(à l'affirmative **jamais = ever**)
Non, je **ne** l'ai **jamais** visitée.
(à la négative **jamais = never**)

observations

l'imparfait

comparez:

a) Quand j'**étais** jeune, je ne **jouais** jamais au tennis...

b) Quand je **suis allé** en vacances, j'**ai joué** au tennis pour la première fois...

c) Maintenant, je **joue** au tennis tous les week-ends!

L'imparfait est le temps de la description au passé. D'habitude, en anglais, dans les phrases correspondantes, on trouve les mots «was» ou «were».

exemples

1. Il **était** quatre heures de l'après-midi.
2. Il **neigeait** fort et la visibilité **était** mauvaise.
3. Elle **portait** une belle robe rouge.
4. C'**était** un grand homme blond.
5. Nous n'**étions** pas contents après le voyage.
6. Combien de jeunes y **avait**-il au concert?

L'imparfait est aussi le temps d'une action habituelle, répétée ou continuée au passé. D'habitude, en anglais, dans les phrases correspondantes, on trouve l'expression «used to».

exemples

1. Il **faisait toujours** ses devoirs après le dîner.
2. **J'attendais** l'autobus à 7 h 00 **tous les matins.**
3. **D'habitude**, on **perdait** tous les matchs.
4. **Le samedi matin**, je **faisais** la grasse matinée.
5. Marcel Météore **ne voyageait jamais** sans sa guitare.
6. **Étiez**-vous **toujours** si pénible?

la formation de l'imparfait

-er	-ger	-cer	-ier
je parlais*	je mangeais	je commençais	j'étudiais
tu parlais	tu mangeais	tu commençais	tu étudiais
il parlait	il mangeait	il commençait	il étudiait
elle parlait	elle mangeait	elle commençait	elle étudiait
nous parlions	nous mangions	nous commencions	nous étudiions
vous parliez	vous mangiez	vous commenciez	vous étudiiez
ils parlaient	ils mangeaient	ils commençaient	ils étudiaient
elles parlaient	elles mangeaient	elles commençaient	elles étudiaient

*I talked, I was talking, I used to talk

-ir	**-re**	**être**
je finissais	je vendais	j'étais
tu finissais	tu vendais	tu étais
il finissait	il vendait	il était
elle finissait	elle vendait	elle était
nous finissions	nous vendions	nous étions
vous finissiez	vous vendiez	vous étiez
ils finissaient	ils vendaient	ils étaient
elles finissaient	elles vendaient	elles étaient

Pour poser une question à l'imparfait avec le sujet je, on utilise est-ce que.

Est-ce que je parlais trop vite?

À l'imparfait, les terminaisons sont les mêmes pour tous les verbes, même les verbes irréguliers.

À l'exception du verbe être, pour former l'imparfait, on enlève la terminaison -ons de la première personne du pluriel au présent et on y ajoute les terminaisons de l'imparfait.

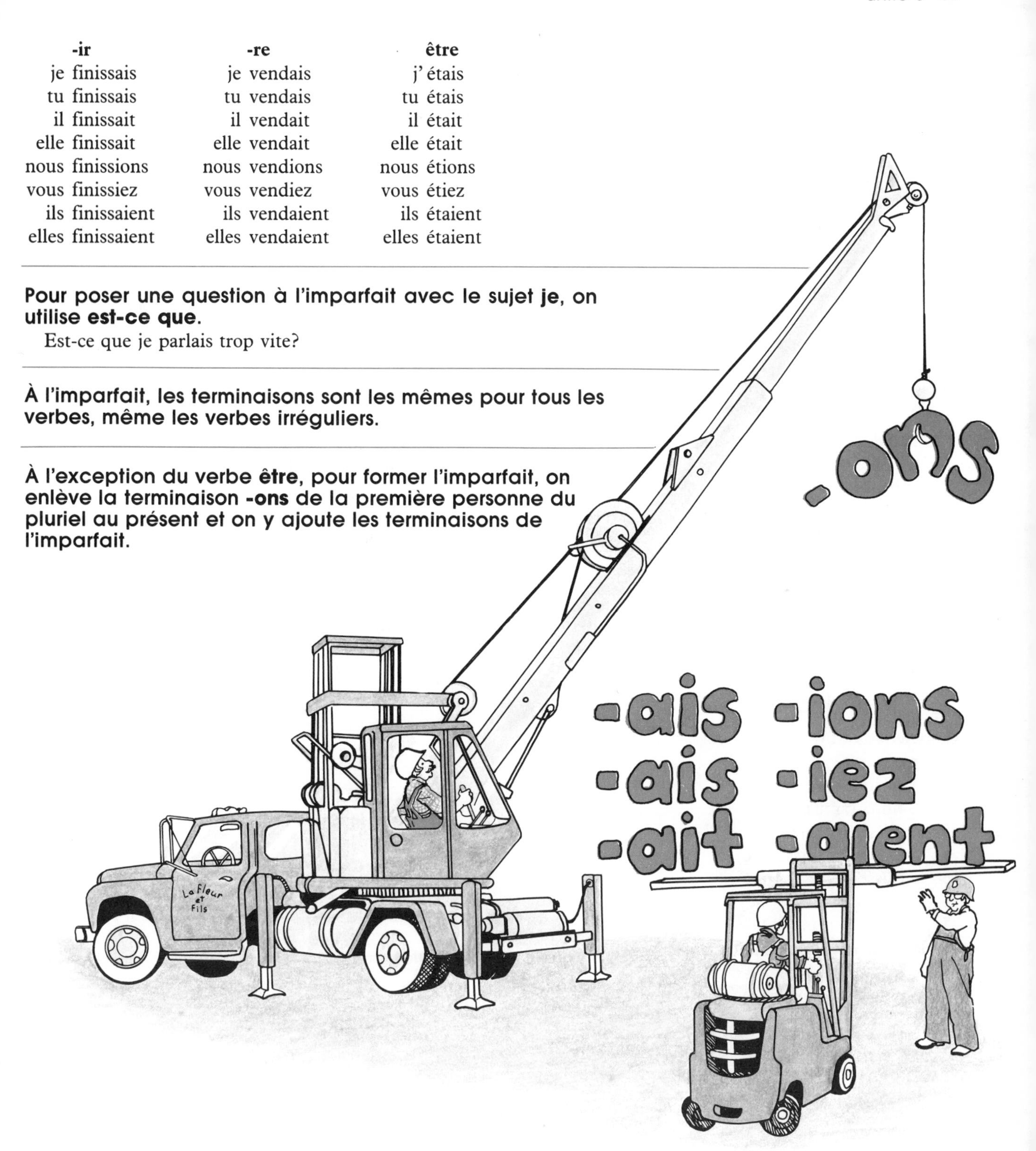

on y va!

A je sais l'imparfait!

1. Donnez les formes des verbes **donner, choisir, descendre, vouloir, faire** et **prendre** à l'affirmative avec les pronoms **je, il, nous** et **elles.**
2. Donnez les formes des verbes **filer, nager, réussir, étudier, mettre** et **avoir** à la négative avec les pronoms **tu, elle, vous** et **ils.**
3. Donnez les formes des verbes **commencer, finir, attendre, sortir, pouvoir** et **dire** à l'interrogative avec les pronoms **je, tu, elle, vous** et **ils.**
4. Donnez les formes du verbe **être** à l'affirmative avec les pronoms **je, nous** et **elles.**

B que faisaient-ils?

1. Marcel / partir pour l'aéroport
   ▶ **Marcel partait pour l'aéroport.**
2. Éric / jouer au base-ball
3. Marie-Claire / finir son dîner
4. Paul et Henri / faire du moto-cross
5. M. Duval / assister au concert
6. Monique / prendre sa leçon de guitaire
7. ma copine / nager à la piscine
8. papa / aller au cinéma
9. Pierre / téléphoner à Margot
10. Gisèle et Roger / descendre en ville

C c'était incroyable!

Comment as-tu trouvé...

1. le concert? (formidable)
   ▶ **C'était formidable!**
2. le film? (amusant)
3. l'émission? (sensationnel)
4. le match? (fantastique)
5. la classe? (intéressant)
6. la course? (incroyable)
7. la party? (formidable)
8. la danse? (extraordinaire)
9. le test? (facile)
10. le dîner? (magnifique)

D dommage!

1. Henri / pouvoir y aller
   ▶ **Henri ne pouvait pas y aller.**
2. Colette / vouloir sortir
3. nous / pouvoir jouer au hockey
4. ils / partir en vacances
5. je / réussir en sciences
6. vous / être content
7. tu / avoir le temps
8. il / faire beau
9. les élèves / comprendre les questions
10. l'équipe / gagner le match

E parce que!

1. Pourquoi as-tu téléphoné à Luc? (vouloir aller au match)
   ▶ **Parce que je voulais aller au match.**
2. Pourquoi as-tu mis ta veste? (faire froid)
3. Pourquoi as-tu quitté la maison si vite? (être en retard)
4. Pourquoi a-t-il acheté le journal? (vouloir lire l'éditorial)
5. Pourquoi as-tu décoré la salle? (avoir une party pour Lise)
6. Pourquoi ne sont-ils pas venus? (travailler tard)
7. Pourquoi êtes-vous restée à l'école? (devoir étudier)
8. Pourquoi n'a-t-elle pas répondu au téléphone? (prendre un bain)

F les questions

1. Il **neigeait.**
   ▶ **Quel temps faisait-il?**
2. Il était **5 h 00.**
3. J'allais **en ville.**
4. Elle portait **une veste.**
5. Il y avait **seize** bougies sur le gâteau.
6. J'avais **quinze ans.**
7. Elle sortait toujours avec **Luc.**
8. Nous rentrions **après minuit.**
9. Je ne pouvais pas y aller **parce que j'étais malade.**
10. Ils y allaient **en avion.**

G tu n'étais pas chez toi?

– Je t'ai téléphoné samedi matin. Tu n'étais pas chez toi?
– Si, j'y étais!
– Mais tu n'as pas répondu au téléphone! Qu'est-ce que tu faisais?
– **J'écoutais des disques!**

1. regarder la télé
2. prendre un bain
3. être dans le garage
4. faire la vaisselle
5. ranger ma chambre
6. faire la grasse matinée

H quoi de neuf?

– Tu as regardé la télé hier soir?
– Non, je ne pouvais pas. Qu'est-ce qu'il y avait?
– **Une émission de rock.**
– Sans blague!
– Oui! C'était **formidable**! Tu sais qui en était la vedette?
– Non, qui?
– **Marcel Météore!**
– Et j'ai manqué ça? Zut!!

1. un western
incroyable
Tex Lasseau
2. une comédie
amusante
l'inspecteur Clouseau
3. un film français
sensationnel
Brigitte Labombe
4. un ballet
un succès fou
Olga Tchikaboumskaya

LE COIN DE L'HUMOUR

la belle histoire!

La contribution d'aujourd'hui vient de Jean-Paul Cormier...

Hier soir, ma femme et moi, nous sommes allés au cinéma pour voir un film basé sur un livre populaire.
Dans la grande foule devant le cinéma, nous avons remarqué une vieille dame avec un gros chien. Quand elle est arrivée au guichet, elle a acheté deux billets: un billet pour elle-même et l'autre pour son chien!
Dans le cinéma, nous étions derrière la vieille dame et son chien. Quand le film a commencé, la vieille dame a dit à son chien: «Henri, voici tes lunettes» et elle lui a donné une grosse paire de lunettes!
Le film était très long, mais le chien l'a regardé avec beaucoup d'attention. Bien sûr, nous étions fascinés par ce chien extraordinaire!
Après le film, on a vu la vieille dame encore une fois à la sortie du cinéma et on a décidé de lui parler.
«Pardon, madame, ai-je dit, ma femme et moi, nous avons remarqué que votre chien a beaucoup aimé le film. Nous sommes très surpris, naturellement!»
La vieille dame a répondu: «Moi aussi, je suis surprise, parce qu'il a détesté le livre!»

Concours de «LA BELLE HISTOIRE»

Avez-vous une histoire à raconter? Envoyez votre contribution à l'éditeur. Pour chaque gagnant, il y a deux billets de théâtre et un dîner pour deux au restaurant «Le Chandelier».

petit vocabulaire

chacun(e)	each	**elle-même**	herself	**une manchette**	headline
un chien	dog	**enlever**	to remove	**remarquer**	to notice
un concours	contest	**une foule**	crowd	**une sortie**	exit
déchiffrer	to decipher	**un guichet**	(ticket) counter	**voir (vu)**	to see

le jeu des manchettes

Déchiffrez les anagrammes pour trouver les six manchettes. Attention aux accents qui manquent!

1. CUTO DE AL IVE UGETNAME COREEN!
2. TICDANCE AU RECENT-EVILL!
3. VICERIOT SED INANECADS HIRE ROIS!
4. PILECO A LA CREECHHER DE FUURCHAFE NNUNCIO!
5. PPARROT DU EMOTIC RICBALONEY, LEONS RUNTMOENEGEV!
6. IRONMELILIAN ENGAG RILETOE ANTILOAN!

casse-tête

1. Deux pères et deux fils trouvent chacun un billet de dix dollars, mais au total, ils ont seulement trente dollars. Comment?
2. Je n'ai pas de soeurs et je n'ai pas de frères, mais le père de Robert est le fils de mon père. Qui suis-je?
3. Il y a huit frères dans la famille Giroux. Quatre frères ont les cheveux bruns et quatre ont les cheveux blonds. Si tous les frères portent des chapeaux, combien en doit-on enlever, au minimum, pour trouver seulement deux frères qui se ressemblent?

qu'est-ce qu'on disait?

bon voyage!

A du tac au tac!

Pour chaque question de l'agent de police, choisissez la réponse du motocycliste.

l'agent de police

1. Vous avez eu l'accident à 5 h 00, n'est-ce pas?
2. Une voiture vous a renversé dans la rue Saint-Laurent?
3. De quelle couleur était la voiture?
4. Le chauffeur a-t-il pu arrêter la voiture?
5. Avez-vous pris le numéro de la voiture?
6. Êtes-vous allé à l'hôpital?
7. Est-ce que vous avez eu d'autres accidents?

le motocycliste

Non, c'était au coin des rues Guy et Vanier.
Je ne pouvais pas! Il neigeait trop fort!
Non, c'était mon premier.
Non, c'était à 7 h 00 du soir.
Bien sûr! J'avais un bras de cassé!
C'était une auto blanche.
Malheureusement, non! Il allait trop vite!

B il était une fois...

Quand j'étais petit(e),...

1. j'étais...
2. j'avais...
3. je devais
4. je voulais...
5. je pouvais...
6. j'aimais...
7. j'allais...
8. je jouais...
9. je visitais...
10. je n'aimais pas...
11. je n'avais pas de...
12. je ne voulais jamais...
13. je ne faisais jamais...

C les excuses!

1. Je n'ai pas mis ma veste **parce qu'il faisait chaud.**
2. Je n'ai pas répondu au téléphone...
3. Je n'ai pas mis la table...
4. Je ne suis pas allé au cinéma...
5. Je ne suis pas sorti...
6. Je n'ai pas téléphoné à mon ami(e)...
7. Je n'ai pas fait le gâteau...
8. Je n'ai pas joué au tennis...
9. Je n'ai pas acheté les jeans...
10. Je ne suis pas allé chez le docteur...

D une image vaut mille mots!

Vous êtes reporter pour *La Gazette*! Aujourd'hui, vous et le photographe du journal, vous avez complété de différents reportages. Les photos sont prêtes. Maintenant, vous devez écrire le texte pour accompagner chaque photo. C'est à vous d'inventer tous les détails!

petit vocabulaire

un/une photographe photographer

E une enquête difficile!

Nous sommes au coin des rues Guy et Vanier, où un chauffeur inconnu a renversé un motocycliste. La police questionne un témoin...

– Excusez-nous, madame. Voulez-vous répondre à quelques questions, s'il vous plaît?
– Volontiers! Allez-y!
– Bon! Avez-vous remarqué le chauffeur?
– Oui! C'était un homme!
– Pouvez-vous nous faire une description? Est-ce qu'il portait des lunettes, par exemple?
– Non, il n'avait pas de lunettes.
– Est-ce qu'il avait une barbe? Une moustache?
– Non, il n'en avait pas.
– Et les cheveux?
– Il était blond, avec les cheveux bouclés!
– Bon! Et les yeux? Vous avez remarqué la couleur?
– Ah, oui! Il avait les yeux bleus!
– Très bien! Maintenant la voiture...
– C'était une grande voiture blanche, je pense...
– Et la marque? Le numéro d'immatriculation... ?
– Désolée! Je n'ai pas remarqué!

Maintenant, regardez les chauffeurs suivants. À votre avis, qui était le coupable? Pourquoi? Jouez les rôles de l'agent et de la dame, mais cette fois faites la description d'un autre chauffeur!

petit vocabulaire

une barbe	beard	**remarquer**	to notice
bouclé	curly	**un témoin**	witness
chauve	bald	**volontiers**	gladly
lisse	straight (hair)		

F les annonces publicitaires

Connaissez-vous l'art de la persuasion? Savez-vous faire un bon slogan? Lisez les annonces suivantes, puis faites quelques annonces originales. N'oubliez pas que vous pouvez y mettre un peu d'humour si vous voulez!

LA PANTHÈRE

PASSEPARTOUT

094 266 5900 M

Finis les rêves!

Maintenant tout est possible avec PASSEPARTOUT, la carte de crédit acceptée dans le monde entier!

petit vocabulaire

avoir du cran	to be tough	**essayer**	to try	**un roi**	king
une chaîne stéréo	stereo system	**un rêve**	dream	**une tête**	head

Tourne-lui la tête...
...avec VERTIGE!
...le parfum de la
femme sophistiquée.

LOUIS DE NÎMES

...le «derrière cri» en jeans!
...une valeur exceptionnelle!

AÉROMONDE

Qui dit confort dit AÉROMONDE...

...la ligne aérienne pour qui le passager est roi.

Votre Majesté, nos jets vous attendent!

quelques suggestions

1. la pâte dentifrice «Dentex»
2. le désodorisant «Aromatica»
3. la chaîne stéréo «Décibel»
4. le rasoir électrique «Le Rasillon»
5. la carte de crédit «Omnibus»
6. les céréales «Nutricornes»
7. le shampooing «Shampagne»
8. la nouvelle voiture de sport «La Tigresse»
9. les bonbons «Les Médaillons»
10. la motocyclette «La Locomoto»
11. le détergent «Hercule»
12. les blue-jeans «Quasimodo»
13. le parfum «Boris»

je me souviens!

le passé composé avec avoir

le passé composé des verbes réguliers

parler → j'ai parl**é**
finir → j'ai fin**i**
vendre → j'ai vend**u**

le passé composé des verbes irréguliers

apprendre → j'ai appris
avoir → j'ai eu
comprendre → j'ai compris
devoir → j'ai dû
dire → j'ai dit
être → j'ai été
faire → j'ai fait
mettre → j'ai mis
ouvrir → j'ai ouvert
pouvoir → j'ai pu
prendre → j'ai pris
vouloir → j'ai voulu

---

au passé composé, s'il vous plaît!

1. Le spectacle commence à 3 h 00.
2. Choisis-tu un disque de Marcel Météore?
3. Ils attendent au coin de la rue Vanier.
4. Je ne comprends pas les mots croisés.
5. Où mets-tu le journal?
6. Qu'est-ce que tu dois faire?
7. Tu ne veux jamais sortir.
8. Qui ouvre les bouteilles?
9. On est en ville.
10. Vous dites non?
11. Qu'est-ce qu'elles font?
12. Nous ne pouvons pas y participer.
13. Papa prend la voiture.
14. Il a des difficultés en sciences.
15. Qu'est-ce que tu apprends dans cette classe?

QUATRE

language the **imparfait** and the **passé composé** • the verbs **écrire** and **lire**

communication describing places, events and experiences

situation reading a letter

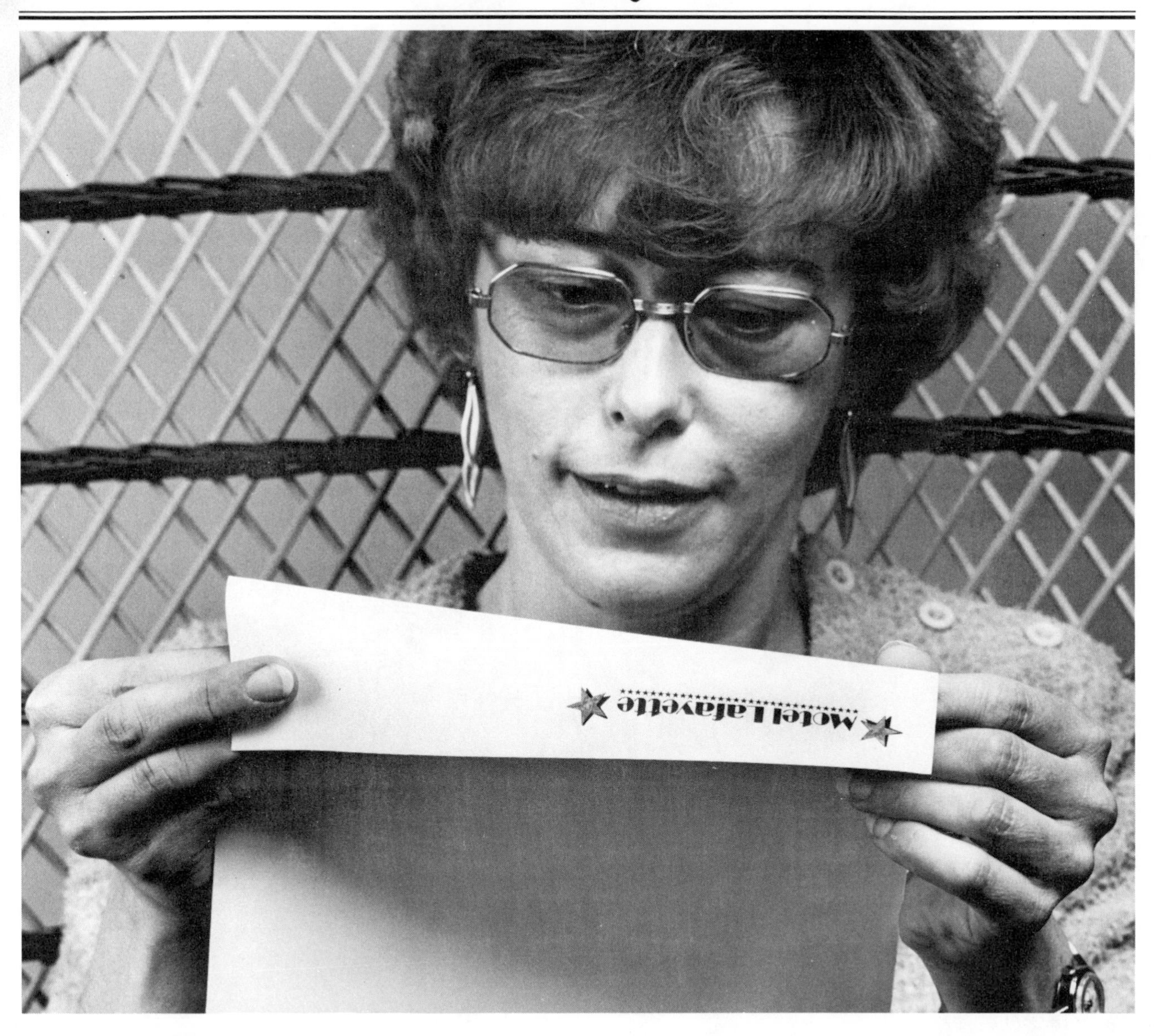

deux Acadiens en pays cajun

Cet été, les frères Boudreau, qui habitent au Nouveau-Brunswick, font un voyage en Louisiane. Robert, qui a quinze ans, et son frère Richard, qui a dix-neuf ans, ont toujours voulu visiter cette région, où ils ont de la famille.

Chère Maman,

Lafayette, le 17 juillet

On est maintenant aux États-Unis depuis un mois. C'est formidable! Enfin, voici de nos nouvelles!

D'abord, on a loué une voiture! Ne t'inquiète pas! On respecte toujours les limitations de vitesse! À propos, merci de ta carte de crédit! Elle est formidable! On l'accepte partout – dans les motels, les restaurants, les stations-service. C'est fantastique, tu ne trouves pas?

Hier, nous avons quitté la Nouvelle-Orléans pour Lafayette. Nous sommes partis de bonne heure parce qu'on voulait passer tout le week-end chez tante Françoise. Quelle réception elle nous a faite! (Elle a lu ta lettre et elle dit qu'elle va t'écrire bientôt.) Elle nous a préparé un plat extraordinaire: c'était du "gombo". C'est un peu comme ton ragoût, mais la différence, c'est qu'il y a beaucoup de "chevrettes" dedans. (C'est comme ça qu'ils appellent les crevettes.)

Samedi soir, nous sommes allés dans les "bayous" pour attraper des ouaouarons. Nous, les touristes, on avait tellement peur des serpents qu'on n'a pas attrapé un seul!

Dimanche soir, nous sommes allés à un "fais dodo". C'est une soirée où on chante, on danse et on mange beaucoup. Ça ressemble un peu aux veillées de chez nous. On a appris un tas de chansons de la région!

Bon, il est déjà tard et demain, on part pour Bâton-Rouge. En route, bien sûr, on va visiter la maison d'Evangéline!

À part la chaleur et les moustiques, tout va bien!

A bientôt,
Richard

avez-vous compris?

1. Où les frères Boudreau habitent-ils?
2. Quelle langue parlent-ils?
3. Quel âge a Robert? Et son frère?
4. Où font-ils un voyage?
5. Dans quelle ville sont-ils quand ils écrivent cette lettre?
6. Depuis quand sont-ils en Louisiane?
7. Comment voyagent-ils?
8. Quelle ville ont-ils quittée hier?
9. Où ont-ils passé tout le week-end?
10. Où sont-ils allés samedi soir?
11. Dimanche soir, qu'est-ce qu'ils ont fait?
12. Où vont-ils demain? Qu'est-ce qu'ils vont visiter en route?

entre nous

1. Quelles villes as-tu déjà visitées?
2. Comment y es-tu allé?
3. Où es-tu resté dans ces villes?
4. Quels plats spéciaux y as-tu mangés?
5. Est-ce que tu écris souvent des lettres ou des cartes postales? À qui?
6. Sais-tu comment on appelle les personnes qui parlent français au Nouveau-Brunswick?

avez-vous remarqué?

le Nouveau-Brunswick: Moncton est **au** Nouveau-Brunswick.
la Louisiane: Lafayette est **en** Louisiane.
les États-Unis: Washington est **aux** États-Unis.

1. la France: Paris est ... France.
2. l'Italie (f.): Rome est ... Italie.
3. la Suisse: Berne est ... Suisse.
4. le Canada: Ottawa est ... Canada.
5. le Japon: Tokyo est ... Japon.
6. le Portugal: Lisbonne est ... Portugal.
7. les Bermudes: Hamilton est ... Bermudes.

avez-vous remarqué?

On **est** aux États-Unis **depuis** un mois. = Ça fait un mois qu'on est aux États-Unis.
J'**étudie** le français **depuis** cinq ans. = Ça fait cinq ans que j'étudie le français.

1. Ça fait une heure que je t'attends!
   ▶ **Je t'attends depuis une heure!**
2. Ça fait deux mois qu'il a son auto.
3. Ça fait dix ans que je joue du piano.
4. Ça fait deux semaines qu'ils sont en vacances.
5. Ça fait trois jours qu'il neige.
6. Ça fait cinq minutes que je fais cet exercice!

parlons voyages!

Quand on part en vacances, on peut voyager...

...en avion: On prend l'avion, mais on voyage **en avion**.

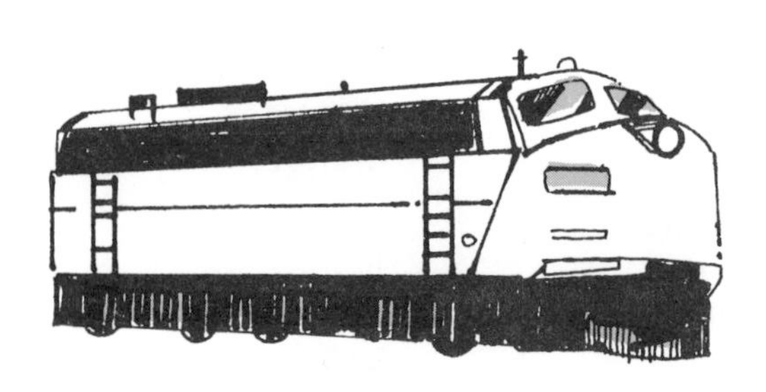

...en train: On prend le train,
mais on voyage **en train**.

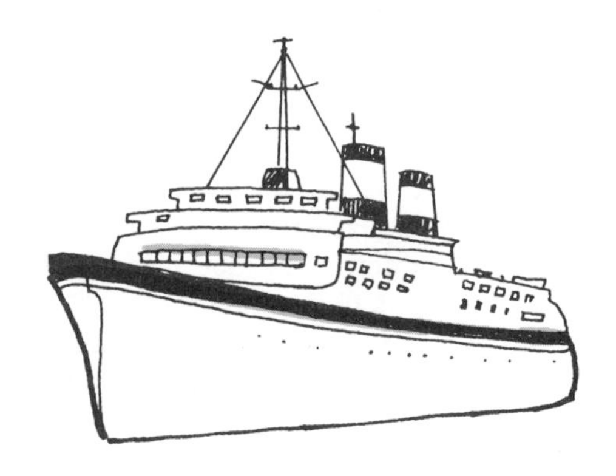

...en bateau: On prend le bateau,
mais on voyage **en bateau**.

...en autocar: On prend l'autocar,
mais on voyage **en autocar**.

À l'intérieur d'une ville, on voyage **en autobus**, mais c'est l'**autocar** ou le «**car**» qui va de ville en ville!

Bien sûr, il y a d'autres possibilités. Si on est sportif, on peut partir **à bicyclette** ou bien, si on a de la patience, on peut **faire du stop**!

saviez-vous?

En Europe, on dit **faire du stop** ou **de l'auto-stop**.
Au Canada, on dit aussi **faire du pouce**!

parlons cajun!

Un **bayou** est une sorte de terrain unique à la Louisiane. On trouve des bayous près d'un lac ou d'une rivière, parce qu'ils sont pleins d'eau, de vie animale et végétale et souvent d'alligators! Le mot **bayou** vient du mot indien **bayuk**.
Le mot **cajun** est un dérivé du mot **acadien.** Il s'applique aux habitants francophones de la Louisiane et au dialecte français qu'ils parlent.
Une **chevrette** est une crevette, un petit animal aquatique.
Un **fais dodo** est une soirée ou veillée traditionnelle où on chante, on danse, on mange et on rigole beaucoup!
Un **gombo** est une sorte de ragoût à l'oignon et à l'okra. On peut y ajouter des crevettes ou du poulet.

vocabulaire

masculin

un (auto)car — (highway) bus, coach
les États-Unis — the United States
un pays — country
un plat — dish, food

féminin

la chaleur — heat
une nouvelle — (piece of) news
une soirée — party
une tante — aunt
la limitation de vitesse — speed limit

verbes

écrire — to write
lire — to read
louer — to rent
ressembler à — to resemble

préposition

depuis — for, since

adverbes

d'abord — first(ly), to begin with
partout — everywhere
tellement — so; so much

expressions

à propos — by the way
avoir peur (de) — to be afraid (of)
de bonne heure — early
faire du stop — to hitch-hike
ne t'inquiète pas! — don't worry!
un(e) seul(e) — a single one

les mots-amis

accepter
la différence
un motel
une région
respecter
une station-service
un(e) touriste

observations

le passé composé...

Comparez les deux temps!

1. Ils **ont loué** une voiture.
2. Ils **ont respecté** les limitations de vitesse.
3. Ils **ont quitté** la Nouvelle-Orléans.
4. Ils **sont partis** à 7 h 00 du matin.
5. Ils **sont arrivés** chez tante Françoise.
6. Ils **ont mangé** un bon repas.
7. Ils **sont allés** dans les bayous.
8. Ils **sont allés** à un fais dodo.

...et l'imparfait

C'**était** une petite Ford bleue.
C'**était** plus prudent.
Il **faisait** très beau.
Ils **voulaient** arriver de bonne heure chez tante Françoise.
Elle **était** vraiment contente.
C'**était** du gombo.
Ils **avaient** peur.
C'**était** une soirée extraordinaire.

exemple

Les «Kangourous» **ont gagné** (1) le match final de la coupe «Pochette». Les spectateurs **étaient** (A) en complète extase. Pensez donc, une équipe qui d'habitude **perdait** (B) toujours! Quelle surprise! Après le match, pendant que Charles Gonflé, le capitaine de l'équipe, **acceptait** (C) la grande coupe en or, un fan **a crié** (2): «Vive les Kangourous!»

---

le **passé composé** pour: 1. les actions complétées et les événements
2. les interruptions

l'**imparfait** pour: A. la description des gens, des choses ou des situations
B. les actions habituelles **(used to)**
C. les actions en progrès **(was/were)**

---

le verbe écrire

j'écris	nous écrivons
tu écris	vous écrivez
il écrit	ils écrivent
elle écrit	elles écrivent

Attention au participe passé:
– Tu as **écrit** la lettre?
– Oui, je l'ai **écrite**.

le verbe lire

je lis	nous lisons
tu lis	vous lisez
il lit	ils lisent
elle lit	elles lisent

Attention au participe passé:
– Tu as **lu** la lettre?
– Oui, je l'ai **lue**.

on y va!

A je sais le passé composé et l'imparfait!

1. Quand elles (arriver) en Louisiane, il (faire) beau.
   Quand elles sont arrivées en Louisiane, il faisait beau.
2. Quand je (rentrer), il (être) minuit.
3. Quand le téléphone (sonner), je (prendre) une douche.
4. Il ne (finir) pas ses devoirs, parce qu'il ne (avoir) pas le temps.
5. Ils (aller) au cinéma, mais moi, je (vouloir) rester à la maison.
6. Quand les voisins (entrer), papa (préparer) le dîner.
7. Nous (visiter) la maison d'Évangéline, mais elle ne (être) pas là.

B je sais les verbes écrire et lire!

1. Donnez les formes du présent des verbes **écrire** et **lire** à l'affirmative et à la négative avec les pronoms **je, il, nous, vous** et **elles.**
2. Donnez les formes du passé composé des verbes **écrire** et **lire** à l'affirmative et à la négative avec les pronoms **tu, elle, vous** et **ils.**
3. Donnez les formes de l'imparfait des verbes **écrire** et **lire** à l'affirmative et à la négative avec les pronoms **je, on, vous** et **elles.**
4. Mettez au passé composé, au futur proche et à l'imparfait:
   a) Écrit-on ces phrases en français?
   b) Est-ce qu'ils écrivent à leurs parents ou à leurs amis?
   c) Combien de cartes postales écris-tu?
   d) Lui écrit-il souvent?
   e) Nous écrivons à notre tante.
   f) Elle lit des histoires de science-fiction.
   g) Je ne lis jamais ces livres de poche!
   h) Elles lisent le livre avant de regarder le film.
   i) Quels journaux lisez-vous?
   j) Combien de pièces de Shakespeare lis-tu?

C qu'est-ce que tu faisais?

1. Je mange un sandwich.
   ▶ **– Qu'est-ce que tu faisais quand ils sont arrivés?**
   – Je mangeais un sandwich.
2. Je fais mes devoirs.
3. J'écoute un nouveau disque.
4. Je range ma chambre.
5. Je téléphone à Robert.
6. Je mets la table.
7. Je prends un bain.
8. Je lis le journal.
9. Je finis mon repas.
10. J'écris une lettre.

D à ce moment-là...

1. Je pars / mon frère fait la vaisselle.
   ▶ **Quand je suis parti, mon frère faisait la vaisselle.**
2. Nous téléphonons / Paul mange.
3. Mes amis arrivent / le dîner n'est pas prêt.
4. L'auto renverse le motocycliste / il neige.
5. Je finis les mots croisés / il est déjà tard.
6. Le professeur entre / les étudiants parlent.
7. Vous commencez vos devoirs / il est huit heures.
8. Je visite le dentiste / j'ai peur.

E quel temps? quelle forme?

1. (lire) Paul / deux livres la semaine dernière.
   ▶ **Paul a lu deux livres la semaine dernière.**
2. (écrire) Pendant que je fais mes devoirs, Micheline / une lettre à sa tante.
3. (lire) Quand j'étais jeune, je / beaucoup de bandes dessinées.
4. (écrire) Qui / ce grand article dans le journal d'hier?
5. (lire) Mes parents / le journal chaque matin.
6. (écrire) Quand je / je consulte souvent le dictionnaire.
7. (lire) Je / douze livres de poche l'été dernier.
8. (écrire) C'est un très bon rapport que vous / hier.
9. (lire) Quand il allait à la bibliothèque, il / toujours les magazines.
10. (écrire) Quand nous sommes en voyage, nous / toujours des cartes postales à nos amis.

11. (lire) Tu peux / cette histoire en vingt minutes.
12. (écrire) Quand je / à ma tante, elle me répond toujours tout de suite.

F chacun son goût!

1. partir / rester
   ▶ **On est parti, mais moi, je voulais rester.**
2. manger du steak / manger du gombo
3. écouter la radio / regarder la télé
4. aller patiner / faire du ski
5. rester à la maison / sortir
6. aller au cinéma / aller à la party
7. prendre l'autocar / louer une voiture
8. écouter des disques / lire

G quel temps faisait-il?

1. faire beau / nous partons
   ▶ **Il faisait beau quand nous sommes partis.**
2. faire chaud / je vais à la piscine
3. faire froid / vous rentrez
4. faire beau / ils font le barbecue
5. faire mauvais / elle arrive
6. faire du vent / vous jouez au badminton
7. faire très chaud / tu vas nager
8. faire frais / on fait le pique-nique

H dans la rue!

1. un groupe / chanter
   ▶ **Il y avait un groupe qui chantait.**
2. un monsieur / faire une promenade
3. un jeune homme / jouer de la guitare
4. une jeune fille / attendre l'autobus
5. un vieil homme / manger un sandwich
6. une jolie dame / entrer dans le restaurant
7. des enfants / jouer dans le parc
8. une jeune femme / lire un magazine
9. deux étudiants / faire du stop
10. des touristes / prendre des photos

I bien choisir, c'est réussir!

1. Hier, nous (sommes allés / allions) à une party.
   ▶ **Hier, nous sommes allés à une party.**
2. D'habitude, elle (est allée / allait) à l'école en autobus.
   ▶ **D'habitude, elle allait à l'école en autobus.**
3. Quand il était jeune, Marc (a fait / faisait) souvent des promenades en bicyclette.
4. Je rangeais ma chambre pendant que ma soeur (a fait / faisait) la vaisselle.
5. Quand j'étais petite, notre famille (a habité / habitait) en Louisiane.
6. On était en train de dîner quand, tout à coup, Paul (a téléphoné / téléphonait).
7. J'aimais beaucoup la géographie quand (je suis allé / j'allais) à l'école.
8. Est-ce que vous (êtes arrivés / arriviez) de bonne heure chez tante Françoise?
9. Le week-end dernier, un chauffeur (a renversé / renversait) deux motocyclistes.
10. Paul et René (ont eu / avaient) cinq ans quand ils ont commencé à lire.

J quelle vie!

– Tu as passé un bon week-end?
– Non, **un vrai désastre**!
– Mais pourquoi?
– Parce que **j'étais malade**!
– Alors, qu'est-ce que tu as fait?
– Pour une fois, j'ai dû **faire mes devoirs**!

1. horrible
   maman être chez des amis
   préparer tous les repas
2. misérable
   faire mauvais
   garder mon petit frère
3. terrible
   être fatigué
   rester au lit
4. très ennuyeux
   être fauché
   rester à la maison

K jamais de la vie!

– Tu as parlé à Marcel?
– Non. Quand je suis arrivé, il **regardait** la télé.
– Quoi! Il ne **faisait** pas **la vaisselle**?
– **Tu plaisantes**! Il ne fait jamais la vaisselle!

1. jouer au billard
   faire ses devoirs
   certainement pas!
2. faire la grasse matinée
   ranger sa chambre
   tu es fou?
3. écouter le stéréo
   écrire à son oncle
   tu parles!
4. jouer de la guitare
   aider son père
   tu blagues!

le créole et les Créoles

L'auteur de cette histoire s'appelle Lucille Augustine Gabriel Landry. Elle est née le 25 juillet 1887 à Lafayette, où elle a passé toute sa vie. Elle a raconté cette histoire en 1979, à l'âge de 92 ans.

Je suis Créole, pure Créole.

Je suis née Créole et on m'a élevée Créole. Je suis descendante de Créoles. Les Créoles, ça veut dire des racines: c'étaient des esclaves d'Afrique achetés par des Français d'ici; aujourd'hui, les Créoles, ce sont les descendants de ces esclaves.

Mais **le créole** veut aussi dire une langue.

Mes ancêtres parlaient d'abord une langue africaine. Ils ont dû apprendre la langue de leurs maîtres, le français, mais ils ont gardé en même temps une partie de leur propre langue. Le créole est donc cette langue mélangée qu'on parle parmi nous: langue mélangée de mots africains, de mots français et, plus tard, de mots anglais et de mots américains. C'est un mélange — comme le gombo!

Moi, c'est les Français d'ici qui m'ont appris à dire des mots comme eux...

...Aujourd'hui, beaucoup de Créoles ont mis leur langue par terre. Ils ne veulent plus parler le créole parce que, disent-ils, c'est «démodé». Mais moi, quand je montre aux gens comment vivre, quand je leur donne des conseils, je le fais dans la langue de nos ancêtres, en créole. Et les gens qui m'écoutent, ils sont contents de ça. Oh oui, ils en sont fiers!

petit vocabulaire

ça veut dire	that means	**je suis né(e)**	I was born	**ne ... plus**	no longer
démodé	old-fashioned	**une langue**	language	**parmi nous**	amongst ourselves
élever	to bring up	**un maître**	master	**une partie**	part
un(e) esclave	slave	**un mélange**	mixture	**propre**	own
fier, fière	proud	**mélanger**	to mix	**une racine**	root
garder	to keep, retain	**mettre par terre**	to reject, to abandon		

questions

1. Qui étaient les Créoles?
2. Qu'est-ce que les Créoles ont dû apprendre?
3. Pourquoi la langue créole est-elle un «mélange»?
4. Pourquoi beaucoup de Créoles ne veulent-ils plus parler leur langue?
5. Quand l'auteur parle créole, quelle est la réaction des gens?
6. Qui est l'auteur de cette histoire?
7. Où et quand est-elle née?
8. Quel âge avait-elle quand elle a raconté cette histoire?

quiz

1. Le créole est parlé...
   A au Québec **B** en France **C** en Louisiane
2. Les ancêtres des Acadiens de Louisiane venaient...
   A du Canada **B** d'Haïti **C** de la Martinique
3. Le nombre de francophones en Louisiane est de...
   A 1 000 000 **B** 100 000 **C** 500 000
4. L'auteur de cette histoire a passé toute sa vie...
   A en France **B** aux États-Unis **C** en Afrique
5. Les ancêtres des Créoles étaient...
   A des touristes **B** des Africains **C** des Acadiens
6. À part les mots africains et français, il y a aussi dans le créole des mots...
   A américains **B** italiens **C** croisés
7. La langue des Français de la Louisiane s'appelle...
   A le gombo **B** le cajun **C** le bayou
8. Les Français ont nommé la Louisiane en l'honneur de...
   A la reine Anne **B** le roi Louis XIV
   C Louis et Anne Lafayette

association d'idées

Trouvez une idée associée aux mots suivants:

mots	idées
1. des esclaves	mettre par terre
2. le créole	le cajun
3. le gombo	un fais dodo
4. l'Acadie	des racines
5. une soirée	des maîtres
6. abandonner	une langue mélangée
7. des ancêtres	un plat mélangé

vive la différence!

français	anglais
1. un maître	master
2. un hôpital	hospital
3. un hôte	?
4. la hâte	?
5. la pâte	?
6. un mât	?
7. une île	?
8. un arrêt	?
9. le coût	?
10. une bête	?
11. un rôti	?
12. une fête	?

---

le créole et le cajun

Le **créole** est une langue basée sur le français et parlée par beaucoup d'habitants de la Louisiane et d'autres pays français, comme la Martinique et Haïti. Le français des **Acadiens** en Louisiane a évolué depuis leur arrivée du Canada et elle s'appelle le **cajun**. Aujourd'hui, en Louisiane, presque 500 000 personnes parlent un de ces dialectes français.

bon voyage!

A du tac au tac

Pour chaque phrase de la liste A, choisissez une remarque de la liste B.

liste A

1. On a quitté Vancouver à six heures du matin.
2. On a pris l'avion, bien sûr.
3. On est arrivé vendredi après-midi.
4. D'abord, on a loué une auto à l'aéroport.
5. En route, on a eu un accident!
6. Finalement, on est arrivé chez oncle Louis.
7. On a eu un repas extraordinaire!
8. Tu sais, on est allé dans les bayous!

liste B

Et vous n'aviez pas peur des alligators?
C'était du gombo, j'espère!
C'était de bonne heure, ça!
C'était une voiture de sport, j'espère!
C'était un vol agréable?
Comme ça, vous pouviez y passer tout le week-end.
Comme d'habitude, tu allais trop vite, hein?
Il était content de vous voir?

B savoir juger

Ton ami rentre de ses vacances. Pose-lui des questions!

– Alors, tu as pris l'autocar ou tu as loué une voiture?
– J'ai pris l'autocar, bien sûr!
– Pourquoi donc?
– Parce que c'était plus économique!

1. prendre l'autocar / louer une voiture
2. prendre l'avion / prendre le train
3. aller au théâtre / aller au cinéma
4. faire du camping / rester à l'hôtel
5. écrire des lettres / écrire des cartes postales
6. faire des promenades / faire des tours organisés
7. acheter des cartes postales / prendre des photos
8. manger dans des restaurants / manger dans des snack-bar
9. faire du stop / louer une bicyclette
10. voyager partout / rester en ville
11. aller à la plage / visiter les villes
12. sortir de bonne heure / faire la grasse matinée
13. visiter les musées / aller aux discos
14. prendre le métro / prendre des taxis

petit vocabulaire

agréable enjoyable
fatigant tiring
moins less
une plage beach
plus more
pratique practical
reposant relaxing

C les grands personnages

personnage	nationalité	métier
Louis Pasteur	français	biologiste
Antoine Sax	belge	inventeur
Ludwig van Beethoven	allemand	compositeur
Jesse Owens	américain	athlète
Henri Dunant	suisse	banquier
Frederick Banting	canadien	médecin
Marilyn Bell	canadienne	athlète
Louis Daguerre	français	inventeur
Reginald Fessenden	canadien	physicien
Benjamin Franklin	américain	homme politique
Marie Curie	française	physicienne
Gideon Sundback	canadien	inventeur
Gustave Eiffel	français	ingénieur
Louis Braille	français	professeur
Jonas Salk	américain	médecin
Abraham Gesner	canadien	géologue
Sir Sandford Fleming	canadien	ingénieur

1. Qui a fondé la Croix-Rouge? Quel était son métier? Sa nationalité?
2. Qui a inventé le saxophone? Quelle était sa nationalité?
3. Qui a composé neuf symphonies? Où habitait-il?
4. Qui a inventé les premières images photographiques? Quelle langue parlait-il?
5. Qui a découvert l'insuline? Où travaillait-il?
6. Qui a découvert le radium? Quel était son métier? Sa nationalité?
7. Qui a inventé un alphabet pour les aveugles? Quel pays habitait-il?
8. Qui a construit une célèbre tour en France? En quelle ville?
9. Qui a découvert un vaccin contre la rage? Quel était son métier? Sa nationalité?
10. Qui a inventé le paratonnerre? Quelle était sa nationalité?
11. Qui a gagné quatre médailles d'or aux jeux Olympiques de 1936? Quel pays représentait-il?
12. Qui a découvert comment transformer le pétrole en kérosène? Quel était son métier? Sa nationalité?
13. Qui a été la première personne à traverser le lac Ontario à la nage?
14. Qui a découvert un vaccin contre la polio? Quel était son métier?
15. Qui a été la première personne à faire une transmission de radio? Quelle était sa nationalité?
16. Qui a inventé le système d'heure légale, qui divise le monde en 24 zones?
17. Qui a inventé la fermeture éclair? Quelle était sa nationalité?

petit vocabulaire

aveugle	blind
un banquier	banker
un compositeur	composer
construire	to build
une fermeture éclair	zipper
l'heure légale	standard time
un paratonnerre	lightning rod
un peintre	painter
le pétrole	petroleum
un(e) physicien(ne)	physicist
la rage	rabies

D une lettre de Marie-Claire

Ton amie Marie-Claire et sa soeur font un voyage en Louisiane. Tu as reçu la lettre suivante et maintenant tu dois téléphoner aux parents de Marie-Claire pour leur raconter tous les détails.

la Nouvelle-Orléans, le 5 août

Salut!

Comment vas-tu? Nous, on est ici depuis une semaine. J'ai beaucoup de choses à te raconter!

D'abord, la Nouvelle-Orléans est une ville extraordinaire, surtout le quartier français!

Samedi matin, nous avons pris le petit déjeuner au Café du Monde. (C'est un endroit très connu pour son café et ses beignes.) Le bâtiment est une ancienne gare de trains. Moi, je regardais surtout les gens (tu connais ma curiosité)!

Après ça, on est allé chercher un plan de la ville et nous avons loué des bicyclettes. Il faisait très beau, alors on a fait une longue promenade. À midi, j'ai mangé mon premier gombo dans un restaurant typique du quartier. (C'était très épicé!)

L'après-midi, on a pris le gros bateau qui fait des promenades sur le Mississippi. C'était vraiment formidable!

Le soir, on est allé à "Preservation Hall" pour écouter du jazz. Après, bien sûr, encore une promenade dans la rue Bourbon, où on rencontre beaucoup de gens intéressants!

Aujourd'hui, c'est le repos et on reste à la piscine de l'hôtel. Demain, on va faire le touriste encore!

Bon, je te quitte pour le moment. Dis à nos parents que je vais leur écrire bientôt.

Amicalement,
Marie-Claire

P.S. J'ai un cadeau pour toi!

petit vocabulaire

ancien(ne)	old; former	**épicé**	spicy
un beigne	doughnut	**les gens**	people
connu	known	**le repos**	relaxation
un endroit	place, spot	**tu connais**	you know

E la bonne explication

Complétez chaque phrase avec une explication logique!

1. Je suis rentré(e) tard parce que…
2. J'ai pris rendez-vous chez le conseiller parce que…
3. J'ai donné ma place à la dame parce que…
4. J'ai décidé de rester à la maison parce que…
5. Je n'ai pas joué au hockey parce que…
6. Je n'ai pas préparé de pizza parce que…
7. Je n'ai pas participé à la course de moto-cross parce que…
8. Je n'ai pas joué aux échecs parce que…
9. Je ne suis pas allé(e) en Louisiane parce que…
10. Je n'ai pas sauté en parachute parce que…

je me souviens!

les mots interrogatifs

Combien...?
Combien de...?
Comment...?
Où...?
Pourquoi...?
Quand...?
Que...?
Quel...?
Qu'est-ce que...?
Qui...?
...Quoi...?

---

choisis bien!

1. – ... as-tu mis la pâte dentifrice?
   – Sur la table!
2. – ... était sa profession?
   – Il était cascadeur!
3. – ... es-tu allé en vacances?
   – En France.
4. – Depuis ... étudies-tu le français?
   – Depuis deux ans.
5. – Salut! ... de neuf?
   – Rien de spécial.
6. – ... coûte ce livre?
   – Quatre dollars.
7. – ... étais-tu quand j'ai téléphoné?
   – Dans la salle de bains!
8. – ... a ouvert les fenêtres?
   – Moi! J'avais chaud!
9. – À ... heure est-ce que tu pars?
   – Vers huit heures.
10. – D'... vient-elle?
    – De Montréal.
11. – Dis donc, tu sais ...?
    – Oui, oui! C'est ton anniversaire!
12. – ... fais-tu avec mon journal?
    – Je lis les annonces classées.
13. – Avec ... sort-elle ce soir?
    – Avec Yves, bien sûr!
14. – ... temps va-t-il faire demain?
    – Selon la météo, il va neiger.
15. – ... jours y a-t-il en décembre?
    – Trente et un.
16. – ... avez-vous trouvé le concert de Marcel Météore?
    – Sensass!
17. – ... es-tu si fâché?
    – Parce que tu m'énerves!
18. – ... tu fais?
    – Je te prépare un plat spécial!

que sais-je?

A les associations

Quelles idées vont ensemble?

1. **une guitare**	une annonce classée
2. un journal	la pâte dentifrice
3. un restaurant	une soucoupe
4. une brosse à dents	une table
5. une tasse	un coca
6. une chanteuse	un gâteau
7. un ouvre-bouteille	un concert
8. une bougie	**la musique**
9. une cuiller	les mots
10. un manuel scolaire	la soupe
11. un jet	les mathématiques
12. un touriste	un avion
13. une tante	voyager
14. un dictionnaire	un oncle

B au contraire!

Trouvez les expressions contraires.

1. **vieux**	arrivée
2. dame	peu de
3. désastre	maximum
4. départ	accepter
5. fermer	sérieux
6. drôle	**nouveau**
7. d'abord	monsieur
8. minimum	ouvrir
9. refuser	succès
10. beaucoup de	finalement

C les décisions

Choisissez le bon mot pour compléter chaque phrase.

1. On trouve un rasoir dans (le vestiaire, la salle de bains, la cuisine).
2. Quand je voyage, je réserve une chambre dans (des bagages, un spectacle, un motel).
3. J'aime écrire des (lettres, loteries, couteaux).
4. Quand on est en retard, on doit (renverser, neiger, filer).
5. Je mange du gâteau avec (une fourchette, un couteau, une bougie).
6. «Peanuts» est une (chanteuse, bande dessinée, serviette).
7. Je prends du café dans (un plat, une bouteille, une tasse).
8. Je mets des glaçons dans (du coca, de la glace, une annonce).
9. New York est (en France, aux États-Unis, en Suisse).
10. Quand j'étudie la géographie, je consulte (un atlas, un dentiste, la police).
11. Quand quelqu'un est pénible, je lui dis: (Tu m'énerves! Mets la table! Tu es aimable!).
12. Quand je voyage en auto, je respecte toujours (les stations-service, les limitations de vitesse, ma tante).

D l'élimination des mots!

Quel mot ne va pas avec les autres?

1. cuiller, fourchette, verre, couteau
2. atlas, dictionnaire, manuel scolaire, journal
3. motel, hôtel, maison, touriste
4. tante, copain, cousin, oncle
5. spectacle, pièce, magazine, film
6. tasse, assiette, serviette, soucoupe
7. avion, autocar, chauffeur, train
8. bagages, douane, aéroport, station-service
9. prenons, mettais, lisaient, écriviez
10. Américain, Canadien, français, Italien

E les adjectifs

Donnez la forme correcte de chaque adjectif.

1. vieux / homme
   ▶ **un vieil homme**
2. beau / spectacle
3. nouveau / brosse à dents
4. ce / atlas
5. beau / région
6. vieux / dames
7. nouveau / magazines
8. ce / loterie
9. vieux / autocar
10. vieux / dictionnaire

F ah, les verbes!

Complétez chaque phrase avec la forme correcte du verbe a) au présent et b) au passé composé.

1. C'est M. Lavallée qui (écrire) le rapport.
2. Je (dire) que oui!
3. Quand est-ce qu'ils (ouvrir) leurs cadeaux?
4. Vous (écrire) des articles pour le journal?
5. Où est-ce que tu (mettre) les serviettes?
6. Qui (ouvrir) toutes les fenêtres?
7. On (lire) les numéros de la loterie.
8. Quand est-ce que vous (vouloir) commencer?
9. Tout le monde (lire) la météo.
10. Je (mettre) la table avant le dîner.

G du présent au passé

Mettez les phrases suivantes au passé composé. Attention à la position du pronom!

1. J'y vais.
   ▶ **J'y suis allé.**
2. Il l'accepte.
3. Leur réponds-tu?
4. Elle n'en choisit pas.
5. Les mettez-vous?
6. Ils ne le font pas.
7. Nous écrivent-ils?
8. On peut lui demander.
9. Je n'en ai pas peur.
10. Quand vient-il?
11. Où devons-nous la louer?
12. Ils me disent que oui.

H y ou en?

Répondez aux questions à l'affirmative et à la négative. Utilisez **y** ou **en** dans vos réponses pour remplacer les mots en caractères gras.

1. Mets-tu **des glaçons** dans ton coca?
   ▶ **Oui, j'en mets. Non, je n'en mets pas.**
2. Est-il allé **chez ses amis**?
   ▶ **Oui, il y est allé. Non, il n'y est pas allé.**
3. As-tu passé **à la douane**?
4. Est-ce que tu as beaucoup **d'argent**?
5. A-t-il cassé deux **verres**?
6. As-tu répondu **à sa lettre**?
7. Sont-ils restés **à l'hôtel**?
8. Avez-vous **les invitations**?
9. Est-ce qu'elle veut aller **aux États-Unis**?
10. Voulez-vous **du thé**?

I l'ordre des pronoms

Remplacez les mots en caractères gras par des pronoms.

1. Tu lui as demandé **de l'argent.**
   ▶ **Tu lui en as demandé.**
2. Je leur lisais **la météo.**
3. Il va me vendre **sa moto.**
4. On en a mis **dans le frigo.**
5. Nous ne leur avons pas parlé **du désastre.**
6. Elles nous attendent **devant le théâtre.**
7. Qui en a prêté **aux voisins**?
8. Je ne veux pas y mettre **les bagages.**
9. Leur avez-vous raconté **votre voyage**?
10. Il n'y avait pas **de places.**

J le bon accord!

Remplacez le nom dans chaque phrase par le nom en parenthèses.

1. Quel chandail as-tu mis? (jupe)
   ▶ **Quelle jupe as-tu mise?**
2. Quelle boîte a-t-il ouverte? (fenêtres)
3. Combien de couteaux avez-vous mis? (cuillers)
4. Combien de trains as-tu pris? (leçons)
5. Quels souliers a-t-elle mis? (lunettes)
6. Combien de tomates y as-tu mises? (glaçons)

K c'est moi!

Répondez aux questions suivantes. Utilisez **le, la, l'** ou **les** pour remplacer les mots en caractères gras. Attention à l'accord du participe passé!

1. Qui a compté **les bougies**?
   ▶ **Moi, je les ai comptées.**
2. Qui a écrit **les invitations**?
3. Qui a loué **cette voiture**?
4. Qui a ouvert **la porte**?
5. Qui a vérifié **la liste**?
6. Qui a apporté **les ouvre-bouteille**?
7. Qui a fait **les bagages**?
8. Qui a pris **ma brosse à cheveux**?

L toujours et jamais

Mettez chaque phrase à l'imparfait a) à l'affirmative, avec le mot **toujours,** et b) à la négative, avec le mot **jamais**.

1. Ils respectent les limitations de vitesse.
   ▶ **Ils respectaient toujours les limitations de vitesse.**
   ▶ **Ils ne respectaient jamais les limitations de vitesse.**
2. J'écris de très bonnes compositions.
3. Il neige.
4. Ma soeur achète des livres français.
5. Nous acceptons leurs invitations.
6. Vous êtes tranquille.
7. J'ai peur de tomber.
8. On étudie dans la cuisine.
9. Nous répondons à ses lettres.
10. Je lis des magazines.

M à chaque réponse, sa question!

Posez une question pour chaque réponse. Utilisez l'imparfait.

1. Il faisait **beau**.
   ▶ **Quel temps faisait-il?**
2. Elle portait **sa nouvelle robe**.
3. Il était **5 h 30**.
4. Le livre était **mauvais**.
5. Il voyageait toujours **en train**.
6. Je faisais **les bagages**.
7. Nous attendions **au coin de la rue Vanier**.
8. Il y avait **vingt mille** spectateurs.
9. Il faisait **très froid**.
10. **Oui,** je prenais toujours l'autocar.

N quel temps? quelle forme?

Composez des phrases. Utilisez le passé composé ou l'imparfait du verbe entre parenthèses.

1. (lire) je / un bon magazine / hier soir
   ▶ **J'ai lu un bon magazine hier soir.**
2. (neiger) d'habitude / il / fort / en hiver
   ▶ **D'habitude, il neigeait fort en hiver.**
3. (aller) elle / toujours / à l'école / en autobus
4. (perdre) le mois dernier / mon père / toutes ses cartes de crédit
5. (renverser) ce chauffeur / un motocycliste / le week-end dernier
6. (avoir) il y / un accident / devant l'école / ce matin
7. (être) on / en train de dîner / quand le téléphone a sonné
8. (faire) ils / la vaisselle en vingt minutes

O de temps en temps!

1. parler français / je
   ▶ **Je parle français.**
   ▶ **J'ai parlé français.**
   ▶ **Je parlais français.**
   ▶ **Je vais parler français.**
2. choisir un bon livre / je
3. attendre tes amis / tu
4. arriver de bonne heure / elle
5. manger un sandwich / je
6. commencer à midi / vous
7. faire du stop / tu
8. avoir une interview / ils
9. être à Paris / nous
10. dire que non / elle
11. mettre la table / je
12. lire le journal / on
13. écrire une lettre / je
14. prendre le taxi / vous
15. répéter leurs rôles / ils

P savoir choisir!

Mettez le verbe dans chaque phrase au présent, au passé composé, à l'imparfait **ou** au futur proche.

1. Je pense que je (aller) en ville demain matin.
2. Ils (dîner) à un restaurant français hier soir.
3. Il (être) 8 h 00 quand Gisèle (rentrer) de son voyage.
4. Qui (vouloir) participer à une course de moto-cross? Pas moi! Je (avoir) trop peur!
5. Nous (ne pas rester) à la maison pendant nos vacances parce que ce (être) trop ennuyeux.
6. Paul et Henri (avoir) cinq ans quand ils (commencer) l'école.
7. Dans deux semaines, il (partir) pour la France.
8. On (gagner) le match contre les Lions hier.
9. Je (faire) une promenade quand, tout à coup, il (commencer) à neiger.
10. Il (prendre) des leçons de guitare depuis cinq ans.
11. Pendant que le prof (distribuer) les tests, la cloche (sonner)!
12. Ça fait déjà une heure que je vous (attendre)!
13. Qui (laisser) le frigo ouvert pendant que nous (regarder) la télé?
14. Nous (habiter) ici depuis 1975.

Q voyons...

Posez une question négative, puis utilisez un pronom dans la réponse.

1. tu / vérifier la liste
   ▶ – **Tu n'as pas vérifié la liste?**
   ▶ – **Mais si, je l'ai vérifiée!**
2. elle / avoir assez d'argent
3. tu / écrire ton nom
4. vous / aller en Suisse
5. il / acheter du shampooing
6. elles / jouer au tennis
7. vous / faire la vaisselle
8. ils / mettre leurs chaussettes

R soyez logique!

Utilisez un mot logique pour compléter chaque phrase!

1. Quand on part en vacances, on doit faire ses...
2. Quand on veut lire les annonces classées, on achète un...
3. Quand une boisson n'est pas assez froide, on y met des...
4. Quand on organise une surprise-party, on doit faire des...
5. Quand on mange de la soupe, on a besoin d'une...
6. Quand on a un accident d'auto, on téléphone à la...
7. Quand la voiture est en panne, on doit téléphoner à une...
8. Quand on a beaucoup de problèmes, on dit qu'on a un tas d'...
9. Quand le dîner est prêt, on doit mettre la...
10. Quand on cherche la signification d'un mot, on consulte un...
11. Quand on doit faire beaucoup d'achats, d'habitude on fait une...

CINQ

language reflexive verbs ● the verbs **conduire** and **se promener**

communication writing about something that has happened to you

situation two letters relating an incident from different points of view

youppi! ça y est!

5

MATCH DE HOCKEY
ÉCOLE CHAMPLAIN
le 3 janvier
8 H 00
$2.0

Cher Guy,

Youppi! Ça y est! Enfin, j'ai mon permis de conduire! Et, tu sais, je suis le premier à l'école Champlain à l'avoir! C'est chouette, non?

Hier soir, je me suis promené en voiture avec sept copains dans la bagnole de mon père. C'était sensass!

Avant de commencer le test du permis, même moi, j'étais un peu nerveux. Mais, naturellement, je me suis vite calmé et, pendant le test, j'étais très sûr de moi.

Tu sais, Guy, j'ai conduit comme un expert! J'ai respecté la limitation de vitesse, je me suis arrêté à tous les feux rouges et j'ai stationné à la perfection!

Je suis certain que l'examinatrice, Mlle Beauchamps, était ravie de mes talents de chauffeur. Evidemment, je n'ai pas fait de faute, parce qu'elle n'a pas dit un seul mot pendant tout le test.

A la fin, elle m'a regardé avec un drôle de sourire, puis elle m'a donné mon permis. C'est tout!

C'est formidable d'avoir un talent naturel!

Bien à toi,

Jean-Marc

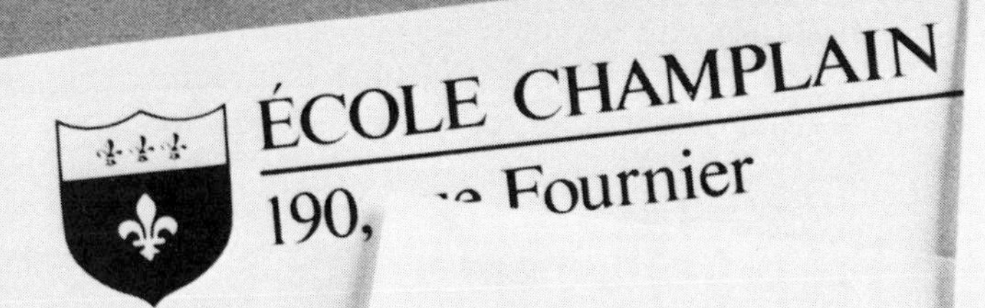

Chère Hélène,

Youppi! Ça y est! Enfin, je suis libre! Hier, j'ai donné mon dernier test comme examinatrice pour le permis de conduire. Tu sais, j'allais avoir une crise de nerfs! Hier, par exemple, mon dernier candidat, un certain Jean-Marc Boucher, a conduit comme un coureur automobile! Mais, j'ai réussi tout de même à rester calme. Je ne me suis pas fâchée une seule fois. Et mon Dieu que c'était difficile! Il a démarré comme un fou, puis il a changé de direction sans mettre le clignotant. Après, il s'est arrêté à la dernière seconde devant tous les feux rouges. Une fois, il a presque écrasé deux piétons! Quelle horreur! Et à la fin du test, ce sans-talent a stationné à deux mètres du trottoir! Je lui ai donné son permis quand même. Et pourquoi pas? J'ai fini pour toujours avec des maniaques comme lui. Le calme et la paix m'attendent... Lundi, je vais commencer comme professeur à l'école Champlain!

À bientôt,

Jacqueline

avez-vous compris?

la lettre de Jean-Marc

1. Pourquoi est-ce que Jean-Marc est si content?
2. Pourquoi dit-il: «C'est chouette!»?
3. Avec qui et comment s'est-il promené hier soir?
4. Comment était Jean-Marc avant de commencer le test? Pendant le test?
5. Selon Jean-Marc, qu'est-ce qui prouve qu'il a conduit comme un expert?
6. Pourquoi a-t-il pensé que Mlle Beauchamps était ravie de son talent?
7. Quelles deux choses a-t-elle faites à la fin du test?
8. Selon Jean-Marc, pourquoi a-t-il réussi?

la lettre de Jacqueline Beauchamps

1. Pourquoi Jacqueline est-elle si contente?
2. Pourquoi a-t-elle quitté son emploi?
3. À son avis, comment est-ce que Jean-Marc a conduit?
4. Comment était-elle pendant le test?
5. Comment Jean-Marc a-t-il démarré?
6. Qu'est-ce qu'il a oublié de faire avant de changer de direction?
7. Comment s'est-il arrêté devant les feux rouges?
8. Qu'est-ce qui est arrivé une fois?
9. Comment Jean-Marc a-t-il stationné?
10. Pourquoi Jacqueline lui a-t-elle donné son permis?
11. Quel est le nouvel emploi de Jacqueline? Quand va-t-elle commencer?
12. Expliquez l'ironie de la phrase: «Le calme et la paix m'attendent.»

entre nous

1. Quel âge doit-on avoir pour conduire une voiture dans la province où tu habites?
2. As-tu ton permis de conduire? Si oui, quand l'as-tu eu? Si non, quand vas-tu l'avoir?
3. Te promènes-tu souvent en voiture? Où vas-tu?
4. Préfères-tu les grandes ou les petites voitures? Pourquoi?
5. Quelle est ta voiture favorite? Pourquoi?
6. Es-tu souvent nerveux? Quand? Pourquoi?
7. Est-ce que tu te fâches quelquefois? Quand?
8. Si tu es fâché, qu'est-ce que tu fais pour pour te calmer?

avez-vous remarqué?

1er	: premier	12^{e}	: ?
1re	: première	19^{e}	: ?
2^{e}	: deuxième	30^{e}	: ?
3^{e}	: troisième	41^{e}	: ?
10^{e}	: dixième	100^{e}	: ?
21^{e}	: vingt et unième	1000^{e}	: ?
		$1\ 000\ 000^{e}$	: ?

savoir-dire

D'habitude, on utilise l'article défini devant les noms qui se réfèrent aux parties du corps:

Elle a **les** cheveux bruns. Il s'est cassé **la** jambe.

1. Elle se lave … cheveux.
2. Je me brosse … dents.
3. As-tu … yeux bleus?
4. Il s'est cassé … bras.
5. Tu t'es lavé … mains?

avant de sortir

Quand on **se prépare** pour une party, on…
…**se lave**
…**se lave les cheveux**
…**se rase**
…**se brosse les dents**
…**se peigne**
…**s'habille**
…**se maquille**
…et à la party, naturellement, on **s'amuse!**

les interjections

– Youppi! Les Leafs ont marqué un but! Bravo!
– Hourra, les Leafs! Formidable! Allez-y!
– Ce numéro 16 est sensass, non?
– Aïe! Regarde! Il est tombé!
– Horreur! Il s'est cassé la jambe!
– Comment! Mon Dieu, c'est vrai!
– Maintenant, ils vont perdre le match!
– Zut, alors!

Youppi!	Zut!	Attention!
Hourra!	Hélas!	Dis donc!
Bravo!	Bah!	Regarde!
Sensass!	Dommage!	Tiens!
Extra!	Aïe!	Écoute!
Formidable!	Ouf!	Holà!
Bon!	Horreur!	Minute!
Ça y est!	Mon Dieu!	Attends!
Oh là là!	Oh là là!	Arrête!

---

vocabulaire

masculin

les cheveux hair
un clignotant turn signal
un feu rouge (des feux) stop light
un permis de conduire driver's licence
un trottoir sidewalk

féminin

une bagnole* jalopy, car
la fin end
la paix peace

verbes

conduire to drive
démarrer to start (off)
habiller to dress
laver to wash

verbes réfléchis

s'amuser to have a good time
s'arrêter to stop
se calmer to calm down
se fâcher to get angry
s'habiller to get dressed
se laver to get washed
se maquiller to put on one's make-up
se peigner to comb one's hair
se préparer to get ready
se promener to go for a walk
se raser to shave

adjectif

chouette* great, super

adverbes

presque nearly, almost
tout de même anyway

expressions

ça y est! that's it!
comme lui like him
un(e) drôle de... a funny sort of...
être ravi de to be delighted with
mon Dieu que c'était difficile! that was terribly difficult!
quelle horreur! how awful!
se brosser les dents to brush one's teeth
se casser la jambe to break one's leg
se laver les cheveux to wash one's hair
se promener en voiture to go for a drive
youppi! hurray!

les mots-amis

amuser
le calme
un(e) maniaque
naturel(le)
un talent

***langue familière**

observations

les verbes réfléchis

comparez:

Tu **as préparé** le dîner? → Tu **t'es préparé** pour la party?
J'**arrête** la voiture. → Je **m'arrête** devant le feu rouge.

Avec un verbe réfléchi, il y a toujours un **pronom réfléchi: me, te, se, nous** ou **vous.** Ce pronom est l'**objet** du verbe, mais il se réfère toujours au **sujet** de la phrase. Le pronom **se** devant un infinitif signale toujours un verbe réfléchi. Par exemple: **s'habiller, se laver**.

se laver

le présent	**l'imparfait**	**le passé composé**
je me lave*	je me lavais	je me suis lavé(e)
tu te laves	tu te lavais	tu t'es lavé(e)
il se lave	il se lavait	il s'est lavé
elle se lave	elle se lavait	elle s'est lavée
nous nous lavons	nous nous lavions	nous nous sommes lavé(e)s
vous vous lavez	vous vous laviez	vous vous êtes lavé(e)(s)
ils se lavent	ils se lavaient	ils se sont lavés
elles se lavent	elles se lavaient	elles se sont lavées

*I am washing (myself),
I am getting washed

Au passé composé, les verbes réfléchis se conjuguent avec être!

---

contrastez:

1. Je **lave** les chemises.
   J'**ai lavé** les chemises.
   Je **me lave.**
   Je **me suis lavé(e)**
2. Il n'**arrête** pas la voiture.
   Il n'**a** pas **arrêté** la voiture.
   Il ne **s'arrête** pas.
   Il ne **s'est** pas **arrêté**.
3. Elle **prépare** le dîner.
   Elle **a préparé** le dîner.
   Elle **se prépare** pour la party.
   Elle **s'est préparée** pour la party.
4. La mère **habille** le bébé.
   La mère **a habillé** le bébé.
   La mère **s'habille.**
   La mère **s'est habillée.**
5. Vous **amusez** les enfants?
   Vous **avez amusé** les enfants?
   Vous **vous amusez**?
   Vous **vous êtes amusé(e)(s)**?

l'accord du participe passé

contrastez:

pronom réfléchi, objet direct	**pronom réfléchi, objet indirect**
a) Elle **s'**est lav**ée**.	b) Elle s'est lavé **les mains**.
c) Elles **se** sont lav**ées**.	d) Elles se sont lavé **les mains**.

Le participe passé s'accorde seulement avec l'objet **direct** qui précède le verbe.

exemples

1. Nous nous sommes brossé **les dents**.
2. Janine s'est cassé **la jambe**.
3. Mes frères ne **se** sont jamais ras**és**.
4. Elles **se** sont promen**ées** hier soir.
5. Les enfants! Vous êtes-vous lavé **les mains**?
6. La voiture **s'**est arrêt**ée** à deux mètres du trottoir.

---

les verbes réfléchis et l'infinitif

exemples

Je vais **m'**habiller.
Voulez-**vous vous** calmer?
Où vont-**ils s'**arrêter?
Est-ce que **tu** vas **te** préparer?
Elle aime **se** maquiller.
Nous ne pouvons pas **nous** promener.
Ils ne voulaient pas **se** fâcher.
On a oublié de **se** peigner.

---

le verbe conduire (to drive)

je conduis	nous conduisons
tu conduis	vous conduisez
il conduit	ils conduisent
elle conduit	elles conduisent

Attention au participe passé: – Tu as **conduit** la voiture de ton père?
– Oui! Je l'ai **conduite** hier soir!

---

le verbe se promener (to go for a walk)

je me promène	nous nous promenons
tu te promènes	vous vous promenez
il se promène	ils se promènent
elle se promène	elles se promènent

Le verbe se promener se conjugue comme le verbe acheter.

on y va!

A je sais les verbes réfléchis!

1. Donnez les formes du présent des verbes **s'habiller, s'arrêter** et **se promener** à l'affirmative, à la négative et à l'interrogative avec les pronoms **je, il, nous, vous** et **elles**.
2. Donnez les formes du passé composé des verbes **se maquiller, se peigner** et **se fâcher** à l'affirmative, à la négative et à l'interrogative avec les pronoms **tu, elle, vous** et **ils**.
3. Donnez les formes de l'imparfait des verbes **se raser, se préparer** et **s'amuser** à l'affirmative, à la négative et à l'interrogative avec les pronoms **tu, il, nous** et **elles**.

B je sais le verbe conduire!

1. Donnez les formes du présent du verbe **conduire** à l'affirmative et à la négative avec les pronoms **je, il, nous, vous** et **elles**.
2. Donnez les formes du passé composé du verbe **conduire** à l'affirmative, à la négative et à l'interrogative avec les pronoms **tu, elle, vous** et **ils**.
3. Donnez les formes de l'imparfait du verbe **conduire** à l'affirmative, à la négative et à l'interrogative avec les pronoms **tu, il, vous** et **elles**.

C quand on fait sa toilette...

1. un rasoir
   ▶ **On se rase avec un rasoir.**
2. un peigne
3. du shampooing
4. une brosse à cheveux
5. de la pâte dentifrice
6. du savon

D le monde des infinitifs

1. Je me fâche. (aller)
   ▶ **Je vais me fâcher.**
2. Il ne s'arrête pas. (pouvoir)
3. Nous nous promenons. (aimer)
4. Te laves-tu? (devoir)
5. Paul ne se rase pas. (aimer)
6. Nous nous préparons. (aller)
7. Elles se maquillent. (adorer)
8. Vous peignez-vous? (vouloir)
9. Je m'habille vite. (devoir)
10. S'amusent-ils? (aller)

E quand le téléphone a sonné...

1. Marc / se raser
   ▶ **Marc se rasait.**
2. Pierre / s'habiller
3. nous / se promener
4. Marie et Luc / se peigner
5. je / se brosser les dents
6. Michèle / se laver les cheveux
7. maman / se maquiller
8. Luc / se préparer pour la danse

F au futur proche, s.v.p.!

1. Nous nous amusons.
   ▶ **Nous allons nous amuser.**
2. Je me fâche.
3. Paul se lave?
4. Tu ne t'arrêtes pas?
5. Il ne se peigne jamais.
6. Se maquille-t-elle?
7. Vous vous rasez.
8. Elles s'habillent.
9. On se promène.

G questions personnelles

1. Est-ce que tu t'habilles avant 8 h 00?
   ▶ **Oui, je m'habille avant 8 h 00.**
   ▶ **Non, je ne m'habille pas avant 8 h 00.**
2. Est-ce que tu te laves les cheveux tous les jours?
3. Est-ce que tu te brosses les dents après chaque repas?
4. Est-ce que tu te brosses les cheveux dans la salle de classe?
5. Est-ce que tu t'habilles toujours en jeans?
6. Est-ce que tu te promènes en voiture avec des copains?
7. Est-ce que tu t'arrêtes chez des amis après les classes?

8. Est-ce que tu te fâches avec tes amis?
9. Est-ce que tu t'amuses pendant le week-end?

H les préparatifs

1. Jacqueline se peigne.
   ▶ **Jacqueline s'est peignée.**
2. Jérôme se rase.
3. Hélène et Suzy se maquillent.
4. Alain et Luc se brossent les dents.
5. Ma soeur s'habille.
6. Denis se lave les cheveux.
7. Lise et Claude se brossent les cheveux.
8. Tout le monde s'amuse!

I au revoir la routine!

1. D'habitude, je me lave les cheveux.
   ▶ **Aujourd'hui, je ne me suis pas lavé les cheveux.**
2. D'habitude, Alice s'habille à 7 h 00.
3. D'habitude, ils se préparent de bonne heure.
4. D'habitude, on s'arrête chez Jean-Marc.
5. D'habitude, nous nous promenons en ville.
6. D'habitude, les enfants se brossent les cheveux.
7. D'habitude, Claire se maquille.
8. D'habitude, notre prof se fâche.

J on est prêt?

Demandez...

1. ...si Pierre s'est lavé les mains.
   ▶ **Tu t'es lavé les mains?**
2. ...si Luc et Lise se sont préparés.
   ▶ **Vous vous êtes préparés?**
3. ...si Margot s'est lavé les cheveux.
4. ...si Paul et Jean se sont rasés.
5. ...si les enfants se sont peignés.
6. ...si Lucie s'est brossé les dents.
7. ...si Claire et Brigitte se sont habillées.
8. ...si Lampion s'est arrêté chez le coiffeur.

K quel verbe?

1. Qui (laver / se laver) la voiture?
   ▶ **Qui a lavé la voiture?**
2. Tu (habiller / s'habiller) très bien, Monique!
3. Pourquoi est-ce qu'ils (préparer / se préparer) de si bonne heure?
4. Elle (calmer / se calmer) cinq minutes avant le test.
5. Zut! Je (casser / se casser) mes lunettes!
6. On (arrêter / s'arrêter) au café.
7. Maman (habiller / s'habiller) en rouge hier soir.
8. Tiens! Tu (laver / se laver) tes jeans?
9. Vous (arrêter / s'arrêter) la voiture devant le feu rouge?
10. Il (casser / se casser) le bras pendant le match.

L bonne route!

présent, imparfait ou passé composé?

1. Mon frère / depuis deux ans.
   ▶ **Mon frère conduit depuis deux ans.**
2. Ses parents / à Montréal la semaine prochaine.
3. Jean-Marc / comme un fou hier soir!
4. Arrêtez! Vous / trop vite!
5. Mlle Beauchamps ne / jamais à l'école.
6. L'année passée, mon père / une vieille Chevrolet.
7. Quand j'étais jeune, je ne / jamais.
8. Samedi dernier, elle / ses enfants au stade.

M les prépositions et l'infinitif

1. Je consulte le menu, puis je commande le repas.
   ▶ **Je consulte le menu avant de commander le repas.**
2. Il est parti, mais il n'a pas mangé.
   ▶ **Il est parti sans manger.**
3. Je me lave les mains, puis je prends mon déjeuner.
4. Nous prenons des leçons, puis nous conduisons.
5. Vous êtes partis, mais vous n'avez pas dit au revoir.
6. Je demande à mes parents, puis j'organise la surprise-party.
7. Jean-Luc conduit, mais il ne respecte pas la limitation de vitesse.
8. Elle change de direction, mais elle ne met pas le clignotant.
9. Je lui ai donné un test, puis je lui ai donné son permis de conduire.
10. Tu es sorti, mais tu ne m'as pas téléphoné.

N du calme, du calme!

– Tu n'es pas encore prêt?
– Écoute! J'ai dû **me laver les cheveux**!
– Alors, on y va?
– **Minute**! Je ne **me** suis pas **brossé les dents**!
– Toi, tu es toujours en retard!
– Et toi, tu n'as pas de patience!

1. se préparer
   attends un peu
   se peigner
2. s'arrêter chez Pierre
   pas tout de suite
   se raser
3. se maquiller
   un instant
   se brosser les cheveux
4. s'habiller
   pas encore
   se laver les mains

O c'est permis?

– Dis, Jacques, tu as parlé à Marie?
– Oui, **avant la classe de français**.
– Alors, tu lui as montré ton permis de conduire?
– Bien sûr!
– Et puis...?
– Elle a dit que c'était **formidable**.
– Bon! Comme ça, vous allez vous promener en auto ce soir?
– Tu parles! Elle doit **se laver les cheveux!**

1. avant les classes
   chouette
   écrire des lettres
2. devant l'école
   sensass
   s'arrêter à la bibliothèque
3. à la cafétéria
   extra
   laver ses jeans
4. dans la classe de sciences
   incroyable
   ranger sa chambre

perspectives

les langues indo-européennes

Les langues sont dans un état continuel de développement et de changement. Selon les linguistes, beaucoup de langues qui semblent très différentes aujourd'hui ont cependant un ancêtre commun.
Selon cette théorie, les linguistes ont divisé les langues du monde en 15 groupes principaux. De ces 15 groupes, la famille **indo-européenne** est la plus vaste.
On appelle cette famille **indo-européenne** parce que le territoire géographique de ces langues se répand de l'Inde jusqu'au nord de l'Europe.
À l'exception du finnois, du hongrois et du basque, toutes les langues d'Europe sont membres de cette grande famille. En effet, la moitié de la population du monde parle une langue indo-européenne.
Les similarités de vocabulaire parmi ces langues sont souvent très évidentes:

sanskrit	irlandais	perse	russe	allemand	anglais	grec	latin	français
bhrātā	bhrathair	birādar	brat	Bruder	brother	phrater	frater	frère

Quels sont les mots français et anglais qui ont leurs origines dans ces trois mots sanskrits?

sanskrit	latin	allemand	français	anglais
pitar	pater	Vater	?	?
dvā	duo	zwei	?	?
trayas	tres	drei	?	?

les faits sont évidents!

Dans une petite ville près de Londres en Angleterre, monsieur Smythe rentrait chez lui après une journée difficile. Il pleuvait très fort et la visibilité était mauvaise. M. Smythe était très fatigué, mais le chemin lui était très familier. Il écoutait la radio et réfléchissait aux événements de la journée. Il y avait très peu de circulation.

À huit heures trente, il s'approchait du coin des rues Churchill et Nelson, où il devait tourner à gauche. Sans mettre le clignotant, il a tourné le coin, quand tout à coup, il a remarqué devant lui une voiture noire qui s'approchait rapidement dans la même file!

Il a réagi tout de suite et a essayé de virer à droite, mais... Crac! Boum!

Quelle bagarre! Les deux chauffeurs se sont disputés jusqu'à l'arrivée d'un agent de police, qui a noté la déclaration de M. Smythe et de l'autre chauffeur, M. Stuart, avant d'écrire un rapport officiel.

Une semaine plus tard, le juge a déclaré: «Les faits sont évidents!» et il a rendu très vite son jugement.

À ton avis, quelle a été la décision du juge? Qui a commis l'erreur, M. Smythe ou M. Stuart?

petit vocabulaire

à droite	right
à gauche	left
l'Angleterre	England
s'approcher de	to approach
une bagarre	fight
un chemin	route
la circulation	traffic
un coin	corner
se disputer	to argue
essayer	to try
un événement	event
un fait	fact
une faute	fault, error
une file	lane
jusqu'à	until
Londres	London
il pleuvait	it was raining
réagir	to react
remarquer	to notice
rendre un jugement	to pronounce judgement
virer	to steer, to turn

A questions

1. Où habite M. Smythe?
2. Où allait-il?
3. Quel temps faisait-il?
4. Comment était M. Smythe?
5. Qu'est-ce qu'il faisait pendant qu'il conduisait?
6. Où est-ce que l'accident s'est passé?
7. Qu'est-ce que les deux chauffeurs ont fait?
8. Quand est-ce que le juge a rendu sa décision?
9. Quelle a été sa décision? Pourquoi?

B les bonnes qualités

1. Un bon chauffeur doit être...
   A agressif **B** prudent **C** fatigué
2. Un bon agent de police doit être...
   A fâché **B** nerveux **C** courageux
3. Un bon juge doit être...
   A sportif **B** juste **C** chouette
4. Un bon professeur doit être...
   A beau **B** patient **C** drôle
5. Un bon élève doit être...
   A curieux **B** grand **C** malade

C à chaque ville, son pays

Londres se trouve **en** Angleterre, Vancouver se trouve **au** Canada et New York se trouve **aux** États-Unis. Où se trouvent les villes suivantes?

les villes		les pays	
1. Paris	8. Oslo	le Mexique	la Grèce
2. Washington	9. Le Caïre	l'Égypte (f.)	la Norvège
3. Madrid	10. Athènes	le Danemark	la Russie
4. Rome	11. Copenhague	la Suisse	les États-Unis (m.)
5. Acapulco	12. Genève	la Finlande	l'Espagne (f.)
6. Moscou	13. Dublin	l'Italie (f.)	la France
7. Helsinki	14. Hamilton	l'Irlande (f.)	les Bermudes (f.)

D vive la différence!

français	anglais	français	anglais
la visibilité	visibility	l'humidité	?
la possibilité	?	la vélocité	?
l'absurdité	?	la facilité	?
la calamité	?		

E parlons voitures!

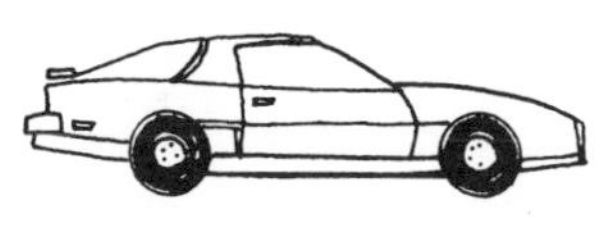

une voiture de sport

une jeep

une coupé

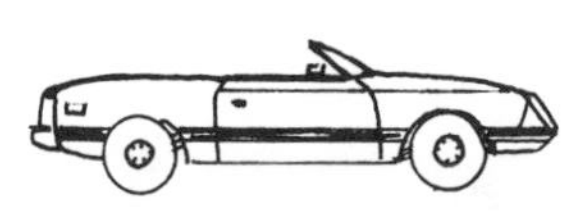

une décapotable

une berline

une familiale

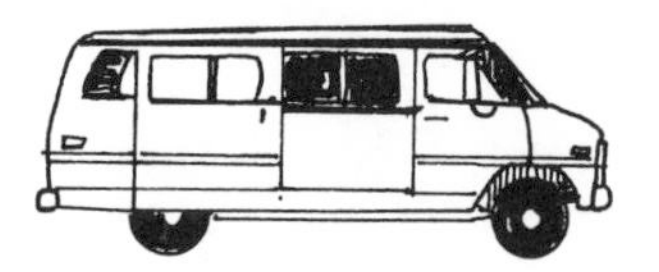

une camionnette

bon voyage!

A du tac au tac

Pour chaque question dans la liste A, choisissez une réponse de la liste B.

liste A

1. Tu es sorti hier soir?
2. Tu as conduit?
3. Où êtes-vous allés?
4. C'était bien?
5. Vous êtes rentrés tard?
6. Oh là là! Tes parents se sont fâchés?
7. Alors, qu'est-ce que tu fais ce soir?

liste B

Ah, oui! On s'est bien amusé!
Au cinéma Bijou. Il y avait une bonne comédie.
On va laver la voiture!
Oui! Pour une fois, papa nous a prêté la bagnole.
Assez, oui! On s'est promené partout!
Oui, avec Alice et Richard.
Un peu, oui! Mais ils se sont très vite calmés.

B à la station-service

- Bonjour!
- Bonjour, monsieur! Je fais le plein?
- Non, seulement dix litres, s'il vous plaît.
- Super ou ordinaire?
- Ordinaire sans plomb, s'il vous plaît. Voulez-vous vérifier l'huile aussi?
- Très bien, monsieur.

Cette conversation entre un client et un pompiste est assez typique. Mais quelquefois, une visite chez le garagiste n'est pas si simple que ça! Lisez les problèmes suivants et imaginez que vous êtes le chauffeur. Comment va être la conversation dans chaque situation? ...Bonne route!

1. Vous arrivez au garage après trois heures sur l'autoroute. Quand vous regardez sous le capot, une grosse fumée noire sort du moteur. C'est parce que vous n'avez presque pas d'huile. Qu'est-ce que vous devez faire?
2. Vous vous arrêtez à une station-service dans un nuage de vapeur blanche. Le moteur est très chaud. Qu'est-ce que vous devez faire?
3. Vous avez arrêté la voiture au bord de la route pour prendre des photos. Quand vous revenez vers la voiture, vous remarquez que vous avez une crevaison. Heureusement, vous avez un pneu de rechange, mais vous ne voulez pas continuer le voyage avec un pneu crevé dans le coffre! Qu'est-ce que vous devez faire?
4. Vous faites une promenade en voiture à la campagne. Le soir arrive et vous vous arrêtez à un restaurant au bord de la route. Quand vous revenez à la voiture, elle ne veut pas démarrer! Pourquoi? C'est à cause des phares: vous les avez laissés allumés! Maintenant, la batterie est à plat. Qu'est-ce que vous devez faire?

---

petit vocabulaire

à plat dead, flat
au bord de on the side of
une crevaison a flat (tire)
l'huile (f.) oil
faire le plein to fill up
faire une vidange to do an oil change
la fumée smoke
un nuage cloud
le plomb lead
un pneu de rechange spare tire
recharger to recharge
remettre de l'eau to refill (with water)

C parlons voitures!

Examinez le vocabulaire suivant, puis complétez chaque phrase!

petit vocabulaire

la ceinture de sécurité	safety belt
l'essence (f.)	gasoline
le frein	brake
le klaxon	horn
le pneu de rechange	spare tire

mots-amis

l'accélérateur (m.)
le moteur
le radiateur
la batterie

1. Le chauffeur d'une voiture et ses passagers doivent toujours boucler leur (frein, ceinture de sécurité, capot).
2. On doit toujours garder un pneu de rechange dans le (moteur, pneu, coffre).
3. Pour examiner le moteur, on regarde sous le (siège, capot, volant).
4. Pour arrêter la voiture, on utilise les (freins, phares, sièges).
5. On met de l'eau dans (la batterie et le radiateur, les pneus et les roues, le volant et le klaxon).
6. La voiture la plus économe est la voiture à (4 cylindres, 8 cylindres, 6 cylindres).
7. D'habitude, une voiture a quatre (pare-brise, batteries, roues).
8. Quand on stationne sur une pente, on doit mettre (le klaxon, le frein à main, les phares).
9. Quand on achète de l'essence, c'est une bonne idée de vérifier (le volant, l'heure, l'huile) aussi.
10. La Citroën, la Peugeot et la Renault sont des voitures (canadiennes, françaises, suisses).

D auto-test!

Êtes-vous bon ou mauvais conducteur?

1. Quand j'arrive devant un feu rouge...
   A Je continue tout droit. **B** Je m'arrête. **C** J'accélère.
2. Quand je veux aller plus vite...
   A Je klaxonne. **B** J'accélère. **C** Je freine.
3. Quand j'ai un accident...
   A Je téléphone à mes parents. **B** Je téléphone à la police. **C** Je pars tout de suite.
4. Quand la visibilité est très mauvaise...
   A Je conduis lentement. **B** Je prends l'autobus. **C** Je ne m'arrête pas aux feux rouges.
5. Quand les piétons traversent la rue...
   A Je klaxonne. **B** Je m'arrête. **C** Je les écrase.
6. Quand je démarre...
   A Je pars à toute vitesse. **B** J'accélère lentement. **C** Je mets la radio très fort.
7. Quand j'arrive à un stop...
   A Je ferme la radio. **B** Je m'arrête. **C** Je vérifie l'huile.
8. Quand j'arrive à un feu jaune...
   A Je freine rapidement. **B** Je ralentis. **C** Je me fâche.
9. Quand je change de direction...
   A J'accélère. **B** Je mets le clignotant. **C** Je mets les phares.
10. Quand je me perds...
    A Je cherche une station-service. **B** Je consulte ma carte routière. **C** Je pleure.
11. Quand un agent de police m'arrête...
    A Je lui donne une lettre de ma mère. **B** Je lui donne mon permis de conduire.
    C Je lui donne mon portefeuille.
12. Quand j'ai une crevaison...
    A J'abandonne la voiture. **B** Je change le pneu. **C** Je me lave les mains.

quels sont vos résultats?

A = 1 point B = 2 points C = 0 points

20-24 points: Tu es un expert! C'est formidable d'avoir un talent naturel, n'est-ce pas?

17-19 points: Tu conduis assez bien.

14-16 points: Tu as besoin de prendre des leçons!

0-14 points: Tu conduis comme un fou!

---

petit vocabulaire

écraser to run over
fermer to turn off
un piéton pedestrian
pleurer to cry
ralentir to slow down

E voyage au Québec

Voici une carte routière d'une région dans la province de Québec. Choisissez un point de départ et une destination de la liste, puis travaillez avec un partenaire pour préciser:
a) la meilleure route
b) le kilométrage
c) la durée du voyage (à 90 km/h)
d) les villes que vous allez visiter en route.

Finalement, calculez le coût de l'essence pour les autos suivantes:
a) une petite voiture qui consomme 8 L/100 km
b) une familiale qui consomme 15 L/100 km
c) une voiture de votre choix.

point de départ	destination
1. Montréal	Joliette
2. Shawinigan	Drummondville
3. Trois-Rivières	Saint-Hyacinthe
4. Sorel	Victoriaville

petit vocabulaire

une carte routière	road map
la durée du voyage	travelling time
une échelle	scale
meilleur	best

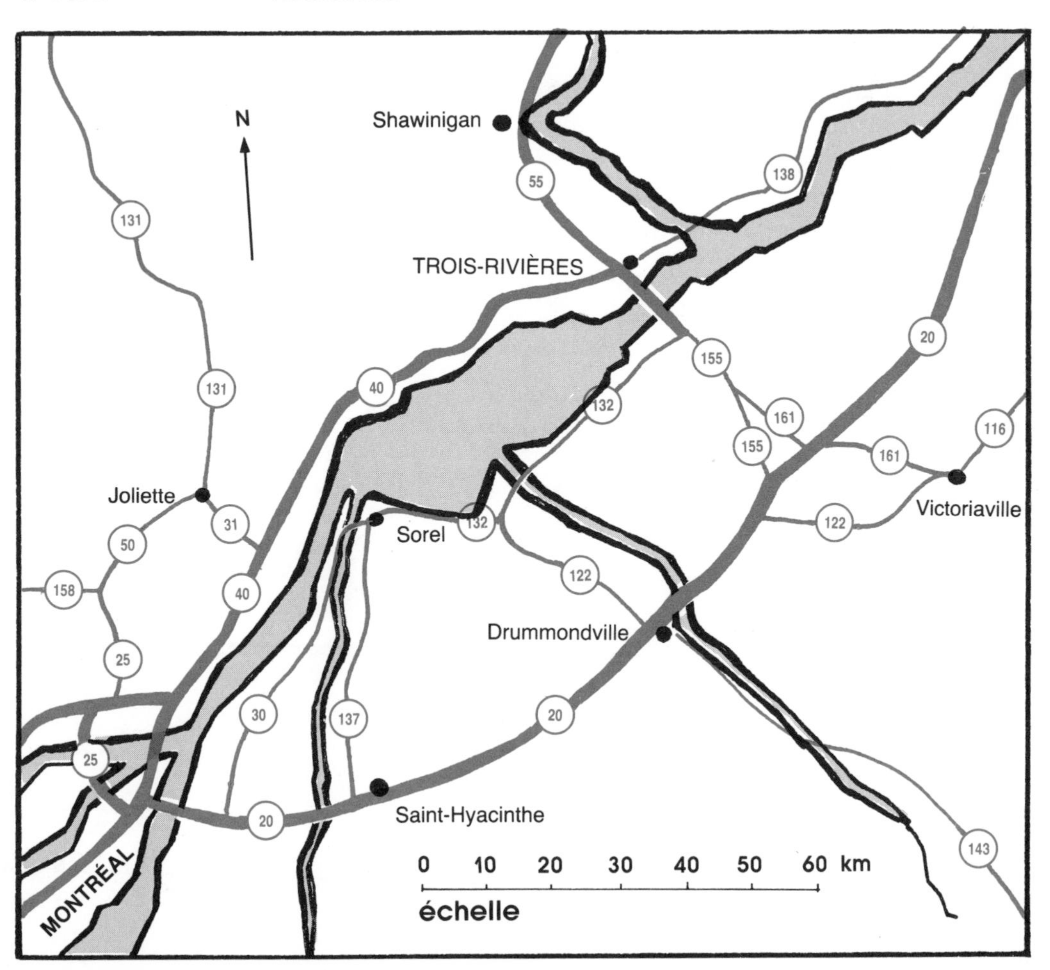

je me souviens!

l'impératif

-ER	-IR	-RE		
parler	**finir**	**vendre**	**aller**	**être**
Parle!	Finis!	Vends!	Va!	Sois!
Parlons!	Finissons!	Vendons!	Allons!	Soyons!
Parlez!	Finissez!	Vendez!	Allez!	Soyez!

phrases affirmatives	phrases négatives
Répète la réponse!	Ne répète pas la réponse!
Mangeons de la pizza!	Ne mangeons pas de pizza!
Commençons tout de suite!	Ne commençons pas tout de suite!
Conduisez vite!	Ne conduisez pas vite!

A les suggestions

1. stationner ici
   ▶ **Stationne ici!**
   ▶ **Stationnons ici!**
   ▶ **Stationnez ici!**
2. apporter des disques
3. acheter les billets
4. laver la voiture
5. attendre Marie
6. manger vite
7. finir le travail
8. répéter la chanson
9. dire bonjour
10. ouvrir les cadeaux
11. mettre la table
12. écrire en français
13. venir de bonne heure
14. lire le journal

B mais non!

1. prendre la voiture
   ▶ **Ne prends pas la voiture!**
   ▶ **Ne prenons pas la voiture!**
   ▶ **Ne prenez pas la voiture!**
2. louer cette auto
3. lire ce livre
4. partir tard
5. répondre en anglais
6. commencer avant les autres
7. être nerveux
8. sortir ce soir
9. faire les lits
10. conduire seul
11. aller trop vite
12. accepter le poste

SIX

language the imperative with pronoun objects

communication giving instructions, directions and commands

situation reading a comic strip

garde-à-vous!

Fort Kelbled, le premier avril, 1906… Aujourd'hui, le colonel Castel va inspecter ce poste perdu au milieu du Sahara. Pour le sergent Pinard, c'est la grande occasion! Après vingt ans, il rêve de monter en grade pour enfin quitter ce poste misérable. Sa compagnie doit faire la meilleure impression! Il crie des ordres à droite et à gauche…

Espèce de crétin!
Ton fusil! Ne le mets pas sur l'épaule gauche!

Quel imbécile t'a conseillé de devenir soldat?

Écoutez-moi bien! Le colonel Castel va arriver dans quelques minutes! Pour une fois, faites-lui une bonne impression!

Sergent! Le voilà!

Mon Dieu! ...Mais ce n'est pas le colonel Castel, c'est un général!

Compagnie, garde-à-vous!

Ah, sergent! Je suis le général Ballot! Mon fils est dans votre compagnie...

...Dans ses lettres il m'a beaucoup parlé de vous, alors, j'ai décidé de faire l'inspection moi-même!

avez-vous compris?

1. Comment s'appelle ce poste au milieu du Sahara?
2. Qui va venir l'inspecter?
3. Pourquoi est-ce que c'est une grande occasion pour le sergent Pinard?
4. Qu'est-ce que Ballot doit faire avec son képi?
5. Qu'est-ce que Médoche doit faire avec son pantalon?
6. Qu'est-ce que Clémart doit faire avec sa ceinture?
7. Comment sont les bottes de Ravelin? Qu'est-ce qu'il doit faire?
8. Qu'est-ce que Ballot a oublié?
9. Qui doit montrer à Ballot comment attacher la baïonnette au fusil?
10. Qui est arrivé à la place du Colonel Castel?
11. De qui est-il le père?
12. Pourquoi a-t-il décidé de faire l'inspection lui-même?

entre nous

1. Quelles sont tes bandes dessinées favorites?
2. Quand et à qui donnes-tu des ordres? Pourquoi?
3. Quels ordres est-ce que tu détestes à l'école? À la maison?
4. Est-ce que tu t'es jamais habillé en uniforme? Pourquoi?
5. D'habitude, qu'est-ce que tu fais pour faire une bonne impression?

avez-vous remarqué?

«Quel imbécile t'a conseillé **de** devenir soldat?»

Complétez:

1. J'ai décidé … faire l'inspection moi-même.
2. Elle n'arrête pas … travailler.
3. Paul a oublié … téléphoner à Marie.
4. Nous rêvons … aller en Louisiane.
5. Dépêche-toi … finir tes devoirs!
6. Avez-vous peur … conduire cette moto?
7. Il regrettait beaucoup … être soldat.
8. Le sergent lui a dit … repasser son pantalon.
9. Il est en train … crier des ordres.

vocabulaire

masculin

un chapeau — hat
un complet — suit
un imperméable — raincoat
un manteau — overcoat
un pantalon — trousers; slacks
un short — pair of shorts
un soldat — soldier
des souliers de tennis — sneakers, tennis shoes
des sous-vêtements — underclothes

féminin

une botte — boot
une ceinture — belt
une cravate — tie
une épaule — shoulder
une occasion — opportunity
une veste — jacket

verbes

arranger — to straighten, to fix
crier — to yell, to shout
repasser — to iron, to press
rêver (de) — to dream (of)
se dépêcher — to hurry
se réveiller — to wake up

adjectifs

dégueulasse* — filthy, grubby
droit — right
froissé — wrinkled
gauche — left
meilleur — better; best

expressions

à droite et à gauche — right and left
au milieu de — in the middle of
espèce de…!* — you…!

les mots-amis

attacher
une impression
misérable
un ordre

***langue familière**

...samedi seulement...

SPÉCIAL-SOLDE!

Avez-vous besoin...

1. d'une ceinture?
2. d'une robe?
3. d'un imperméable?
4. d'une cravate?
5. d'une chemise?
6. d'un complet?
7. de souliers?
8. d'une blouse?
9. d'un manteau?
10. d'une jupe?
11. d'un chapeau?
12. d'un T-shirt?
13. de jeans?
14. de souliers de tennis?
15. d'un chandail?
16. d'une veste?
17. d'un pantalon?
18. d'un short?
19. de sous-vêtements?
20. de chaussettes?

15.

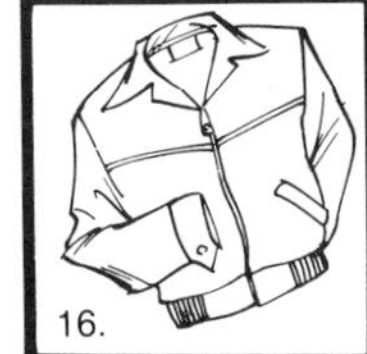
16.

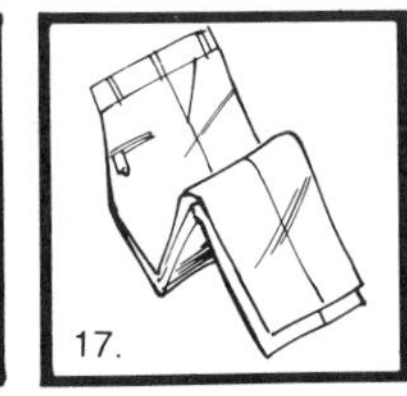
17.

18.

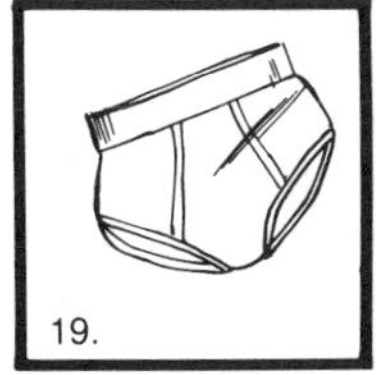
19.

20.

50% DE RABAIS SUR LE STOCK ENTIER!!

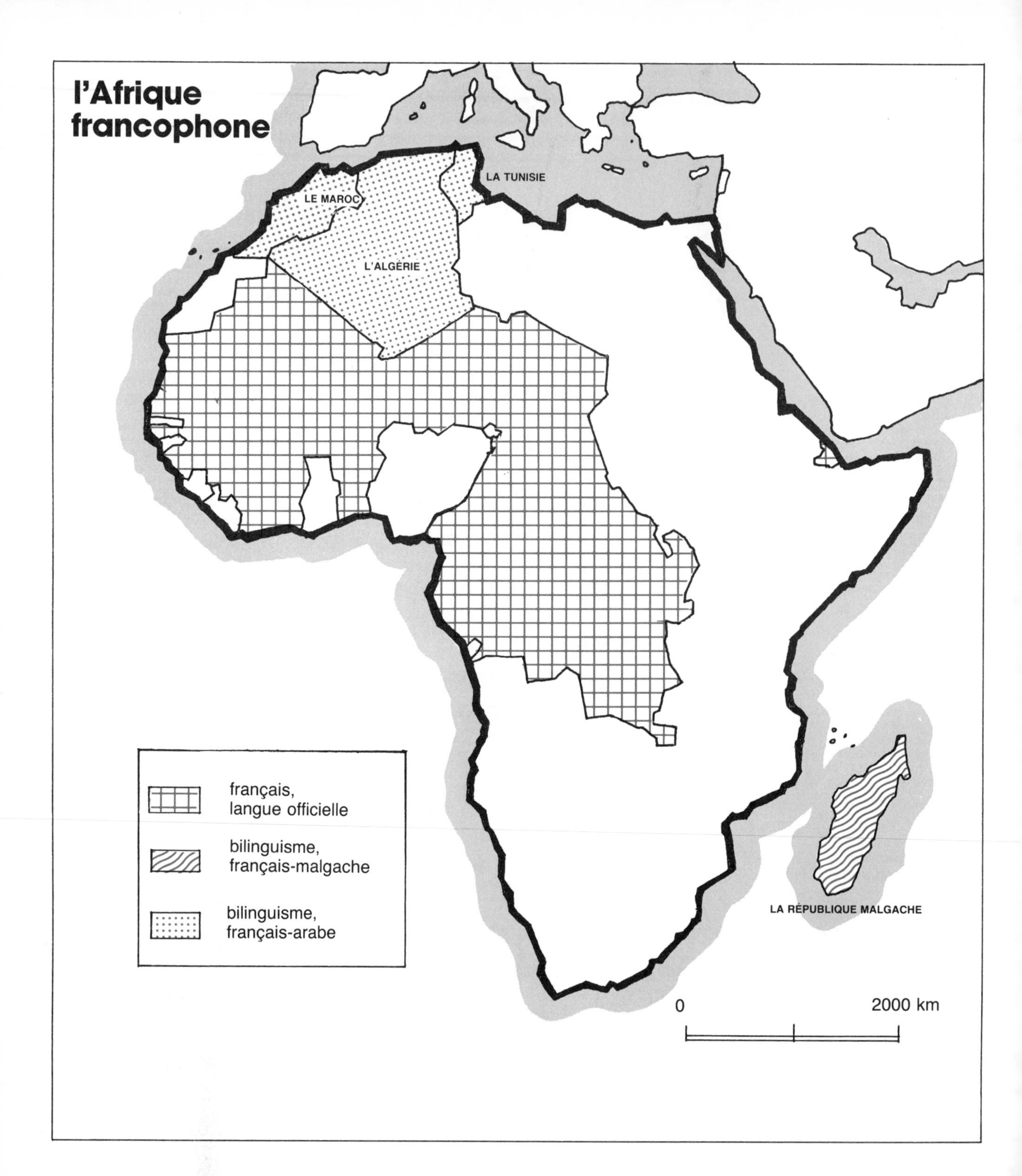
l'Afrique francophone
LA TUNISIE
LE MAROC
L'ALGÉRIE
LA RÉPUBLIQUE MALGACHE
français, langue officielle
bilinguisme, français-malgache
bilinguisme, français-arabe
0
2000 km

En Afrique, le français est une langue officielle dans les pays suivants: **le Bénin, le Burundi, le Cameroun, le Congo, la Côte d'Ivoire, le Gabon, la Guinée, la Haute-Volta, le Mali, la Mauritanie, le Niger, la République Centrafricaine, la République de Djibouti, la République Malgache, le Ruanda, le Sénégal, le Tchad, le Togo,** et **le Zaïre.**
En plus, le français est parlé dans ces pays: **l'Algérie, le Maroc** et **la Tunisie.** Ces pays africains étaient des colonies ou des possessions de la France, qui avait un grand empire colonial. (**Le Ruanda** et **le Zaïre** étaient des colonies belges.)

l'arabe et le français

Beaucoup de mots français sont d'origine arabe. Quels sont les mots anglais qui ont les mêmes origines que les mots de la liste?

arabe	français	anglais
الكُحل ΔL KOHL	alcool	?
الجبر ΔL JΔBR	algèbre	?
صفر SiFR	zéro	?
غرّاف GHΔRRΔF	carafe	?
سُكّر SOUKKΔR	sucre	?
نارنج NΔRANDj	orange	?

observations

l'impératif avec les pronoms objets directs

comparez:

a) Finis **ton dîner**! → Finis-**le**!
b) Mets **ta veste**! → Mets-**la**!
c) Ne mets pas **ces jeans!** → Ne **les** mets pas!

À l'affirmative, le pronom objet direct se place **après** le verbe. À la négative, il le **précède.**

exemples:

phrases affirmatives	phrases négatives
1. Voici ton imperméable. Mets-**le**!	Ne **le** mets pas!
2. Regarde ton chapeau! Arrange-**le**!	Ne **l'**arrange pas!
3. Regarde cette chemise! Repasse-**la**!	Ne **la** repasse pas!
4. Regarde ta ceinture! Attache-**la**!	Ne **l'**attache pas!
5. Où sont vos bottes? Mettez-**les**!	Ne **les** mettez pas!
6. Ces souliers de tennis sont dégueulasses! Lavez-**les**!	Ne **les** lavez pas!
7. Les Dubé? Invitons-**les**!	Ne **les** invitons pas!

À l'affirmative, il y a un trait d'union entre l'impératif et les pronoms objets.

l'impératif avec les pronoms objets indirects

comparez:

a) Téléphone **à ta mère**! → Téléphone-**lui**!
b) Montre ton manteau **à ton père**! → Montre-**lui** ton manteau!

Les pronoms objets indirects se placent devant ou après l'impératif tout comme les pronoms objets directs.

exemples:

phrases affirmatives	phrases négatives
1. Tu vas donner un cadeau à ton père? Donne-**lui** une cravate!	Ne **lui** donne pas de cravate!
2. Tu n'as pas parlé à Jean? Dis-**lui** bonjour!	Ne **lui** dis pas bonjour!
3. Mais vous devez poser cette question à vos profs! Demandez-**leur**!	Ne **leur** demandez pas!

l'impératif avec les pronoms y et en

exemples:

	à l'affirmative	à la négative
1. Va **au concert**!	Vas-**y**!	N'**y** va pas!
2. Achète **des billets**!	Achètes-**en**!	N'**en** achète pas!
3. Mets **du désodorisant**!	Mets-**en**!	N'**en** mets pas!
4. Pensez **à votre avenir**!	Pensez-**y**!	N'**y** pensez pas!

Attention! S'il n'y a pas de consonne devant le pronom y ou en à l'affirmative (l'impératif du verbe aller et de tous les verbes en -er), on doit ajouter un «s»!

l'ordre des pronoms avec l'impératif

remarquez:

– Tiens! Je n'ai pas donné **le chandail à Marie**!
– **Alors, donne-le-lui**!

	objet direct		objet indirect				
IMPÉRATIF À L'AFFIRMATIVE	-le (l') -la (l') -les	+	-moi (m') -lui -nous -leur	+	-y	+	-en

Attention! Donne-**moi** du lait! Donne-**m'**en!

l'impératif des verbes réfléchis

comparez:

a) Chantez!
b) Dépêchez-**vous**!
c) Ne plaisantez pas!
d) Ne **vous** arrêtez pas!

Avec l'impératif d'un verbe réfléchi, il y a **toujours** un pronom objet! Par exemple, **s'arrêter: Arrête-toi! Arrêtez-vous! Arrêtons-nous!**

exemples:

1. On est en retard! Dépêchons-**nous**!
2. Il est neuf heures! Réveillez-**vous**!
3. Lave-**toi** les mains avant de manger!
4. Amusez-**vous** bien à la party!

on y va!

A je sais l'impératif et les pronoms objets!

1. le journal / achète
   ▶ **Achète-le!**
2. le pantalon / repassez
3. au cinéma / allons
4. les bagages / cherchons
5. la voiture / démarrez
6. la cravate / arrange
7. le chapeau / mets
8. du lait / prends
9. à Marie / téléphone
10. des biscuits / achetons
11. à tes amis / demande
12. en ville / va

B je sais l'impératif et les pronoms objets!

1. cette voiture / ne loue pas
   ▶ **Ne la loue pas!**
2. ce musée / ne visitez pas
3. à ce restaurant / n'allons pas
4. du sel / ne mettez pas
5. mon manteau / ne perdez pas
6. des bonbons / ne mange pas
7. à Paul / ne parlez pas
8. à cette question / ne répondons pas
9. ces souliers / ne portez pas
10. à ses amis / ne demande pas

C je sais l'impératif des verbes réfléchis!

1. se dépêcher
   ▶ **Dépêche-toi!**
   ▶ **Dépêchons-nous!**
   ▶ **Dépêchez-vous!**
2. se réveiller
3. se calmer
4. s'arrêter
5. se préparer
6. s'amuser bien
7. se brosser les dents
8. ne pas se fâcher
9. ne pas s'arrêter
10. ne pas se promener

D je sais l'ordre des pronoms!

1. Apporte-moi **le journal**!
   ▶ **Apporte-le-moi!**
2. Racontez-nous **cette histoire**!
3. Ne le donnons pas **à Charles**!
4. Montre-les **à tes parents**!
5. Ne leur chantez pas **cette chanson**!
6. Explique-moi **cet exercice**!
7. Ne le montrons pas **à Jacques**!
8. Donne-moi **le couteau**!
9. Vendez-la **aux voisins**!
10. Ne leur parlez pas **de mes notes**!

E alors, vas-y!

1. J'aime regarder cette émission de télé.
   ▶ **Alors, regarde-la!**
2. J'aime lire ces bandes dessinées.
3. J'aime aller au cinéma.
4. J'aime téléphoner à mes copains.
5. J'aime inviter mes amis.
6. J'aime acheter des disques.
7. J'aime jouer aux cartes.
8. J'aime aller aux partys.
9. J'aime porter des jeans.
10. J'aime écrire à ma cousine.

F absolument pas!

1. Je déteste faire la vaisselle.
   ▶ **Alors, ne la fais pas!**
2. Je déteste repasser les pantalons.
3. Je déteste ranger ma chambre.
4. Je déteste attendre l'autobus.
5. Je déteste laver la voiture.
6. Je déteste porter mon complet.
7. Je déteste faire du stop.
8. Je déteste répondre au téléphone.
9. Je déteste aller en ville.
10. Je déteste écrire à mes grands-parents.

G c'est oui ou c'est non?

1. le chandail / laver
   ▶ **Lavez-le!**
   ▶ **Ne le lavez pas!**
2. l'histoire / raconter
3. la chemise / repasser
4. l'imperméable / mettre
5. le professeur / répondre

6. des spaghettis / manger
7. ce film / regarder
8. cette leçon / étudier
9. ces lettres / répondre
10. les fenêtres / ouvrir
11. de la glace / acheter
12. ce problème / réfléchir

H mais oui, bien sûr!

1. Je lui explique cette règle?
   ▶ **Mais oui, explique-la-lui!**
   ▶ **Mais non, ne la lui explique pas!**
2. Je lui prête mes bottes?
3. Je leur donne du café?
4. Je lui montre ce rapport?
5. Je leur écris cette carte postale?
6. Je leur distribue ces tests?

I ne vous inquiétez pas!

1. attendre
   ▶ **Ne nous attendez pas!**
2. chercher
3. téléphoner
4. regarder
5. quitter
6. parler
7. écrire
8. conseiller
9. montrer
10. inviter

J insistez donc!

1. Jean refuse de se dépêcher.
   ▶**Dépêche-toi!**
2. Ta soeur ne veut pas se réveiller.
3. Tes amis ne veulent pas se préparer pour la party.
4. Ton petit frère refuse de se laver les mains.
5. Robert refuse de se peigner.
6. Tes cousins ne veulent pas se raser.
7. Jacqueline ne veut pas s'habiller.
8. Ton frère refuse de se brosser les dents.

K écoute-moi!

1. attendre / cinq minutes
   ▶ **Attends-moi cinq minutes!**
2. écouter / bien
3. expliquer / lentement
4. parler / fort
5. regarder / encore
6. inviter / à la party
7. visiter / de temps en temps
8. répondre / donc
9. donner / une raison
10. dire / pourquoi

L ne fais pas ça!

1. se brosser les dents / avec ma brosse à dents
   ▶ **Ne te brosse pas les dents avec ma brosse à dents!**
2. se maquiller / dans ma chambre
3. se laver / dans la cuisine
4. s'habiller / toujours en jeans
5. se brosser les cheveux / en classe
6. s'arrêter / à l'épicerie
7. se peigner / dans le métro
8. se fâcher / avec moi

M on sort ce soir

– Qu'est-ce qu'on va faire?
– Moi, je veux **aller au cinéma**.
– Bonne idée! Allons-y!
– N'oublie pas ton **imperméable**!
– Pourquoi?
– Parce qu'**il pleut**!

1. visiter le musée
   chandail
   il fait froid
2. aller au restaurant
   argent
   ça coûte cher
3. faire une promenade
   manteau
   il neige
4. aller au concert
   lunettes
   les places sont mauvaises

N décide-toi donc!

– J'aime beaucoup **ces jeans**!
– Bon! Achète-les!
– Mais... je n'en ai vraiment pas besoin.
– Alors, ne les achète pas!
– Mais... ils sont tellement beaux!
– Achète-les donc!
– Mais... ils sont si chers!
– Eh bien, ne les achète pas!
– Ça y est! J'ai décidé! Je dois les avoir!
– Bon! Achète-les! Je vais attendre.
– Mais... je n'ai pas mon portefeuille.
– C'est fini alors! Partons!
– Mais, chéri! Tu as ta carte de crédit, n'est-ce pas?

1. manteau
2. chapeau
3. bottes
4. robe
5. blouse
6. short

il faut s'y connaître!

Par un beau matin, une jeune recrue arrive dans un poste perdu de la Légion étrangère. Il cause avec un vieux vétéran...

LE JEUNE – Dis donc! À quelle heure est-ce qu'on se lève le matin?
LE VIEUX – À 5 h 00, naturellement!
LE JEUNE – Oh là là! Je ne vais jamais arriver à me lever à cette heure! D'ailleurs, je n'ai pas de montre!
LE VIEUX – Moi non plus!
LE JEUNE – Mais comment sait-on l'heure du réveil?
LE VIEUX – C'est facile comme bonjour! C'est moi qui sonne le clairon!
LE JEUNE – Mais comment sais-tu l'heure?... Tu n'as même pas de montre!
LE VIEUX – Non! J'ai horreur des montres! Mais moi, je sais toujours l'heure pendant la nuit... Il faut s'y connaître, c'est tout!
LE JEUNE – Mais... Comment ça? Tu ne te trompes jamais sur l'heure qu'il est?
LE VIEUX – Jamais, mon gars!
LE JEUNE – Mais enfin, quand tu te réveilles, comment sais-tu l'heure qu'il est?
LE VIEUX – Eh bien, j'ai mon clairon!
LE JEUNE – Quoi? Qu'est-ce que tu veux dire?
LE VIEUX – Comme j'ai dit, j'ai mon clairon! Si je veux savoir l'heure pendant la nuit, je vais à la fenêtre, je l'ouvre et je joue du clairon.
LE JEUNE – Et alors?
LE VIEUX – Bien alors, il y a toujours quelqu'un qui ouvre sa fenêtre et qui hurle: «Qui est l'idiot qui joue du clairon à trois heures du matin?»...

petit vocabulaire

arriver à faire quelque chose	to be able to do something
un clairon	bugle
facile comme bonjour!	easy as pie! a cinch!
l'heure du réveil	when to get up
il faut s'y connaître	you have to have the knack
se lever	to get up
moi non plus!	me neither! neither have I!
la nuit	night
quelqu'un	someone
une recrue	recruit
sait (savoir)	know
savoir	to know
sonner le clairon	to sound the bugle
se tromper	to make a mistake, to be wrong
vouloir dire	to mean

questions

1. À quelle heure est-ce que les soldats doivent se lever?
2. La jeune recrue est horrifiée. Pourquoi?
3. Qui sonne le clairon? À quelle heure?
4. Pourquoi est-ce que le vétéran n'a pas besoin de montre?
5. Si le vétéran veut savoir l'heure, qu'est-ce qu'il fait?
6. S'il est trois heures du matin, par exemple, comment le sait-il?

quiz

1. Dans un poste militaire, pour réveiller les soldats, on...
   A leur téléphone **B** sonne le clairon **C** leur apporte du café
2. Quand on hurle, on...
   A crie fort **B** joue à un sport irlandais **C** danse
3. La Légion étrangère est une armée...
   A italienne **B** canadienne **C** française
4. Pour vérifier l'heure, on porte souvent...
   A une montre **B** un horloge **C** un radio-réveil
5. Un clairon, c'est une sorte de...
   A instrument de musique **B** shampooing **C** vétéran
6. À l'origine, la Légion étrangère était basée...
   A à Hollywood **B** dans le dessert **C** dans le désert
7. Quand on se trompe, on...
   A joue au bridge **B** joue de la trompette **C** fait une erreur
8. Si quelqu'un t'appelle un «idiot», il...
   A t'insulte **B** te complimente **C** a raison

au contraire!

Trouvez le contraire de chaque mot ou expression.

1. jeune
2. le soir
3. une recrue
4. aller au lit
5. difficile
6. avoir raison
7. toujours
8. fermer

à toi, mon gars!

Complète les phrases comme tu veux.

1. Je ne vais jamais arriver à...
2. Pour réussir à l'école, il faut...
3. Si quelqu'un me réveille à trois heures du matin, je...
4. Je ne me trompe jamais sur...
5. J'ai horreur des...
6. Si je veux savoir l'heure, je...

---

la légion étrangère

En 1831, le roi Louis-Philippe a établi une légion «composée d'étrangers» qui devait être employée hors de la France seulement. Pendant longtemps, la légion était basée et a servi en Afrique du Nord, mais elle a aussi servi en Espagne, en Russie, au Mexique, en Indo-Chine et dans les deux guerres mondiales.

bon voyage!

A du tac au tac

Pour chaque expression dans la liste A, choisissez une réponse de la liste B.

liste A

1. Ce pantalon est froissé!
2. Il y a une bonne émission à la télé!
3. Tu veux ce vieux chandail?
4. Zut! Mes jeans sont dégueulasses!
5. J'aime vraiment ce disque!
6. Je déteste cette pâte dentrifice!
7. J'ai besoin de shampooing!
8. C'est toujours moi qui fais la vaisselle!
9. Tiens! Le facteur m'a apporté une lettre!
10. Maman! Le lait est encore sur la table!

liste B

Alors, achète-le!
Ah oui! Donne-le-moi!
Bon! Pour une fois, ne la fais pas!
Vraiment? Mets-le dans le frigo!
Eh bien, ne l'utilise pas!
Achètes-en demain!
Repasse-le, alors!
Bon! Alors, ouvre-la!
Lave-les tout de suite!
Regardons-la!

B c'est vous le patron!

Vous êtes le directeur ou la directrice d'une agence de voyages. Votre nouvelle secrétaire vous pose un tas de questions! Bien sûr, elle ne peut pas tout faire — c'est à vous de prendre les décisions nécessaires et de lui donner les instructions précises.

1. Est-ce que je dois téléphoner à M. Rivard avant midi?
2. Est-ce que je dois aller à l'aéroport à 5 h 00 aujourd'hui?
3. Est-ce que je dois taper ce rapport?
4. Est-ce que je dois mettre les nouvelles brochures à la poste ce matin?
5. Les Boucher partent demain. Est-ce que je dois préparer les billets?
6. Est-ce que je dois commander le nouveau micro-ordinateur?
7. Est-ce qu'on annonce aujourd'hui les prix spéciaux pour les vols nolisés?
8. Ça fait un an que les Faucher n'ont pas encore payé. Dois-je préparer une cinquième facture ou téléphoner à l'agence de recouvrement «Gorille»?
9. Est-ce que je dois répondre à la lettre de l'Association des Motels de Transylvanie?
10. Le dernier membre du groupe «Voyages-Soleil» est enfin arrivé. Dois-je dire aux chauffeurs d'autocar de partir?

petit vocabulaire

une agence de recouvrement collection agency
une agence de voyages travel agency
une facture bill
un micro-ordinateur micro-computer
un vol nolisé charter flight

C c'est vous qui êtes responsable!

Donnez à tout le monde les instructions nécessaires!

1. Vous êtes conseiller ou conseillère dans une école. Une élève vient vous voir parce qu'elle a de mauvaises notes en maths. Elle vous dit qu'elle ne finit jamais ses devoirs de français. Un autre problème: elle va trop souvent au cinéma.
2. Vous êtes directeur ou directrice d'une succursale de banque. Un collègue vous demande s'il doit terminer le rapport annuel; une autre collègue vous demande si elle doit classer les dossiers;

votre secrétaire vous demande si elle doit taper les lettres sur votre bureau.

3. Vous êtes garagiste et vous êtes en train de réparer la voiture d'un client. Votre assistant vous demande s'il doit y mettre de l'antigel, s'il doit vérifier l'huile, s'il doit gonfler les pneus et s'il doit mettre de l'eau dans la batterie.
4. Vous êtes moniteur ou monitrice d'auto-école et vous donnez des instructions à une personne qui apprend à conduire. Vous lui dites de faire attention aux feux rouges, de ne pas dépasser l'autobus scolaire qui est arrêté, de respecter les limitations de vitesse et de bien stationner.
5. Vous êtes professeur de français. Vous dites à tous les étudiants de votre classe de faire les exercices 3 et 5, de ne pas faire l'exercice 4, de bien relire le chapitre 2 pour le test et de ne pas oublier la composition pour jeudi.
6. Vous êtes responsable d'un groupe dans un camp de vacances. Vous faites du camping. Vous dites à certains campeurs de dresser la tente, d'aller chercher de l'eau, d'aller chercher du bois et de préparer les hot-dogs.

petit vocabulaire

l'antigel (m.)	antifreeze
le bois	wood
classer	to file
un dossier	file
dresser	to pitch (a tent)
gonfler	to put air into
l'huile (f.)	oil
un pneu	tire
une succursale	branch
taper	to type
terminer	to finish

D les problèmes du sergent Pinard

Après la visite du général, le sergent Pinard a eu une crise de nerfs. Il est tout confus! Faites des corrections logiques en utilisant le bon verbe!

1. Ballot! Ton képi est de travers! **Ouvre**-le!
2. Dordebout! Tes bottes sont dégueulasses! **Démarre**-les!
3. Ravelin! Incapable, tu n'as pas **mangé** tes chaussettes!
4. Clémart! Ta ceinture, tu ne l'as pas **repassée**!
5. Pitou! Ta chemise est sale; va la **raconter**!
6. Ballot! Qu'est-ce que tu **chantes** avec la baïonnette entre les dents!
7. Gervais! Ne sois pas si nerveux! **Fâche**-toi!
8. Médoche! Ce pantalon froissé, **plonge**-le!
9. Ballot! Ton fusil, ne l'**écoute** pas sur l'épaule gauche!
10. Compagnie! Le colonel Castel va **acheter** ce poste! Pour une fois, **vendez**-moi un peu de respect!

je me souviens!

les prépositions

à
à cause de
à côté de
après
avant
avant de
avec
chez
comme
contre
dans
d'après
derrière
devant
en
entre
loin de
pour
près de
sans
selon
sous
sur
vers

choisis la bonne préposition!

1. Nous sommes venus ... pied, pas à bicyclette.
2. Jacqueline aime beaucoup sortir ... Paul.
3. Le bureau du professeur est ... la classe.
4. Est-ce que vous êtes restés ... vous ce week-end?
5. Quelle est la différence ... une blouse et une chemise?
6. ... toi, est-ce que ce mot est correct?
7. Tu peux mettre les assiettes ... la table?
8. Les frères Boudreau ont fait un voyage ... Louisiane.
9. Notre maison est dans la même rue que l'école; on habite donc très ... l'école.
10. Je veux devenir professeur ... mon père.
11. .. commencer le test du permis, on est toujours un peu nerveux.
12. Les cocas sont ... le frigo!
13. La Louisiane est assez ... Canada.
14. Non, ce n'est pas de ma faute que nous sommes en retard; c'est ... toi!
15. Ils sont allés dans les bayous ... attraper des ouaouarons.
16. Les Leafs sont maintenant en première place ... leur victoire ... les Red Wings.
17. On ne met pas les pieds sur la table, mais ... la table! Tu as compris?
18. Ma guitare, où je vais, elle y va toujours. Je ne pars pas ... ma guitare!
19. Il y a encore une place ... Jean.
20. Je pense qu'ils vont arriver ... six ou sept heures.
21. J'ai manqué tout le film! J'étais ... quelqu'un qui portait un grand chapeau!
22. Bravo! Elle a fini la course ... les autres!

SEPT

language emphatic pronouns • the agreement of verbs after the relative pronoun **qui** • the verbs **savoir** and **connaître**

communication asking for information • discussing leisure plans

situation summer holidays

loin de la foule

Deux jeunes Parisiennes, Josée et Marcelle, arrivent aux Saintes-Maries-de-la-Mer pour leurs vacances. En Camargue, elles cherchent le soleil, la mer et l'air pur de la campagne...

JOSÉE – Pardon, madame. Nous, on ne connaît pas la région. Est-ce que vous savez où se trouve l'auberge de jeunesse?
LA DAME – Vous tombez bien! Jacques Duval, le fils de l'aubergiste, est à la terrasse du café là-bas! Lui, il peut vous y emmener!

Dix minutes plus tard, Jacques les emmène avec lui...

JOSÉE – C'est encore loin, l'auberge? Je suis fatiguée, moi!
JACQUES – Pas du tout! ...La voilà!
MARCELLE – Oh, regarde, Josée! C'est sympa, n'est-ce pas? Et la plage n'est pas loin! On a de la chance, nous!

Un peu plus tard, à la réception...

JOSÉE – Dis donc, Jacques! J'ai remarqué les bateaux sur la plage. À qui sont-ils?
JACQUES – Ils sont à mon oncle. On peut faire de la voile ici, tu sais.
JOSÉE – C'est sensass! Est-ce qu'on peut les louer?
JACQUES – Mais bien sûr!
MARCELLE – C'est formidable! Et on peut aussi se promener au bord de la mer, ou même faire des pique-niques! Et le soir...
JACQUES – Alors, là, c'est moi qui suis l'expert! J'ai une surprise pour vous! C'est absolument unique!
JOSÉE – Mais qu'est-ce que c'est?
JACQUES – Vous allez voir. C'est une expérience incroyable!

Plus tard dans la soirée, au centre de la ville, Jacques s'arrête devant une entrée où il y a une foule de jeunes gens...

JACQUES – Voilà! On est arrivé! Les jeunes de la région, eux, ils connaissent bien cet endroit!
JOSÉE – Mais, qu'est-ce que c'est, Jacques?
JACQUES – C'est vraiment extra! C'est la «Disco de Paris»!

avez-vous compris?

1. Où est-ce que les deux jeunes Parisiennes vont pour leurs vacances?
2. Qu'est-ce qu'elles espèrent trouver dans cette région?
3. À qui est-ce que Josée demande des directions pour aller à l'auberge de jeunesse?
4. Pourquoi est-ce que la dame dit que Josée et Marcelle ont de la chance?
5. Qui va les emmener à l'auberge de jeunesse?
6. Où était-il quand Josée et Marcelle sont arrivées?
7. Pourquoi est-ce que Josée demande si l'auberge est encore loin?
8. Pourquoi est-ce que Marcelle dit qu'elles ont de la chance quand elles arrivent à l'auberge?
9. Que vont-elles pouvoir faire pendant leurs vacances? (trois choses)
10. Où est-ce que Jacques emmène Josée et Marcelle ce soir?
11. À ton avis, quelle est la réaction des jeunes filles? Pourquoi?

entre nous

1. Quel sport d'été préfères-tu?
2. Est-ce que tu fais de la voile? Où? Quand?
3. Est-ce que tu as jamais eu besoin d'un dictionnaire bilingue? Pourquoi?
4. Est-ce que tu préfères la campagne ou la ville? Pourquoi?
5. Où et quand as-tu appris à nager?
6. Quelles étaient tes vacances favorites? Pourquoi?
7. En vacances, aimes-tu beaucoup d'activités ou préfères-tu des vacances tranquilles? Pourquoi?
8. Tu as gagné la loterie et tu pars en vacances. Où vas-tu aller et qu'est-ce que tu vas y faire?

avez-vous remarqué?

adjectif		**adverbe**
unique	→	uniquement

Quels sont les adverbes qui correspondent aux adjectifs suivants?

1. facile	6. calme
2. rapide	7. confortable
3. drôle	8. libre
4. difficile	9. aimable
5. probable	10. tranquille

---

vrai → **vrai**ment
absolu → **absolu**ment

---

le bon usage

On **apporte une chose** à un endroit,
mais on **emmène une personne** à un endroit.

apporter ou **emmener**?

1. J'ai ... mes disques chez Lise.
2. Nous avons ... les touristes à la plage.
3. Qui veut m'... à la disco?
4. N'oublie pas d'... un ouvre-bouteille!
5. Quand je voyage, j'... toujours une carte routière.
6. Elle peut vous y ..., elle!

saviez-vous?

Au Canada, un touriste qui cherche des informations peut consulter **un annuaire de téléphone**, **un guide CAA**, ou visiter **un bureau de tourisme**.
En France, on peut consulter **le bottin**, **le guide Michelin** ou **le guide Bleu**, ou visiter **un syndicat d'initiative**.

la Provence et le provençal

La Provence est une région qui se trouve dans le Sud de la France. Le provençal, le dialecte de cette région, a ses origines dans le latin, tout comme le français. Voici quelques mots d'origine provençale qu'on utilise dans le français de tous les jours:

une auberge	le mistral
un escargot	une salade

quand on voyage...

Pour se débrouiller, on a besoin...
...d'un guide
...d'une carte routière
...d'un plan de la ville
...d'une brochure touristique
...d'un horaire des trains
...d'un dictionnaire bilingue
...et, bien sûr, si vous êtes dans la nature, d'une boussole!

vocabulaire

masculin

le bord	(sea)shore
un endroit	place, spot
un guide	guide book
un horaire	schedule
un plan de la ville	city map
le soleil	sun

féminin

une auberge de jeunesse	youth hostel
une boussole	compass
la campagne	country
une carte routière	road map
une foule	crowd
les gens	people
la mer	sea
une plage	beach

verbes

connaître	to know, to be acquainted with
emmener	to take (someone somewhere)
être à	to belong to (someone)
savoir	to know (how to)
se débrouiller	to cope, to manage
se trouver	to be situated

adjectifs

bilingue	bilingual
extra	fantastic
touristique	tourist

adverbes

absolument	absolutely
là-bas	over there

expressions

faire de la voile	to go sailing
faire une promenade	to go for a walk
le soir	in the evening(s)
vous allez voir!	you'll see!
vous tombez bien!	you're in luck!

les mots-amis

l'air *(m.)*
un café
un pique-nique

observations

les pronoms accentués

comparez:

a) – C'est **Josée** avec **Paul**?
– Oui, c'est bien **elle** avec **lui**.

b) – C'est à **Denise**, ce chapeau?
– Oui, c'est à **elle**.

c) – Tu veux faire de la voile?
– **Moi**? Jamais!

d) – On a gagné le match!
– Vous avez de la chance, **vous**!

On peut utiliser un pronom accentué dans les cas suivants:

exemples	observations
1. Ce disque est pour **toi**. Elle a peur de **lui**.	Après une préposition.
2. – C'est **vous**, les enfants? – Oui, maman, c'est **nous**. – Ce sont tes amies? – Oui, ce sont **elles**. – Ce sont Jean et Marc? – Non, ce ne sont pas **eux**.	Après **c'est**, **ce n'est pas**, **ce sont** ou **ce ne sont pas**.
3. **Elle**, elle n'aime pas la mer. Paul, **lui**, adore ça.	Pour insister sur un nom ou sur un pronom.
4. – Je le connais bien. Et **toi**? – **Moi** aussi! – Qui a cassé le stéréo? – Pas **moi**! – Qui a fait ça? – **Lui**!	Dans une phrase courte sans verbe.
5. Je peux le faire **moi-même**! Ils se sont débrouillés **eux-mêmes**.	Avec le mot **même** ou **mêmes**.
6. Charles et **moi**, nous allons au cinéma. Tu les as invités, **lui** et son ami?	Avec un autre sujet ou un autre objet.
7. N'y touche pas! C'est à **moi**!	Avec l'expression **être à**.

faire attention à **penser à**	**une chose:**	**Utilisez le pronom y.**
faire attention à **penser à**	**une personne:**	**Utilisez un pronom accentué.**

pronom sujet	**pronom accentué**	
je	moi	(me)
tu	toi	(you)
il	lui	(him)
elle	elle	(her)
nous	nous	(us)
vous	vous	(you)
ils	eux	(them)
elles	elles	(them)

l'accord des verbes après le pronom relatif qui

exemples

1. C'est **moi** qui **suis** le prof.
2. C'est **lui** qui **a répondu**.
3. C'est **nous** qui **étions** en retard.
4. C'est **vous** qui **êtes partis** trop tôt.
5. Ce sont **elles** qui **se sont fâchées**.

les verbes savoir et connaître

savoir		**connaître**	
je sais*	nous savons	je connais*	nous connaissons
tu sais	vous savez	tu connais	vous connaissez
il sait	ils savent	il connaît	ils connaissent
elle sait	elles savent	elle connaît	elles connaissent
*I know (how to)		*I know, I am acquainted with	

Attention aux participes passés:

savoir: Il n'a pas **su** la réponse.
connaître: Il n'a jamais **connu** son grand-père.

exemples

1. Paul **sait** que Jeannette l'aime. — Paul **connaît** M. et Mme Laroche.
2. Paul **sait** faire de la voile. — Paul **connaît** bien cette plage.
3. Je **sais** où se trouve un bon café. — Je **connais** un petit café sympa.
4. **Sais**-tu avec qui il est sorti? — **Connais**-tu un bon médecin?

Je sais jouer au tennis. Je l'ai appris à l'école.
Je ne peux pas jouer au tennis, parce que j'ai un bras de cassé!

on y va!

A je sais les pronoms accentués!

1. Paul est sorti avec **Jeannette**.
   ▶ **Paul est sorti avec elle.**
2. Jacques a trouvé une place derrière **Mireille**.
3. Je n'ai pas peur de **Robert**.
4. Il est allé au cinéma avec **Paul et Alain**.
5. C'est **Denise** qui a dit ça.
6. **Les Dupont**, ils n'aiment pas les partys.
7. Ce ne sont pas **mes amis** qui ont fait ça.
8. On va faire un pique-nique avec **Jeanne et Paul**.
9. Selon **Roger**, cette disco est formidable.
10. Marie pense souvent à **Philippe**.

B je sais le pronom relatif **qui**!

1. Il est parti.
   ▶ **C'est lui qui est parti.**
2. Elle est arrivée trop tard.
3. J'ai gagné le match.
4. Il est tombé.
5. Vous avez trop mangé.
6. Tu as ouvert la fenêtre.
7. Ils se sont fâchés.
8. Nous avons visité les États-Unis.
9. Elles sont descendues en ville.
10. Lise est arrivée hier.
11. Marie et Jeanne se sont réveillées à 7 h 00.

C je sais le verbe **savoir**!

1. Donnez les formes du présent du verbe **savoir** à l'affirmative et à la négative avec les pronoms **je**, **il**, **nous**, **vous** et **elles**.
2. Donnez les formes du passé composé du verbe **savoir** à l'affirmative et à la négative avec les pronoms **tu**, **elle**, **vous** et **ils**.
3. Donnez les formes de l'imparfait du verbe **savoir** avec les pronoms **tu**, **il**, **vous** et **elles**.

D je sais le verbe **connaître**!

1. Donnez les formes du présent du verbe **connaître** à l'affirmative et à la négative avec les pronoms **je**, **il**, **nous**, **vous** et **elles**.
2. Donnez les formes du passé composé du verbe **connaître** à l'affirmative et à la négative avec les pronoms **tu**, **elle**, **vous** et **ils**.
3. Donnez les formes de l'imparfait du verbe **connaître** à l'affirmative et à la négative avec les pronoms **tu**, **il**, **vous** et **elles**.

E je sais la différence entre **savoir** et **connaître**!

1. faire cet exercice
   ▶ **Je sais faire cet exercice.**
2. monsieur Legrand
   ▶ **Je connais monsieur Legrand.**
3. jouer au bridge
4. l'ami de Jeanne
5. parler français
6. le prof de maths
7. un excellent dentiste
8. qui a fait ça
9. répondre à cette question
10. une disco sensationnelle

F c'est qui ça?

1. C'est Robert, n'est-ce pas?
   ▶ **Oui, c'est lui.**
2. C'est le conseiller, n'est-ce pas?
3. C'est la tante de Paul, n'est-ce pas?
4. Ce sont les Poireau, n'est-ce pas?
5. Ce sont les amies de Jacques, n'est-ce pas?
6. C'est Jean, n'est-ce pas?
7. C'est Pierre Lemieux, n'est-ce pas?
8. C'est la cousine de Marie, n'est-ce pas?
9. Ce sont les frères Boudreau, n'est-ce pas?
10. Ce sont vos grands-parents, n'est-ce pas?

G j'insiste!

1. Je parle français.
   ▶ **Moi, je parle français!**
2. Il aime conduire.
3. On fait beaucoup de promenades.
4. Vous tombez bien!
5. Elle est bilingue.
6. Elles connaissent bien Jean-Pierre.
7. Je vais l'emmener au cinéma.
8. Tu sais bien faire de la voile!
9. Ils ne connaissent pas le nouveau prof.
10. Elle ne se fâche jamais.

H mais non, voyons!

1. A-t-il peur du **conseiller**?
   ▶ **Mais non, il n'a pas peur de lui!**
2. A-t-il parlé à **Suzanne**?
3. Cet atlas est à **vos parents**?
4. A-t-il mangé chez **sa tante**?
5. Avait-il besoin de **Robert** pour l'aider?
6. Vont-elles se promener avec **leurs amis**?
7. Est-ce que ces cadeaux sont pour **tes soeurs**?

I moi aussi! moi non plus!

1. J'aime faire de la voile. Et toi?
   ▶ **Moi aussi!**
2. Elle n'aime pas faire la vaisselle. Et Paul?
   ▶ **Lui non plus!**
3. Paul n'aime pas danser. Et Jacques?
4. Nous aimons aller à la plage. Et vous?
5. Il aime beaucoup nager. Et elle?
6. Elles ne savent pas se débrouiller. Et toi?
7. Je n'aime pas les surprises. Et toi?
8. M. Legrand adore aller à la campagne. Et Mme Legrand?

J moi-même!

1. C'est toi qui as fait ça?
   ▶ **Moi-même!**
2. Ce sont les Gagnon qui organisent la party?
3. C'est Gisèle qui a la carte routière?
4. C'est sa secrétaire qui a téléphoné?
5. Ce sont tes cousins qui t'emmènent?
6. C'est vous qui êtes allés à la plage?
7. C'est Monique qui a trouvé cet endroit?
8. C'est toi qui as décidé de partir?

K c'est à qui?

1. ouvre-bouteille / Paul
   ▶ **– C'est à qui, cet ouvre-bouteille?**
   – C'est à lui!
2. bottes / toi
   ▶ **– C'est à qui, ces bottes?**
   – C'est à moi!
3. bagages / vous
4. boussole / tes parents
5. ceinture / ta soeur
6. disques / Guy et André
7. imperméable / le prof
8. livre / Hélène
9. bicyclette / toi
10. brochure / vous

L mais voyons!

1. Qui a fait cet exercice pour toi?
   ▶ **Je l'ai fait moi-même!**
2. Qui a écrit cette lettre pour André?
   ▶ **Il l'a écrite lui-même!**
3. Qui a fait la vaisselle pour eux?
4. Qui a écrit la réponse pour Marie?
5. Qui a fait le travail pour vous?
6. Qui a ouvert la boîte pour toi?
7. Qui a mis la table pour Gisèle?
8. Qui a rangé la chambre pour elles?

M oui, c'est ça!

1. As-tu jamais dansé avec Paul?
   ▶ **Oui, Paul et moi, on danse souvent ensemble.**
2. As-tu jamais fait des promenades avec tes cousines?
3. As-tu jamais fait de la voile avec ton père?
4. As-tu jamais voyagé avec tes parents?
5. As-tu jamais joué au tennis avec tes amis?
6. As-tu jamais dîné avec Henri?
7. As-tu jamais parlé français avec ton prof?

N c'est qui, alors?

1. Qui est rentré avec Max? (Paul)
   ▶ **C'est Paul qui est rentré avec lui.**
2. Qui est à côté de Jacqueline? (Robert)
3. Qui est allé chez les Dubé? (les Bouchard)
4. Qui est sorti avec toi? (Marie)
5. Qui est allé à la plage avec vous? (Georges)
6. Qui a visité le musée avec les enfants? (Luc et Pierre)
7. Qui a gagné le match contre Robert? (Madeleine)
8. Qui est arrivé avant toi? (mes amis)

O non, c'est non!

– Alors, qui **a fait ce travail** pour toi?
– Je l'ai fait moi-même!
– **Ton frère** ne t'a pas aidé un petit peu?
– Lui, il ne m'aide jamais!
– Tu ne l'as vraiment pas fait avec lui?
– Non, non! Je te dis que non!
– Alors, si j'ai bien compris, la réponse, c'est non, hein?

1. faire ces devoirs
   ton cousin
2. écrire cette composition
   ta soeur
3. finir cet exercice
   tes amis
4. écrire cette lettre
   ta copine

P quel tact!

– Tu veux **aller à la party** avec moi?
– Non, je ne peux pas.
– Pourquoi donc?
– Parce que j'y vais avec **Paul**.
– Pourquoi lui et pas moi?
– Parce qu'**il sait danser**, lui!

1. aller à la plage
   Jacqueline
   savoir faire de la voile
2. dîner au restaurant
   les Boivin
   connaître les bons endroits
3. faire une promenade en auto
   Robert
   savoir bien conduire
4. faire des achats
   Madeleine
   connaître les bons magasins

perspectives

les origines du français moderne

Le français moderne est un descendant du **latin classique**.
Naturellement, pour devenir le français d'aujourd hui, ce latin classique a beaucoup changé au cours des siècles.
Il est tout d'abord devenu le **latin vulgaire**, c'est-à-dire le latin de tous les jours parlé par le peuple commun. Ensuite, ce latin vulgaire ou populaire s'est transformé en ancien français. À son tour, cet ancien français a éventuellement évolué en français moderne.

latin classique	latin vulgaire	ancien français	français moderne
amabilem	amabile	amable	aimable
arborem	uno arbore	un arbre	un arbre
camisiam	una camisia	une chemise	une chemise
cultellum	uno coltello	un coutel	?
coquinam	una cocina	une cuisine	?
fallitam	una fallita	une faute	?
fenestram	una fenestre	une fenestre	?
filiam	una fillya	une fille	?
librum	uno libro	un livre	?
mantellum	uno mantello	un mantel	?
personam	una persona	une persone	?
primum-tempus	il primotempos	le printens	?
testam	una testa	une teste	?
vestimentos	de los vestimentos	des vestemens	?

bienvenue dans le Midi!

Si vous avez l'intention de passer des vacances en France cet été, et si vous aimez le soleil, le Midi vous attend! C'est dans cette région du Sud et, plus précisément, en Provence, qu'on trouve la Côte d'Azur, et d'anciennes villes romaines comme Nîmes et Arles, et surtout un coin unique de la France: la Camargue.

COMMENT Y ALLER?

Un train unique, le célèbre «Mistral», quitte Paris chaque jour pour Nice. Il y a aussi des vols directs Paris-Marseille et Paris-Nice. Une troisième possibilité: l'autoroute Paris-Marseille.

QUEL TEMPS FAIT-IL?

Il fait beau toute l'année (et très chaud en été). Sur la Côte d'Azur, on trouve des plages superbes!

OÙ PEUT-ON LOGER?

À part les hôtels, il y a beaucoup de terrains de camping. En Provence, il y a plus de quarante auberges de jeunesse!

QU'EST-CE QU'ON PEUT Y FAIRE?

Au bord de la Méditerranée, on peut se baigner, faire de la voile, du ski nautique et de la plongée sous-marine. On peut également visiter Marseille, un des plus grands ports de la France, et les très belles villes de Nice et Cannes. En Camargue, il y a beaucoup de festivals. Par exemple, le célèbre festival des gitans aux Saintes-Maries-de-la-Mer.

QU'EST-CE QU'ON Y MANGE?

La cuisine provençale est merveilleuse. Ne manquez pas les spécialités suivantes: la bouillabaisse, une soupe de poissons délicieuse; la ratatouille, un ragoût d'aubergines et de tomates; et la salade niçoise, faite avec des tomates, des olives, des oeufs, du thon, du salami et des anchois!

AURON
ISOLA
ROQUEBRUNE
VENCE
MONTE-CARLO
NICE
CAGNES-SUR-MER
GRASSE
ANTIBES
JUAN-LES-PINS
CANNES
DRAGUIGNAN
ST RAPHAËL
FRÉJUS
STE-MAXIME
ST-TROPEZ
LA MER MÉDITERRANÉE
HYÈRES
TOULON

Pour d'autres renseignements, écrivez au:

Comité régional de tourisme
Palais de la Bourse
13000 Marseille
France

Comité régional de tourisme de la Côte d'Azur
20, boulevard Carabacel
06000 Nice
France

petit vocabulaire

un anchois	anchovy
une aubergine	eggplant
une autoroute	highway
se baigner	to go swimming
la Côte d'Azur	the Riviera
également	also
un(e) gitan(e)	gypsy
loger	to stay
la Méditerranée	the Mediterranean
le Midi de la France	the South of France
un oeuf	egg
la plongée sous-marine	skin diving
un poisson	fish
plus précisément	more precisely
le ski nautique	water skiing
le Sud	the South
le thon	tuna
un vol	flight

questions

1. Dans quelle région de la France se trouve la Provence?
2. Comment peut-on y aller?
3. D'habitude, quel temps fait-il dans cette région?
4. Où peut-on loger si on passe des vacances en Provence?
5. Quels sont les différents sports qu'on peut pratiquer au bord de la Méditerranée?
6. Quelles villes peut-on visiter?
7. Qu'est-ce qu'il y a d'intéressant en Camargue?
8. Qu'est-ce que c'est que la bouillabaisse?
9. Avec quoi prépare-t-on la ratatouille?
10. Qu'est-ce qu'il y a dans une salade niçoise?

quiz

1. En France, le Midi est une région qui se trouve...
   A dans le Nord **B** dans le Sud **C** dans l'Est
2. Il y a beaucoup de plages...
   A sur la Côte d'Azur **B** à Nîmes **C** dans le «Mistral»
3. Nîmes et Arles sont d'anciennes villes...
   A grecques **B** égyptiennes **C** romaines
4. Le train spécial qui va de Paris à Marseille s'appelle...
   A le «Midi» **B** le «Rapide» **C** le «Mistral»
5. Un des plus grands ports de la France est la ville de...
   A Marseille **B** Arles **C** Avignon
6. Chaque année, il y a le célèbre festival des gitans...
   A à Cannes **B** aux Saintes-Maries-de-la-Mer **C** à Nîmes
7. Quand on nage sous l'eau, on fait...
   A de la voile **B** de la plongée sous-marine **C** de la plage
8. La Méditerranée, c'est...
   A une bouillabaisse **B** un club **C** une mer
9. En Provence, on peut loger dans...
   A une aubergine **B** une ratatouille **C** une auberge
10. Les habitants de la ville de Nice s'appellent...
    A des gitans **B** des Niçois **C** des Midinettes

l'association des idées

Trouvez dans la liste B le mot qui va avec chaque mot de la liste A.

liste A	liste B
1. vol	de camping
2. plongée	d'Azur
3. ski	direct
4. Côte	de jeunesse
5. terrain	nautique
6. auberge	sous-marine

la famille des mots

Trouvez dans l'histoire un autre mot (nom, adjectif ou verbe) associé aux mots suivants.

1. Rome
2. trois
3. possible
4. une route
5. jeune
6. une visite
7. Provence
8. spécial
9. Nice

les sports et les saisons

Déterminez si on pratique les activités suivantes en été, en hiver ou toute l'année. Expliquez pourquoi!

1. le ski nautique
2. le camping
3. le hockey
4. la voile
5. la plongée sous-marine
6. le ski alpin
7. la bicyclette
8. la planche à roulettes
9. le patin sur glace
10. le saut à skis

bon voyage!

A du tac au tac

Pour chaque question de la liste A, choisissez une réponse de la liste B.

liste A

1. Vous avez aimé le concert?
2. Est-ce qu'on peut faire de la voile ici?
3. Tu sais où se trouve l'auberge?
4. C'est encore loin, la disco?
5. Tu vas sortir avec Jean ce soir?
6. Qu'est-ce que c'est que cette foule?
7. Est-ce que l'hôtel est loin de la mer?
8. Tu ne vas pas acheter un plan de la ville?

liste B

Ce sont des jeunes qui attendent devant la disco.
Ce n'est pas loin. Vous allez voir!
Au contraire! La plage est tout près!
Vous tombez bien! Il y a des bateaux à louer là-bas!
Ah oui! C'était extra!
Avec lui? Jamais!
On n'en a pas besoin. Je la connais très bien!
Non, mais Guy va nous y emmener!

B les loisirs

Complétez chaque phrase selon vos préférences!

1. Quand je vais à la plage, j'aime...
2. Quand je vais à la montagne, j'aime...
3. En été, j'aime beaucoup...
4. En hiver, j'aime beaucoup...
5. Quand je vais à la campagne, je...
6. Quand je dois rester à la maison, je...
7. Quand je visite une grande ville, je...
8. Cet été, je vais...

C équipez-vous!

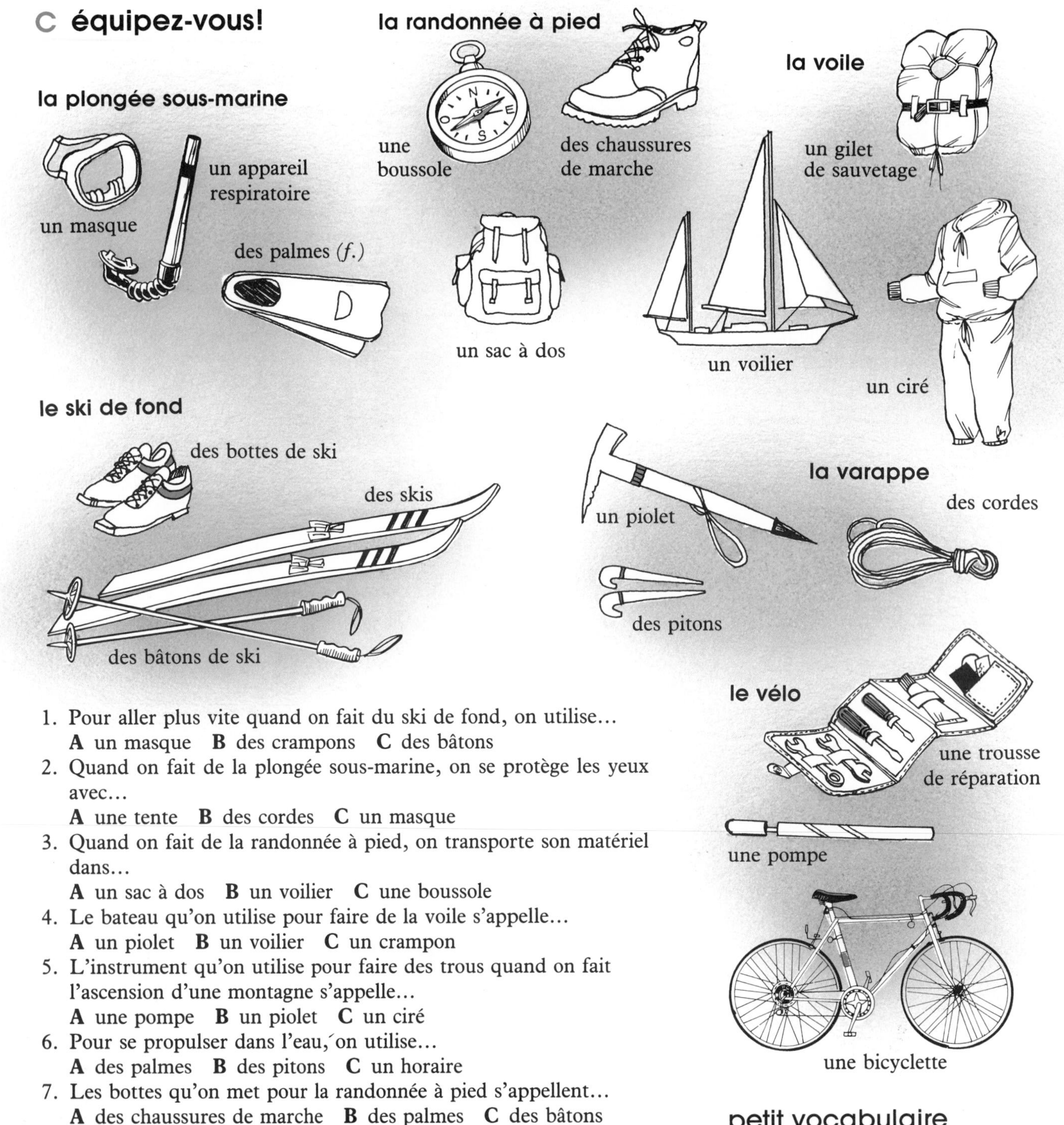

1. Pour aller plus vite quand on fait du ski de fond, on utilise...
   A un masque **B** des crampons **C** des bâtons
2. Quand on fait de la plongée sous-marine, on se protège les yeux avec...
   A une tente **B** des cordes **C** un masque
3. Quand on fait de la randonnée à pied, on transporte son matériel dans...
   A un sac à dos **B** un voilier **C** une boussole
4. Le bateau qu'on utilise pour faire de la voile s'appelle...
   A un piolet **B** un voilier **C** un crampon
5. L'instrument qu'on utilise pour faire des trous quand on fait l'ascension d'une montagne s'appelle...
   A une pompe **B** un piolet **C** un ciré
6. Pour se propulser dans l'eau, on utilise...
   A des palmes **B** des pitons **C** un horaire
7. Les bottes qu'on met pour la randonnée à pied s'appellent...
   A des chaussures de marche **B** des palmes **C** des bâtons
8. Pour une meilleure sécurité quand on fait de la voile, on met...
   A un sac à dos **B** un imperméable **C** un gilet de sauvetage

petit vocabulaire

protéger to protect
un trou hole

D au bureau de tourisme

Vous travaillez pour le bureau de tourisme dans une petite ville sur la Côte d'Azur. Vous recevez des demandes de renseignements chaque jour. Consultez le guide des hôtels et répondez à chaque télégramme.

DESIRE DEUX CHAMBRES PENSION COMPLETE. MAXIMUM 400 FRS AU TOTAL. PREFERENCE PLAGE, TENNIS. ARRIVEE 10 JUILLET DEPART 24 JUILLET.
JEAN LATOUR

CONFIRME RESERVATIONS DEUX CHAMBRES 160 FRS AU TOTAL HOTEL MON REPOS. ARRIVEE 10 JUILLET. PLAGE DISPONIBLE MAIS PAS TENNIS.
BUREAU DE TOURISME

****Hôtel «Les Délices» : 200 chambres, 500 à 1200 frs; restau.; disco.

***Hôtel Méditerranée : 150 chambres, 400 à 700 frs; restau.

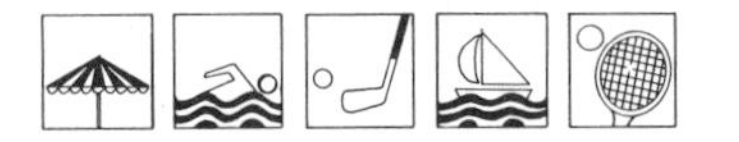

**Hôtel Splendide : 75 chambres, 150 à 300 frs; restau.; disco.

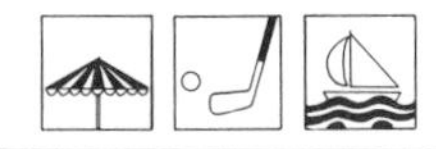

**Hôtel du Parc: 80 chambres, 120 à 300 frs; restau.

*Hôtel «Mon Repos» : 50 chambres, 75 à 180 frs; snack.

légende

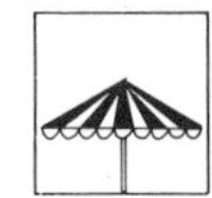
plage

parc

piscine

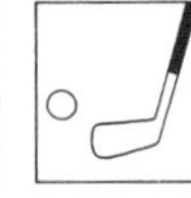
golf

voile

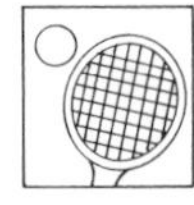
tennis

1. DESIRE CHAMBRE 1 PERS. MAXIMUM 1000 FRS/JOUR. PENSION COMPLETE. GOLF, VOILE. ARRIVEE 15 JUILLET.
   GASTON BOUCHARD
2. DESIRE 2 CHAMBRES: 2 ADULTES, 2 ENFANTS. DEMI-PENSION. ENTRE 130 ET 160 FRS PAR CHAMBRE. PLAGE ET TENNIS PREFERABLES. ARRIVEE 21 JUILLET.
   HECTOR MIRONTON
3. CHAMBRE 2 PERSONNES. VUE SUR MER, GOLF, TENNIS, PLAGE PREFERABLES. MEILLEUR TARIF POSSIBLE. ARRIVEE 2 AOUT.
   JACQUELINE LAGARDERE
4. DESIRE BELLE CHAMBRE DEUX PERSONNES. MEILLEUR HOTEL. DEMI-PENSION. BON RESTAURANT, GOLF, PISCINE, TENNIS ESSENTIELS. TARIF PEU IMPORTANT. ARRIVEE 12 AOUT.
   GILBERT DELOR

petit vocabulaire

la demi-pension breakfast and lunch only ("European plan")
la pension complète all meals ("American plan")
recevoir to receive
des renseignements *(m.)* information
un tarif rate

je me souviens!

les adjectifs

Les adjectifs qui précèdent le nom:

autre	excellent	mauvais	quel
beau	grand	même	seul
bon	gros	nouveau	tout
cher	jeune	petit	vieux
dernier	joli	premier	

Les formes spéciales au masculin singulier:
bel, fol, nouvel, vieil

L'adjectif **dernier** peut venir après le nom dans certaines expressions.
On y est allé la semaine **dernière**.

---

noms et adjectifs

1. une fille: jaloux, joli
   ▶ **C'est une fille jalouse.**
   ▶ **C'est une jolie fille.**
2. une histoire: intéressant, incroyable, vieux
3. une voiture: nouveau, rapide, blanc
4. un homme: vieux, gros, drôle
5. une soirée: ennuyeux, fantastique, tranquille
6. une dame: nerveux, fâché, joli
7. un film: comique, bon, mauvais
8. une plage: privé, grand, magnifique
9. des cravates: vieux, froissé, bleu
10. des touristes: jeune, canadien, bilingue

que sais-je?

A les associations

Quel verbe va avec chaque nom?

1. **une voiture**	s'amuser
2. un feu rouge	marcher
3. un clignotant	repasser
4. un trottoir	se débrouiller
5. des vêtements	s'arrêter
6. le matin	laver
7. des jeans froissés	s'habiller
8. les cheveux	voyager
9. une jupe dégueulasse	**conduire**
10. une party	se réveiller
11. une carte routière	changer de direction
12. des solutions	se peigner

B c'est logique!

Utilisez les mots de la liste pour compléter chaque phrase!

café, bilingue, se dépêcher, imperméable, youppi, brosser, permis de conduire, auberge de jeunesse, gauche, bagnole, brochure touristique, plage, boussole, campagne, pique-nique

1. Une vieille voiture est une...
2. L'endroit qui se trouve au bord de la mer est la...
3. Avant de conduire, on doit avoir le...
4. Un petit restaurant est un...
5. Une sorte d'hôtel pour les jeunes est une...
6. Quand on est en retard, on doit...
7. Quand on est très content, on crie...
8. Le contraire de «droit», c'est...
9. Il y a des gens qui préfèrent la ... à la ville.
10. Une personne qui sait parler deux langues est...
11. Pour décider où aller en vacances, on peut consulter une...
12. Quand il pleut, on porte un...
13. Un repas en plein air, c'est un...
14. Quand on fait du camping, c'est une bonne idée d'apporter une...
15. Les dentistes nous conseillent de nous ... les dents tous les jours.

C l'élimination des mots

1. dommage, extra, formidable, sensass
2. jeune, jaune, rouge, vert
3. pantalon, short, jeans, ceinture
4. sergent, épaule, colonel, général
5. bagnole, voiture, auto, train
6. bottes, chaussettes, chemise, souliers
7. matin, dîner, soir, après-midi

D les homonymes

Dans quelle liste se trouve le mot qui a la même prononciation que le mot à gauche?

	A	B	C
1. **verre**	verte	vers	veut
2. **mois**	moi	mais	mon
3. **fin**	finit	final	faim
4. **gens**	jeans	Jean	jaune
5. **cette**	c'est	c'était	sept
6. **peu**	paix	peux	petit
7. **ça**	c'est	sa	ce
8. **mère**	mais	Marie	mer
9. **perd**	père	Pierre	perdent
10. **c'est**	ce	cette	sait

E vive la différence!

Donnez la forme correcte du verbe **savoir** ou **connaître** au présent.

1. ...-tu s'il va neiger demain?
2. Il ... tous les bons restaurants de la ville.
3. ...-vous l'examinatrice?
4. On ne ... pas faire de la voile.
5. Je ... qu'il va perdre le match.
6. Est-ce qu'ils ... bien cet endroit?
7. Comment ...-tu qu'elle est bilingue?
8. Nous ... bien ce café là-bas.
9. Elles ... conduire depuis deux ans.
10. Je ne ... pas si je dois tourner à droite ou à gauche.

F l'art de conjuguer

Donnez la forme correcte du présent des verbes entre parenthèses.

1. Ils (se promener) dans la vieille bagnole de leur père.
2. Monique ne (conduire) pas très bien, mais son frère est pire!
3. Nous (arranger) les chaises pour les invités.
4. Tu (emmener) ton petit frère à l'école?
5. Il y a un tas de choses que je ne (savoir) pas.
6. On (connaître) tous ces gens.
7. Cette Corvette (être) à monsieur Levert.
8. Nous ne (conduire) jamais sans nos parents.
9. Elle (acheter) une jolie ceinture rouge.
10. Nous (commencer) le dîner à sept heures.

G réflexions

Mettez les verbes suivants au présent, au passé composé, à l'imparfait et au futur proche.

1. se laver / je
   ▶ **Je me lave.**
   ▶ **Je me suis lavé.**
   ▶ **Je me lavais.**
   ▶ **Je vais me laver.**
2. s'arrêter / ils
3. se calmer / je
4. se fâcher / nous
5. se promener / elles
6. se préparer / tu
7. se peigner / elle
8. s'habiller / vous
9. se maquiller / Lise
10. se raser / Marc
11. s'amuser / on
12. se dépêcher / tu
13. se réveiller / il
14. se débrouiller / je

H le bon accord

Mettez chaque phrase au passé composé, puis mettez-la à la négative.

1. Margot se peigne.
   ▶ **Margot s'est peignée.**
   ▶ **Margot ne s'est pas peignée.**
2. Les enfants se brossent les dents.
3. Marie se casse le bras.
4. Les touristes se débrouillent.
5. Claire et Lise s'habillent.
6. Les soldats se réveillent.
7. L'examinatrice se fâche.
8. Tout le monde s'amuse.
9. Les élèves se dépêchent.
10. Josette se lave les mains.

I voilà la question!

Posez des questions au présent et au passé composé.

1. pourquoi / il / se dépêcher
   ▶ **Pourquoi se dépêche-t-il?**
   ▶ **Pourquoi s'est-il dépêché?**
2. comment / elle / se débrouiller
3. où / vous / se promener
4. quand / tu / se réveiller
5. pourquoi / ils / se fâcher
6. où / elles / s'arrêter
7. comment / elle / s'habiller
8. pourquoi / nous / s'arrêter

J du présent au passé

Mettez le verbe dans chaque phrase au passé composé.

1. Qui conduit cette voiture?
   ▶ **Qui a conduit cette voiture**?
2. Tu fais de la voile?
3. Il connaît mon oncle.
4. Nous ne nous arrêtons pas ici.
5. Ils restent à la maison.
6. Elle se débrouille facilement.
7. Je ne lave pas tous ces vêtements.
8. Où vont-ils?
9. On ne sait pas la réponse.
10. Elle rêve d'avoir son permis de conduire.
11. Pourquoi emmènes-tu ton cousin?
12. Elle habille le bébé en bleu.

K le singulier et le pluriel

1. Tu es allé à la plage?
   ▶ **Vous êtes allés à la plage?**
2. Nous sommes allés en train.
   ▶ **Je suis allé en train.**
3. Elle est arrivée tard.
4. J'ai crié fort.
5. Il s'est rasé ce matin.
6. Tu as repassé ces chemises?
7. Elles ne se sont pas amusées.
8. Je me suis réveillé à 7 h 00.
9. Nous ne nous sommes pas dépêchés.
10. Vous êtes-vous peignés?

L les suggestions

1. se dépêcher
   ▶ **Dépêche-toi!**
   ▶ **Dépêchons-nous!**
   ▶ **Dépêchez-vous!**
2. s'arrêter
3. se préparer
4. s'habiller
5. se réveiller
6. se débrouiller

M pas question!

1. se raser / tu
   ▶ **Ne te rase pas!**
2. s'arrêter / nous
3. se fâcher / vous
4. se maquiller / tu
5. se réveiller / vous
6. se dépêcher / nous

N des pronoms, S.V.P!

Remplacez les mots en caractères gras par un pronom (**le**, **la**, **les**, **lui**, **leur**, **y** ou **en**), puis mettez chaque phrase à la négative.

1. Mettez **le journal** là-bas!
   ▶ **Mettez-le là-bas!**
   ▶ **Ne le mettez pas là-bas!**
2. Finissez **votre travail**!
3. Demande **à tes parents**!
4. Va **au concert**!
5. Parlons **au conseiller**!
6. Donne **de l'argent** à Marc!
7. Réponds **à la question**!
8. Repasse **ton pantalon**!
9. Attachez **votre ceinture**!
10. Allons **à la plage**!

O de l'ordre!

1. Montre-moi **ta nouvelle chemise**!
   ▶ **Montre-la-moi!**
2. Ne nous répète pas **cette histoire**!
   ▶ **Ne nous la répète pas**!
3. Explique-moi **ton problème**!
4. Vendons-la **aux parents de Pierre**!
5. Donnons-leur **cette brochure**!
6. Dis-moi **la réponse**!
7. Demandes-en **à tes amis**!
8. N'en donnons pas **à Gisèle**!

P comme tu veux!

1. Je veux emmener mon copain.
   ▶ **Alors, emmène-le!**
2. Je ne veux pas manger de chocolat.
   ▶ **Alors, n'en mange pas!**
3. Je veux aller à la disco.
4. Je veux parler à Richard.
5. Je ne veux pas te parler.
6. Je veux me préparer.
7. Je ne veux pas acheter ces bottes.
8. Je ne veux pas répondre à sa lettre.

Q les pronoms accentués

Remplacez le(s) mot(s) en caractères gras par un pronom accentué.

1. Je suis arrivé avant **Robert**.
   ▶ **Je suis arrivé avant lui.**
2. D'après **Cécile**, on a beaucoup à faire.
3. C'est **Henri** qui a dit cela.
4. As-tu trouvé une place derrière **tes amis**?
5. On va faire de la voile avec **Lise et Anne**.
6. Je pense souvent à **Paul**.
7. A-t-il besoin de **ses parents**?
8. Cet imperméable est à **Colette**.
9. Ce sont **Marc et Chantal** qui refusent d'y aller.
10. Je n'ai pas peur du **dentiste**.

R moi, j'insiste!

1. Je suis bilingue.
   ▶ **Moi, je suis bilingue!**
2. Il s'est fâché.
3. Vous tombez bien!
4. Tu as de la chance!
5. On fait souvent des promenades.
6. Ils en sont ravis.
7. Elles se sont maquillées.
8. J'espère te voir bientôt.

S questions personnelles

1. Dans quelle rue se trouve ton école?
2. Que fais-tu devant un feu rouge?
3. Comment t'habilles-tu pour aller à l'école?
4. Est-ce que tu préfères la ville ou la campagne? Pourquoi?
5. D'habitude, à quelle heure te réveilles-tu le samedi?
6. Qu'est-ce que tu aimes manger quand tu fais un pique-nique?
7. Combien de fois par jour te brosses-tu les dents?
8. Préfères-tu te brosser ou te peigner les cheveux?
9. Préfères-tu te promener en voiture ou à pied? Pourquoi?
10. Veux-tu être bilingue? Pourquoi? Pourquoi pas?
11. Qui lave et repasse tes vêtements?
12. Connais-tu une personne célèbre? Qui est-ce?

HUIT

language the comparative and superlative forms of adjectives and adverbs • the agreement of the past participle after the relative pronoun **que** • the verbs **essayer** and **payer**

communication discussing choices and preferences

situation shopping for clothes

EN VENTE!

SOLDES

10% DE RABAIS!

MOITIÉ PRIX!

HYPER-SOLDE!

COUP DE BALAI GÉNÉRAL!

LIQUIDATION TOTALE!

chic alors!

Nous sommes dans une boutique à Bruxelles, la capitale de la Belgique. Une jeune dame est en train d'essayer un nouvel ensemble — elle en a déjà essayé une dizaine — et elle se regarde dans le miroir encore une fois...

LA VENDEUSE – Ah, madame! Cet ensemble bleu vous va à merveille!

LA DAME – Vous croyez? Moi, je le trouve moins beau que la robe rouge... Vous ne l'avez pas en rouge, dans ma taille?

LA VENDEUSE – Je regrette, madame...

LA DAME – Alors, essayons quelque chose d'autre!

LA VENDEUSE – Voici un tailleur élégant, madame. Il est très à la mode!

LA DAME – Voyons... c'est du cuir?

LA VENDEUSE – Pas exactement, madame. C'est de l'imitation. Vous savez, il est lavable et plus pratique... et moins cher aussi!

LA DAME – Oui, mais... Tiens! J'aime mieux cette robe-là. C'est une Dior, non?

LA VENDEUSE – Ah, vous avez bon goût, madame! C'est le dernier cri! Vous voulez l'essayer?

LA DAME – Euh... je pense que non... Avec une Dior, on paie le nom!

LA VENDEUSE – C'est normal, madame. C'est la robe la plus chère de la boutique. Bien sûr, nous en avons d'autres à meilleur marché... Cette robe noire, par exemple, elle est très chic, n'est-ce pas?

LA DAME – Vous avez raison. Elle est belle, mais...

LA VENDEUSE – Qu'est-ce qui ne vous plaît pas, madame? La couleur?

LA DAME – C'est ça! De toutes les couleurs, j'aime ça le moins. Tiens! Cette jolie robe verte, je peux l'essayer?

LA VENDEUSE – Mais, vous l'avez déjà essayée il y a deux heures, madame!

LA DAME – Ah, oui! C'est vrai! Puis-je l'essayer encore?

LA VENDEUSE – Je regrette, madame, on ferme dans cinq minutes.

LA DAME – Mais, vous avez sans doute des robes que je n'ai pas encore essayées...?

LA VENDEUSE – Une seule, madame... et je la porte moi-même!

avez-vous compris?

1. Où se trouve la boutique?
2. Bruxelles est la capitale de quel pays?
3. Qu'est-ce que la jeune dame cherche?
4. Qu'est-ce qu'elle a déjà essayé?
5. Comment trouve-t-elle l'ensemble bleu?
6. Pourquoi ne peut-elle pas essayer le même ensemble en rouge?
7. Selon la vendeuse, pourquoi est-ce que le tailleur est pratique?
8. Pourquoi est-ce que la dame ne veut pas essayer la Dior?
9. Pourquoi n'aime-t-elle pas la robe noire?
10. Pourquoi est-ce que la vendeuse est surprise quand la dame veut essayer la robe verte?
11. Pourquoi est-ce que la dame ne peut pas l'essayer encore?
12. Quelle robe est-ce que la dame n'a pas encore essayée?

entre nous

1. D'habitude, où est-ce que tu achètes tes vêtements?
2. Qu'est-ce que tu mets pour aller à l'école? Pour sortir le week-end? Pour aller à une danse?
3. Quelle marque de jeans préfères-tu?
4. Selon toi, pourquoi les jeunes aiment-ils porter les jeans?
5. Quelle est ta couleur favorite?
6. Pour tes vêtements, qu'est-ce qui est plus important, le style ou le confort?
7. Qu'est-ce que tu considères avant d'acheter des vêtements?
8. Qu'est-ce que tu portes en ce moment?

avez-vous remarqué?

dix / une dizaine de
douze / une douzaine de
vingt / une vingtaine de
trente / une trentaine de
cent / une centaine de

1. (10) J'ai fait **une dizaine d'**erreurs dans cette composition.
2. (100) Il y avait **une centaine de** personnes à la party.
3. (15) J'ai préparé ... sandwichs.
4. (40) On a vendu ... billets.
5. (12) Elle a déjà essayé ... ensembles.
6. (10) Nous avons visité ... pays.
7. (100) J'ai dépensé ... dollars.

le bon usage

Un homme porte **un complet**.
Une femme porte **un tailleur**.

l'embarras du choix!

Il y a des étoffes de toutes sortes. Vous pouvez, par exemple, achetez des vêtements...

...en coton ...en denim
...en soie ...en nylon
...en laine ...en velours
...ou même en cuir!

vocabulaire

masculin

le cuir	leather
un ensemble	outfit
un miroir	mirror
un nom	name
un tailleur	suit
le velours	velvet

féminin

la Belgique	Belgium
une boutique	shop
une dizaine (de)	about ten
une étoffe	fabric
la laine	wool
la mode	fashion
une robe	dress
la soie	silk
la taille	size

verbes

aller à	to suit
essayer	to try (on)
fermer	to close, to shut
payer	to pay (for)
se regarder	to look at oneself

conjonction

que	than; as

adjectifs

cher, chère†	expensive
chic *(invariable)*	smart, stylish
lavable	washable
pratique	practical

adverbes

le moins	least, the least
le plus	most, the most
moins	less
plus	more

expressions

à la mode	fashionable
(à) meilleur marché	less expensive
à merveille	perfectly
avoir bon goût	to have good taste
chic alors!*	great! terrific!
il y a deux heures	two hours ago
je pense que non	I don't think so
le dernier cri	the latest thing
quelque chose d'autre	something else
vous croyez?	you think so?

Bruxelles, la capitale de la Belgique, est aussi le siège de nombreux organismes internationaux.

les mots-amis

le coton	**élégant**	**une imitation**
le denim	**exactement**	**le nylon**

†**après le nom**
***langue familière**

observations

la comparaison des adjectifs

comparez:

ensemble bleu	ensemble rouge	ensemble vert	ensemble noir
$200	$200	$250	$300

L'ensemble bleu est **cher**.
L'ensemble rouge est **aussi cher que** l'ensemble bleu.
L'ensemble bleu et l'ensemble rouge sont **moins chers que** l'ensemble vert.
L'ensemble vert est **plus cher que** l'ensemble rouge.
De tous les ensembles, l'ensemble noir est **le plus cher**.

Pour comparer les choses ou les personnes, on utilise les mots **aussi**, **moins** ou **plus** avec l'adjectif.

exemples:

Lise est **moins patiente que** toi.

Les villes américaines sont **plus grandes que** les villes suisses.

– Qui est **le plus jeune**, toi ou ton frère?
– Il est **plus jeune que** moi.

– C'est l'enfant **le plus âgé** de ta famille?
– Mais non, ma soeur est **plus âgée** que lui.

Pour la forme superlative de l'adjectif, on utilise l'article défini **le**, **la** ou **les**.

C'est **la plus belle robe**.

S'il y a un adjectif possessif devant l'adjectif superlatif, on n'utilise pas l'article défini.

C'est **ma plus belle** robe.

Si l'adjectif superlatif vient après le nom, on doit répéter l'article défini.

C'est la robe **la plus chère**.

Après les adjectifs superlatifs, on utilise la préposition **de** pour exprimer «of» ou «in».

C'est la robe la moins chère **de** la boutique.

On utilise le pronom accentué après la conjonction **que**.

Ma soeur est plus jeune que **moi**.

---

la comparaison de l'adjectif **bon, bonne**

	singulier	pluriel
	C'est un **bon** film.	Ce sont de **bons** films.
masculin	C'est un **meilleur** film.	Ce sont de **meilleurs** films.
	C'est **le meilleur** film.	Ce sont **les meilleurs** films.
	C'est une **bonne** idée.	Ce sont de **bonnes** idées.
féminin	C'est une **meilleure** idée.	Ce sont de **meilleures** idées.
	C'est **la meilleure** idée.	Ce sont **les meilleures** idées.

exemples

Mon copain Paul est un meilleur artiste que moi.
Qui est la meilleure actrice de la classe?
J'ai de meilleurs disques chez moi.
Qui sont les meilleurs joueurs de ton équipe?
Ma meilleure copine, c'est Louise.
Pour la party, nous devons mettre nos meilleurs vêtements.

la comparaison des adverbes

comparez:

Robert	Marianne	Charles	Sylvie
70 km/h	70 km/h	90 km/h	100 km/h

Robert conduit **vite**.
Marianne conduit **aussi vite que** Robert.
Charles conduit **plus vite que** Marianne mais **moins vite que** Sylvie.
Sylvie conduit **le plus vite.**

Pour la forme superlative de l'adverbe, on utilise seulement l'article défini le.

---

bien	**peu**	**beaucoup**
Yves chante **bien**.	J'étudie **peu**.	Guy parle **beaucoup**.
Anne chante **mieux**.	Marc étudie **moins**.	Marie parle **plus**.
René chante **le mieux**.	Lise étudie **le moins**.	Luc parle **le plus**.

exemples

Roc Leroc chante bien, mais il chante **moins bien que** Marcel Météore.
J'étais malade hier, mais je vais **mieux** aujourd'hui.
De toutes les matières, c'est l'histoire que j'aime **le plus** et les sciences **le moins**.
Il voyage très **peu**, mais moi, je voyage **moins que** lui.
Quel tailleur aimes-tu **le mieux**?
Je joue **bien** de la guitare, mais mon ami joue **mieux que** moi.

l'accord du participe passé après le pronom relatif que

Est-ce que vous avez **une robe que** je n'ai pas encore **essayée**?
Où sont **les journaux que** j'ai **achetés**?
Exactement! C'est **la réponse que** j'ai **voulue**!
Paris et Bruxelles sont **deux villes que** je n'ai jamais **visitées**.

Le participe passé prend les terminaisons -e, -s ou -es, tout comme un adjectif régulier.

---

les verbes essayer (to try) payer (to pay)

essayer		**payer**	
j' essaie	nous essayons	je paie	nous payons
tu essaies	vous essayez	tu paies	vous payez
il essaie	ils essaient	il paie	ils paient
elle essaie	elles essaient	elle paie	elles paient

on y va!

A je sais les verbes essayer et payer!

Donnez les formes des verbes **essayer** et **payer** au présent à l'affirmative, à la négative et à l'interrogative avec les sujets **je**, **tu**, **elle**, **nous** et **ils**.

B je sais faire l'accord du participe passé!

1. livres / lire / intéressants
   ▶ **Les livres que j'ai lus étaient intéressants.**
2. robe / mettre / élégante
3. composition / écrire / intéressante
4. disques / écouter / formidables
5. voiture / conduire / rapide
6. vêtements / essayer / chers
7. brochure / ouvrir / magnifique
8. devoirs / faire / difficiles

C je sais comparer les adjectifs!

1. Paul / plus grand / moi
   ▶ **Paul est plus grand que moi.**
2. Colette / moins grande / lui
3. Suzy / aussi grand / toi
4. je / plus grand / vous
5. ses frères / plus grands / moi
6. vous / moins grand / elle
7. tu / aussi grand / nous
8. ils / moins grands / elles
9. nous / aussi grands / eux
10. qui / plus grand / moi

D je sais la forme superlative des adjectifs!

1. un grand hôtel / ville
   ▶ **C'est le plus grand hôtel de la ville.**
2. un ensemble élégant / boutique
   ▶ **C'est l'ensemble le plus élégant de la boutique.**
3. des élèves populaires / école
4. de bons joueurs / équipe
5. une histoire drôle / livre
6. une petite pièce / maison
7. un acteur célèbre / Paris
8. un bon plat / restaurant

E je sais comparer les adverbes!

1. Michel conduit vite / Roger
   ▶ **Michel conduit plus vite que Roger.**
   ▶ **Roger conduit moins vite que Michel.**
2. les Laval voyagent souvent / les Dupré
3. je travaille fort / mes copains
4. Marie est rentrée tard / son frère
5. vous parlez lentement / les profs
6. cette robe est chère / l'ensemble
7. Robert stationne bien / Richard
8. j'ai beaucoup acheté / Nicole

F je sais mettre l'adverbe au superlatif!

1. jouer bien
   ▶ **Qui a joué le mieux?**
2. perdre beaucoup
3. travailler peu
4. payer beaucoup
5. chanter bien
6. arriver tard
7. essayer fort
8. se réveiller vite

G les comparaisons de prix

Est-ce que les autres vêtements sont aussi, plus ou moins chers que le pantalon?

le pantalon ($60.00)

1. la ceinture ($10.00)
2. le tailleur ($100.00)
3. le T-shirt ($20.00)
4. les jeans ($35.00)
5. la robe ($125.00)
6. l'ensemble ($60.00)
7. les chaussettes ($4.95)
8. les bottes ($125.00)

H opinions personnelles

Faites votre choix!

1. le français / facile / les maths
   ▶ **Le français est plus facile que les maths.**
   ▶ **Le français est aussi facile que les maths.**
   ▶ **Le français est moins facile que les maths.**
2. l'argent / important / les amis
3. l'histoire / difficile / les sciences
4. le cinéma / intéressant / la télévision
5. une Porsche / rapide / une Corvette
6. une Chevrolet / confortable / une Cadillac
7. les soeurs / pénibles / les frères
8. les jeans / pratiques / une robe
9. la soie / chic / le coton
10. les hamburgers / bon / la pizza

I bienvenue à ma ville!

1. un grand hôtel
   ▶ **Le plus grand hôtel de ma ville, c'est...**

1. un joli parc
2. un bon restaurant
3. une grande rue
4. un journal intéressant
5. un grand magasin
6. une belle école

J plus ou moins?

1. veste $50.00, robe $75.00
   ▶ **La veste coûte moins que la robe.**
2. disque $15.00, livre $9.00
3. moto $700.00, bicyclette $150.00
4. poulet $2.00/K, bifteck $4.00/K
5. coca 75¢/L, lait 85¢/L
6. gâteau $5.00, biscuits $3.99

K les préférences

1. De tous les sports, **c'est le tennis que j'aime le mieux et le hockey le moins.**
2. De toutes les matières,...
3. De toutes les couleurs,...
4. De tous les acteurs,...
5. De toutes les sortes de musique,...
6. De tous les livres,...
7. De tous les films,...
8. De toutes les stations de radio,...
9. De toutes les émissions à la télé,...
10. De toutes les bandes dessinées,...
11. De tous les journaux,...
12. De tous les plats,...

L choisissez bien!

peu, bien, tard, fort, souvent, beaucoup, toujours, facilement, lentement, assez, trop, quelquefois, vite

1. Tu étudies **peu, mais moi, j'étudie beaucoup**.
2. Tu lis...
3. Tu manges...
4. Tu sors...
5. Tu voyages...
6. Tu chantes...
7. Tu travailles...
8. Tu dépenses...
9. Tu te fâches...
10. Tu joues ... au tennis...
11. Tu apprends ... le français...
12. Tu penses ... à ton avenir...
13. Tu te réveilles ... le samedi...

M objets perdus

1. J'ai acheté les bonbons.
   ▶ **Où sont les bonbons que j'ai achetés?**
2. J'ai lu les magazines.
3. J'ai essayé les bottes noires.
4. J'ai écrit la composition.
5. J'ai ouvert les lettres.
6. J'ai prêté la bicyclette.
7. J'ai vérifié la liste.
8. J'ai fait les biscuits.
9. J'ai fini les exercices.
10. J'ai repassé les chemises.

N j'ai faim!

– J'ai faim! Qu'est-ce qu'on mange?
– **Du poulet.**
– **Encore!** Je pensais qu'il y avait **de la pizza**.
– Mais c'est bon, le poulet! C'est meilleur que la pizza, tu sais.
– **Tu es fou?** Pour moi, le meilleur plat, c'est la pizza!

1. de la salade
   zut
   des frites
   tu plaisantes
2. du rosbif
   ah non
   des hamburgers
   tu exagères
3. de la soupe
   pas encore
   des hot-dogs
   tu parles
4. du bifteck
   comme toujours
   des sandwichs sous-marin
   tu crois

O chic alors!

– Tiens, tu as un nouveau **tailleur**!
– Oui. Tu l'aimes?
– Ah oui! Tu as bon goût. C'est **du cuir**?
– Non, c'est **de l'imitation**. C'est plus pratique et moins cher.
– Et **à la mode** aussi!

1. pantalon
   de la laine
   du velours
   beau
2. manteau
   du cuir
   de l'imitation
   le dernier cri
3. veste
   de la soie
   du coton
   chic
4. robe
   de la laine
   du nylon
   élégant

vive les jeans!

Aujourd'hui la mode universelle des jeunes, les jeans ont des origines à la fois humbles et fascinantes.

Au début, le mot «jeans» signifiait en anglais une salopette fabriquée d'une grosse toile tissée à Gênes dans le nord de l'Italie. On dit que même les navires de Christophe Colomb avaient des voiles en cette robuste toile. À l'époque, cette étoffe s'appelait «genovese», ce qui veut dire «de Gênes» en italien. En anglais, grâce à une mauvaise prononciation de l'adjectif italien «genovese», ce mot est devenu tout simplement «jeans».

En 1873, Levi Strauss, un jeune marchand de San Francisco, a commencé à confectionner des «jeans» d'une autre sorte d'étoffe bien robuste, le «denim». Cette étoffe avait ses origines à Nîmes, une ville du sud de la France; donc, elle était, en fait, «de Nîmes». Depuis plus de cent ans, le style des «Levi's» n'a pas changé. Pendant de longues années, le mot «jeans» signifiait toujours des «Levi's» en denim bleu.

Aujourd'hui, il y a d'autres marques de jeans et des jeans faits d'étoffe autre que le denim. Il y a même des «designer jeans» de la haute couture!

Malgré tout cela, les jeans en denim bleu – les «blue-jeans» – restent l'uniforme des jeunes dans tous les coins du monde.

Vive les jeans!

petit vocabulaire

à l'époque	at that time, in those days	**une marque**	brand
confectionner	to create, to make	**un navire**	ship
en fait	in fact	**le nord**	north
fabriquer	to construct, to make	**une salopette**	overalls
fascinant	fascinating	**le sud**	south
Gênes	Genoa	**tisser**	to weave
grâce à	because of, due to	**une toile**	cloth
la haute couture	high fashion	**une voile**	sail
un marchand	merchant	**vouloir dire**	to mean

questions

1. Quelle est la mode universelle des jeunes?
2. Qu'est-ce que le mot «jeans» signifiait au début?
3. Prouvez que cette toile était très robuste.
4. À part les «Levi's», quelles sont trois autres marques de jeans?
5. Quelle était l'origine de l'étoffe qu'on appelle le denim?
6. Pouvez-vous donner des exemples de «designer jeans»?
7. Pourquoi dit-on que les «blue-jeans» sont l'uniforme des jeunes?

quiz

1. La ville de Gênes se trouve...
   A aux États-Unis **B** en Italie **C** en France
2. En 1492, Christophe Colomb a découvert...
   A San Francisco **B** les «blue-jeans» **C** l'Amérique du Nord
3. Le créateur des «blue-jeans» en denim était...
   A Levi Strauss **B** Richard Strauss **C** Louis de Nîmes
4. La ville de Nîmes se trouve...
   A en Californie **B** en France **C** en Italie
5. Les jeans de Levi Strauss étaient fabriqués en...
   A denim **B** cuir **C** plastique
6. Les jeans étaient (et sont toujours) la mode universelle...
   A des marchands **B** des Italiens **C** des cowboys

les étoffes et leurs origines

L'art de tisser est un des plus anciens du monde. Dans l'évolution de cet art, beaucoup de villes sont devenues célèbres grâce aux étoffes uniques qu'on y a fabriquées. Aujourd'hui, l'orgine de ces étoffes est très évidente:

anglais	français	ville d'orgine	pays
damask	le damas	Damas	la Syrie
muslin	la mousseline	Moussol	l'Irak
cretonne	la cretonne	Creton	la France
calico	le calicot	Calicut	l'Inde
gauze	la gaze	Gaza	l'Égypte
satin	le satin	Tsia-Toung	la Chine
tulle	le tulle	Tulle	la France

bon voyage!

A les étiquettes

Avec un partenaire, jouez les rôles du client / de la cliente et du vendeur / de la vendeuse. Examinez bien les étiquettes et les prix.

– On peut vous servir, madame?
– Je cherche une blouse, taille 36.
– Voici une blouse élégante en soie, madame.
– Elle est lavable?
– Non, madame. Il faut la nettoyer à sec.
– Combien coûte-t-elle?
– Trente-cinq dollars. C'est en solde aujourd'hui!
– Trente-cinq dollars. Ce n'est pas cher! Je vais l'essayer!

petit vocabulaire

le cachemire	cashmere	**en solde**	on sale
une étiquette	tag	**il faut la nettoyer à sec**	it must be dry-cleaned

B les records du monde!

Choisissez la réponse correcte.

1. Le plus grand animal, c'est...
   A la girafe **B** le chat **C** le chien
2. Le plus gros quadrupède, c'est...
   A le tigre **B** l'éléphant **C** le serpent
3. Le plus grand océan, c'est...
   A l'océan Pacifique **B** l'océan Arctique **C** l'océan Atlantique
4. Le plus grand continent, c'est...
   A l'Amérique du Nord **B** l'Eurasie **C** l'Australie
5. Le plus grand désert, c'est...
   A le Sahara **B** le Kalahari **C** le Gobi
6. La plus petite planète, c'est...
   A Saturne **B** Mars **C** Mercure
7. La planète la plus proche de la Terre, c'est...
   A Vénus **B** Jupiter **C** Pluton
8. La langue avec le plus grand vocabulaire, c'est...
   A le français **B** l'italien **C** l'anglais
9. La plus vieille pyramide est située...
   A au Mexique **B** en Égypte **C** au Canada
10. Le mur le plus long se trouve...
    A en Égypte **B** en Chine **C** en Suisse
11. Le plus grand pays du monde, c'est...
    A le Canada **B** les États-Unis **C** l'Union soviétique
12. Le pays le plus populeux, c'est...
    A l'Inde **B** la Chine **C** le Japon

C mes préférences

Choisissez votre préférence et expliquez votre choix.

1. le coton ou la soie?
   ▶ **J'aime mieux le coton parce que...**
2. l'été ou l'hiver?
3. les cheveux longs ou les cheveux courts?
4. les films ou les pièces?
5. les motos ou les bicyclettes?
6. l'avion ou le train?
7. le français ou les maths?
8. la ville ou la campagne?

D ma garde-robe

1. Quand je joue au tennis, je porte...
2. Quand je vais à une party, je porte...
3. Quand je vais à une interview, je porte...
4. Quand je lave la voiture, je porte...
5. Quand je vais à la piscine, je porte...
6. Quand je fais du ski, je porte...
7. Quand je fais de la moto, je porte...
8. Quand je fais du jogging, je porte...
9. Quand je me couche, je porte...

E comment choisir?

Pour trois différentes marques de voitures, faites des recherches au sujet de leur vitesse, leur puissance, leur confort, leur économie et leur sécurité. Comparez les trois pour en trouver la meilleure. N'oubliez pas le prix de chacune!

vocabulaire utile

spacieuse — **radio-cassette**
modique — **appareil anti-pollution**
vaste — **maître-cylindre double**
compacte — **transmission puissante**
élégante — **nombre de cylindres**
rapide — **sous la garantie**
économique — **0 à 60 km/h en 10 secondes**
confortable — **11 L/100 km**
disponible
climatisée

Quelle voiture est la meilleure pour…

1. un jeune homme qui sort beaucoup?
2. un couple avec cinq enfants?
3. une vieille personne qui sort très peu?
4. un représentant de commerce qui voyage beaucoup?
5. une jeune dame qui conduit en ville seulement?
6. votre professeur?
7. vous?

F je pense que oui!

Vous êtes d'accord? Oui ou non? Pourquoi?

1. Les vêtements qu'on porte expriment la personnalité.
2. On juge une personne par ses vêtements.
3. Les vêtements sont d'une grande importance.
4. On doit s'habiller pour soi-même, pas pour les autres.
5. Chaque jour, on doit essayer de mettre de différents vêtements.
6. On doit faire beaucoup d'attention à son apparence personnelle.
7. On doit passer beaucoup de temps devant le miroir.
8. On ne doit pas sortir si sa coiffure n'est pas parfaite.
9. On doit porter des vêtements qui sont très d'avant-garde.
10. On doit acheter des vêtements qui sont très chers.
11. Les apparences extérieures sont très importantes.
12. On ne doit jamais porter de vêtements qui ne sont pas à la mode.
13. L'essentiel, c'est des vêtements qui sont confortables et pratiques.
14. Les vêtements les plus chers sont les meilleurs.
15. Tout le monde aime les compliments de son apparence.

petit vocabulaire

d'avant-garde — different, very modern
une coiffure — hairdo
exprimer — to express

je me souviens!

l'infinitif

Donnez l'infinitif des verbes suivants.

1. Je demande.
2. Il choisit.
3. Nous attendons.
4. Ils achètent.
5. Nous arrangeons.
6. Je préfère.
7. Nous prononçons.
8. Je m'appelle.
9. Il se lave.
10. Nous nous promenons.
11. Je suis.
12. Il a.
13. Nous faisons.
14. Elle prend.
15. Vous mettez.
16. Elles vont.
17. Tu pars.
18. Vous sortez.
19. Ils viennent.
20. Elle peut.
21. Je veux.
22. Tu ouvres.
23. On doit.
24. Nous lisons.
25. J'écris.
26. Ils lisent.
27. Tu conduis.
28. Elle connaît.
29. On sait.
30. Vous dites.

NEUF

language the future tense • the verb **voir**

communication discussing future plans

situation a four-way conversation

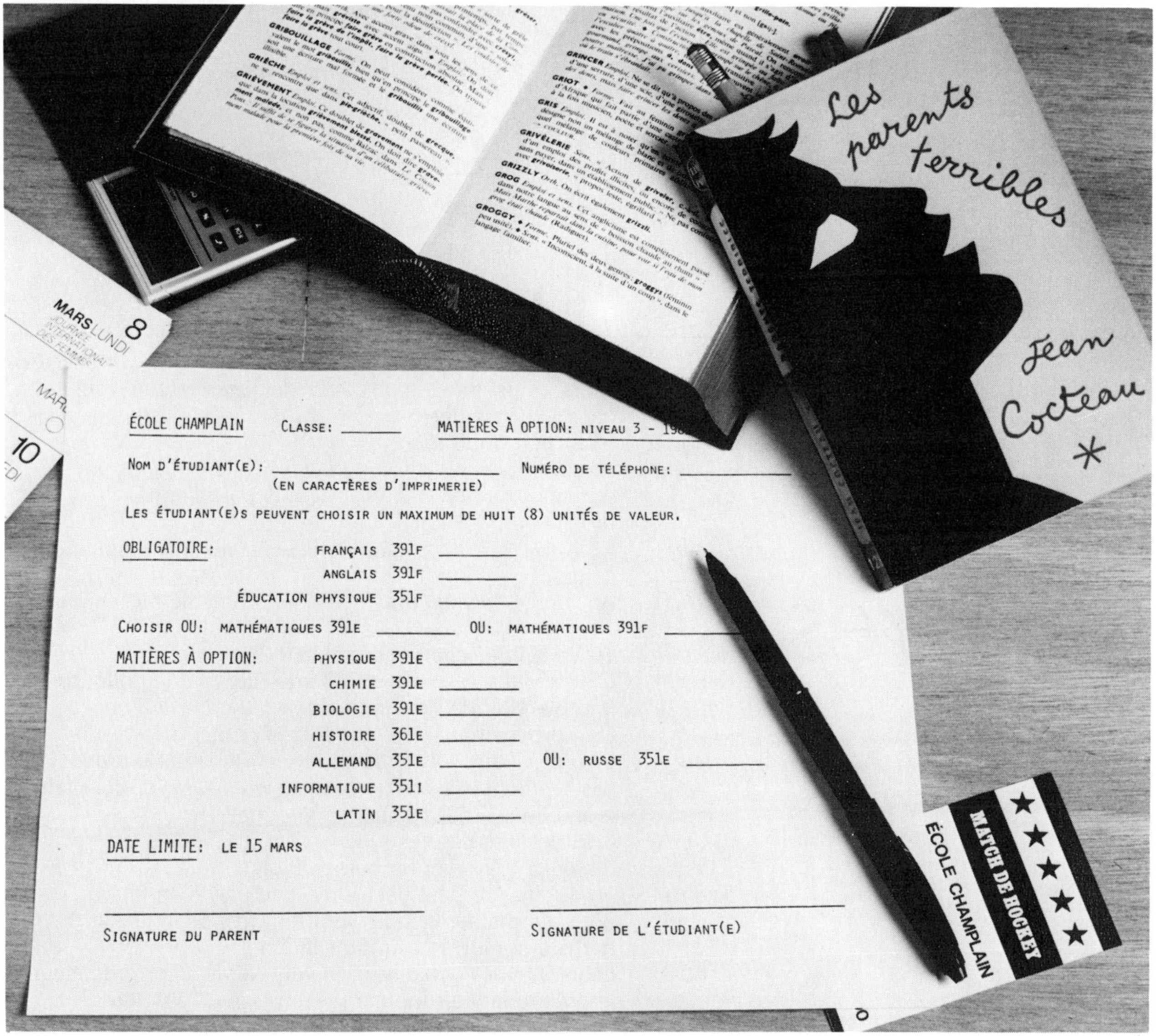

ÉCOLE CHAMPLAIN CLASSE: ______ MATIÈRES À OPTION: NIVEAU 3 - 198

NOM D'ÉTUDIANT(E): ____________________ NUMÉRO DE TÉLÉPHONE: __________
(EN CARACTÈRES D'IMPRIMERIE)

LES ÉTUDIANT(E)S PEUVENT CHOISIR UN MAXIMUM DE HUIT (8) UNITÉS DE VALEUR.

OBLIGATOIRE:
FRANÇAIS 391F ______
ANGLAIS 391F ______
ÉDUCATION PHYSIQUE 351F ______

CHOISIR OU: MATHÉMATIQUES 391E ______ OU: MATHÉMATIQUES 391F ______

MATIÈRES À OPTION:
PHYSIQUE 391E ______
CHIMIE 391E ______
BIOLOGIE 391E ______
HISTOIRE 361E ______
ALLEMAND 351E ______ OU: RUSSE 351E ______
INFORMATIQUE 351I ______
LATIN 351E ______

DATE LIMITE: LE 15 MARS

______________________ ______________________
SIGNATURE DU PARENT SIGNATURE DE L'ÉTUDIANT(E)

projets et carrières

ANNETTE — Alors, vous autres, vous avez déjà pris rendez-vous chez le conseiller?

MIREILLE — Non, pourquoi?

JEAN-PIERRE — Toi, Mireille, tu es toujours dans la lune! Dans une semaine, on doit choisir les cours pour l'année prochaine!

ANNETTE — As-tu toujours l'intention de devenir médecin, comme ta mère?

MIREILLE — Ah, non! Mais je continuerai quand même mes études en sciences.

ANNETTE — Tu veux être scientifique, alors?

MIREILLE — C'est ça! Il y a tant de problèmes, tu sais: la pollution, la protection de l'environnement, la crise de l'énergie. L'an prochain, je ferai des études en...

JEAN-PIERRE — L'an prochain, toi, tu auras une crise, si tu ne prends pas rendez-vous chez le conseiller. Moi, j'ai déjà fait mon choix... deux cours en informatique.

ANNETTE — C'est formidable, Jean-Pierre! Toi, tu n'auras pas de difficulté à trouver un bon emploi!

MIREILLE — Tu oublies un petit détail, n'est-ce pas, Jean-Pierre? Tes notes en mathématiques sont les pires de la classe. Et tu dis que moi, je suis dans la lune!

HENRI — Écoutez, vous deux! Moi, je vous laisse à vos ordinateurs! Je préfère la vie simple à la campagne. La nature, le plein air, la solitude... ça, c'est pour moi!

ANNETTE — Tu as déjà passé beaucoup de temps à la campagne, Henri?

HENRI — Euh, pas exactement... mais j'ai fait plusieurs pique-niques avec mes parents.

JEAN-PIERRE — Et toi, Annette, quels sont tes projets?

ANNETTE — Moi, je pense que je vais peut-être devenir architecte. Bien sûr, ça peut changer. Je n'en suis pas certaine.

JEAN-PIERRE — Mais tu iras à l'université, n'est-ce pas?

ANNETTE — Pas tout de suite. D'abord, je vais travailler. Puis, quand j'aurai assez d'argent, je ferai un petit voyage en Europe. Ça, c'est vraiment mon rêve. Après, on verra.

HENRI — L'Europe! Voilà une idée! Une petite ferme dans les Alpes... Non, il y aura trop de neige. Alors, en Espagne... Mais il fait trop chaud là-bas. Peut-être en Grèce! Mais c'est loin... Ou alors...

JEAN-PIERRE, MIREILLE, ANNETTE — Au revoir, Henri!

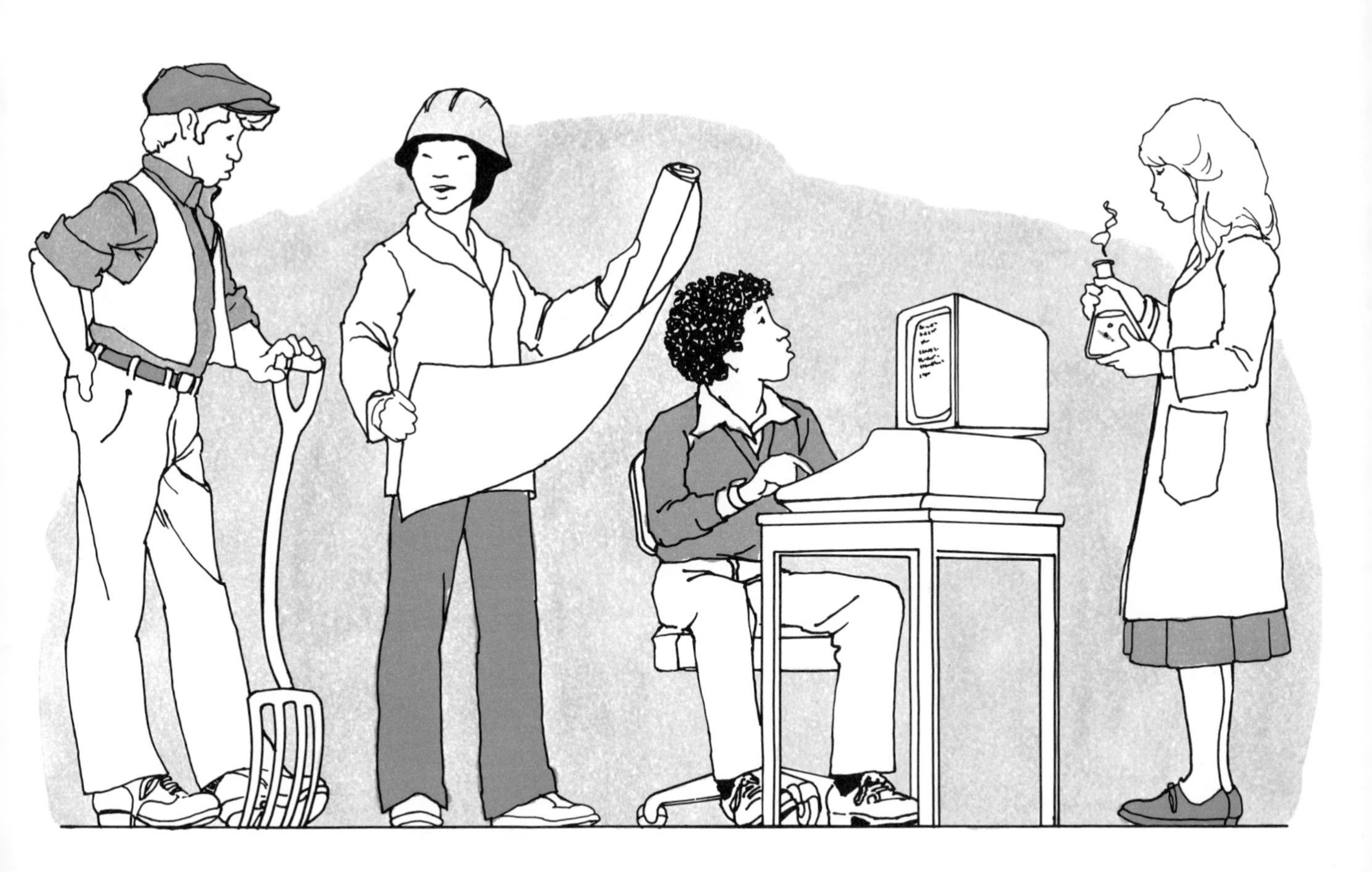

avez-vous compris?

1. Pourquoi Mireille doit-elle prendre rendez-vous chez le conseiller?
2. Qu'est-ce que Mireille veut devenir? Pourquoi?
3. Quels deux cours Jean-Pierre a-t-il choisis?
4. Selon Annette, pourquoi est-ce que Jean-Pierre a bien choisi?
5. Quel petit détail est-ce que Jean-Pierre oublie?
6. Quelle sorte de vie Henri préfère-t-il? Pourquoi?
7. Qu'est-ce qu'il y a d'amusant dans son choix de carrière?
8. Que veut devenir Annette?
9. Qu'est-ce qu'Annette veut faire avant d'aller à l'université?
10. Où Henri pense-t-il avoir une ferme en Europe? Pourquoi décide-t-il contre ces trois pays?

entre nous

1. Quand et pourquoi prends-tu rendez-vous chez le conseiller?
2. Quels cours as-tu choisis pour l'année prochaine?
3. Que veux-tu devenir plus tard? Pourquoi?
4. En quelle matière as-tu les meilleures notes? Et les pires notes?
5. Que préfères-tu, la vie à la ville ou la vie à la campagne? Pourquoi?
6. As-tu l'intention d'aller à l'université plus tard? Pourquoi? Pourquoi pas?
7. Quand tu finiras tes études, où voudras-tu travailler?

avez-vous remarqué?

la comparaison de l'adjectif mauvais

Paul a eu une **mauvaise** note en maths.
Il a eu une **plus mauvaise** note que moi.
Il a eu **la plus mauvaise** note de la classe.
Il a eu une **pire** note que moi.
Il a eu **la pire** note de la classe.

mauvais ou **pire**?

1. Je trouve qu'il a … goût.
2. Quel restaurant! De toutes les tables, on nous a donné la … .
3. Elle est … en sciences que son amie.
4. C'est le … élève de toute la classe.
5. Il a eu un … accident que son frère.
6. Quel … rêve! Je n'en reviens pas!

avez-vous remarqué?

avoir l'intention de + l'infinitif = to intend to

1. tu / partir bientôt
   ▶ **Tu as l'intention de partir bientôt?**
2. il / aller à l'université
3. elle / écrire à ses parents
4. vous / visiter la Louisiane
5. tu / voir un film
6. ils / habiter à la campagne
7. tu / devenir scientifique

quel sera votre avenir?

Si vous avez des talents artistiques,
vous pouvez devenir…
artiste
musicien(ne)
acteur ou actrice
chanteur ou chanteuse
danseur ou danseuse
architecte

Si vous aimez travailler avec vos mains,
vous pouvez devenir…
mécanicien(ne)
électricien
charpentier
ingénieur
plombier

Si vous aimez les sciences ou les maths,
vous pouvez devenir...
scientifique
médecin
dentiste
ingénieur
comptable
programmeur
vétérinaire
pharmacien(ne)

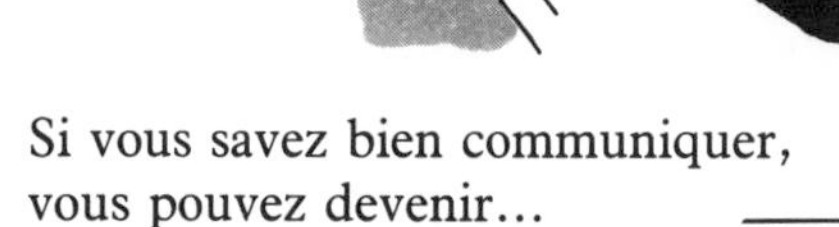

Si vous savez bien communiquer,
vous pouvez devenir...
journaliste
interprète
conseiller ou conseillère
annonceur
professeur

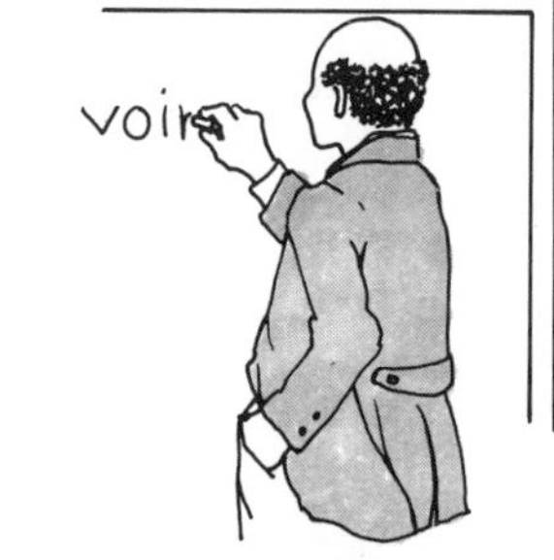

Si vous avez d'autres talents,
vous pouvez devenir...
agent de police
avocat
cascadeur
inventeur
agriculteur

Et si vous êtes visionnaire,
vous pouvez devenir...
chauffeur de taxi interplanétaire
vendeur de fusées d'occasion

vocabulaire

masculin

un cours	class, course
un emploi	job
un ordinateur	computer
un rêve	dream
un scientifique	scientist

féminin

une carrière	career
l'Europe	Europe
les études	studies
une ferme	farm
l'informatique	computer science
une scientifique	scientist

verbe

voir	to see

adjectifs

pire	worse
le pire, la pire	the worst
plusieurs	several

expressions

avoir l'intention de	to intend to
le plein air	the outdoors
vous autres*	you guys

les mots-amis

la nature
l'université (f.)

***langue familière**

les carrières

architecte	**vétérinaire**
mécanicien	**interprète**
ingénieur	**avocat**
électricien	**plombier**
charpentier	**agriculteur**
programmeur	**agent de police**
comptable	

Il y a des noms de profession où on utilise la même forme pour les hommes et les femmes.
Il est professeur. Elle est professeur.

---

observations

le futur

comparez:

– Tu vas prendre rendez-vous chez le conseiller?
– Oui, je lui **parlerai** mercredi.

On utilise le futur pour la description des actions qui se passeront au futur.

exemples

– Quand est-ce que tes parents partent en voyage?
– Ils **partiront** en juin.

– Tu as répondu à la lettre de Marc?
– Pas encore. Je lui **écrirai** la semaine prochaine.

– Alice va partir demain.
– Vraiment? Où **ira**-t-elle?

– Quels sont tes projets d'avenir?
– Eh bien, je ne **resterai** pas ici. J'**habiterai** à Montréal, je pense.

– Comment allez-vous à Montréal?
– On **prendra** le train. C'est moins cher.

– Vous autres, vous avez l'intention d'aller à l'université?
– Pas tout de suite. D'abord, nous **gagnerons** de l'argent. Puis, après ça, nous **continuerons** nos études.

– Elles doivent choisir leurs cours bientôt, n'est-ce pas?
– Ne t'inquiète pas. Elles les **choisiront** après leur rendez-vous avec le conseiller.

– Zut! J'ai laissé mes devoirs chez moi!
– Oh là là! Madame Lagriffe **se fâchera,** j'en suis sûr!

le futur des verbes réguliers

	parler	finir	vendre
je	*parler**ai**	*finir**ai**	*vendr**ai**
tu	parler**as**	finir**as**	vendr**as**
il	parler**a**	finir**a**	vendr**a**
elle	parler**a**	finir**a**	vendr**a**
nous	parler**ons**	finir**ons**	vendr**ons**
vous	parler**ez**	finir**ez**	vendr**ez**
ils	parler**ont**	finir**ont**	vendr**ont**
elles	parler**ont**	finir**ont**	vendr**ont**

*I shall (will) talk   *I shall (will) finish   *I shall (will) sell

le futur du verbe acheter

j' achèterai	nous achèterons
tu achèteras	vous achèterez
il achètera	ils achèteront
elle achètera	elles achèteront

Attention! Le futur des verbes **se promener** et **emmener** se forme comme le futur du verbe **acheter**.

le futur des verbes irréguliers

aller	– j'**ir**ai	pouvoir	– je **pourr**ai
avoir	– j'**aur**ai	savoir	– je **saur**ai
devoir	– je **devr**ai	(de)venir	– je **(de)viendr**ai
être	– je **ser**ai	voir	– je **verr**ai
faire	– je **fer**ai	vouloir	– je **voudr**ai

exemples

– Où **irez**-vous cet été?
– Nous **irons** en France.

– **Aurez**-vous la voiture demain?
– On **verra**. D'abord, on **devra** demander à papa.

– Si tu vas en France, tu **pourras** faire un voyage à Dijon.
– Pas question! Je n'**aurai** pas le temps.

La dernière lettre devant les terminaisons du futur, c'est toujours la lettre r.

Pour poser une question au futur avec l'inversion, avec les sujets il, elle ou on, on utilise -t-.
Voyagera-t-elle? Choisira-t-il? Attendra-t-on?

Pour poser une question au futur avec le sujet je, on utilise est-ce que.
Est-ce que je te verrai au concert ce soir?

---

le futur après quand

Quand j'**aurai** de l'argent, j'**achèterai** une voiture de sport.
Quand ses parents **viendront** au Canada, ils **pourront** visiter Toronto.
Quand tu **seras** en vacances, **feras**-tu du ski?
Quand je **quitterai** l'école, je n'**habiterai** pas en Europe.

le verbe voir (to see)

je vois	nous voyons
tu vois	vous voyez
il voit	ils voient
elle voit	elles voient

Attention au participe passé!
Il **a vu** un bon film hier soir.
Attention au futur!
Il nous **verra** la semaine prochaine.

on y va!

A je sais le verbe voir!

1. Mettez le verbe **voir** au présent à l'affirmative, à la négative et à l'interrogative avec les sujets **tu**, **elle**, **nous** et **ils**.
2. Mettez le verbe **voir** au passé composé à l'affirmative, à la négative et à l'interrogative avec les sujets **je**, **il**, **vous** et **elles**.
3. Mettez le verbe **voir** à l'imparfait à l'affirmative, à la négative et à l'interrogative avec les sujets **tu**, **elle**, **nous** et **ils**.

B je sais le futur!

1. Mettez les verbes **acheter**, **se laver**, **choisir**, **répondre**, **sortir**, **mettre** et **prendre** au futur à l'affirmative, à la négative et à l'interrogative avec les sujets **je**, **il**, **nous** et **elles**.
2. Mettez au futur:
    1. Je vais à la campagne.
    2. Il a le temps.
    3. Elle doit choisir.
    4. Êtes-vous seuls?
    5. Ils ne font pas de projets.
    6. Qui peut m'aider?
    7. Sait-il conduire?
    8. On ne vient jamais ici.
    9. Nous voyons la tour.
    10. Je veux partir.

C projets de vacances

1. travailler ▶ **je travaillerai**
2. aller à la plage
3. aller en Europe
4. sortir tous les soirs
5. prendre le train pour Vancouver
6. faire la grasse matinée
7. jouer au tennis
8. se promener en voiture
9. s'amuser bien
10. rester chez moi

D à demain!

1. choisir des cours / Paul ▶ **Il choisira des cours.**
2. descendre en ville / je
3. organiser une surprise-party / Lise
4. faire le ménage / Alain et Jeanne
5. conduire en ville / tu
6. voir des élèves / la conseillère
7. aller chez le docteur / les enfants
8. acheter des vêtements / on
9. écrire des lettres / vous
10. se préparer pour la party / nous

E on ne veut pas!

1. Guy ne veut pas voyager, alors **il ne voyagera pas.**
2. Pauline ne veut pas habiter en ville, alors...
3. Je ne veux pas vendre ma moto, alors...
4. Nous ne voulons pas partir tôt, alors...
5. Tu ne veux pas aller en Europe, alors...
6. Ils ne veulent pas être en retard, alors...
7. Marcel ne veut pas voir les États-Unis, alors...
8. Je ne veux pas apprendre à jouer au badminton, alors...
9. Vous ne voulez pas sortir ce soir, alors...
10. Elles ne veulent pas faire le ménage, alors...

F mais quand?

1. Luc va partir en vacances. ▶ **Quand partira-t-il?**
2. Alain va s'arrêter chez Suzanne.
3. Colette va venir chez nous.
4. Nos profs vont aller à Paris.
5. Ses copines vont descendre en ville.
6. René va jouer au golf.
7. Cécile va sortir.
8. Le conseiller va écrire aux Duval.

G quand je serai plus âgé...

1. aller en Europe
   ▶ **J'irai en Europe.**
   ▶ **Je n'irai pas en Europe.**
2. aller à l'université
3. habiter dans une ferme
4. gagner beaucoup d'argent
5. avoir une voiture de sport
6. louer un appartement
7. parler très bien le français
8. pouvoir voyager
9. être riche
10. devenir professeur

H en voyage!

1. Robert / à Paris / la tour Eiffel
   ▶ **Quand Robert ira à Paris, il verra la tour Eiffel.**
2. nous / en Suisse / les Alpes
3. je / en Louisiane / la maison d'Évangéline
4. ses parents / à Montréal / la Place des Arts
5. tu / à Québec / le Château Frontenac
6. vous / en Floride / Disneyworld
7. les Dupont / à New York / l'Empire State Building
8. on / à Toronto / la Place Ontario
9. Serge / à Vancouver / l'océan Pacifique
10. Paulette / à Stratford / le festival shakespearien

I les carrières

Qu'est-ce que je fais dans la vie?

1. Je dessine des plans de bâtiment.
   ▶ **Je suis architecte.**
2. Je prends la défense légale de mes clients.
3. Je suis spécialiste en installation électrique.
4. Je répare les voitures.
5. Je joue des rôles au cinéma et au théâtre.
6. Je fais des recherches dans un laboratoire.
7. J'aide les élèves à choisir leurs cours.
8. Je remplace l'acteur principal pour les scènes dangereuses.
9. Je vends des choses dans un magasin.
10. Je joue de la guitare dans un groupe musical.
11. J'ai une grande ferme à la campagne.
12. J'arrête des criminels.
13. J'écris des articles pour un journal.
14. Je programme des ordinateurs.

J pas tout de suite!

– Dis donc, qu'est-ce que tu veux devenir?
– **Médecin**, probablement.
– Tu iras à l'université, non?
– **Bien sûr**. Mais pas tout de suite.
– Ah, non? Pourquoi?
– D'abord, je pense que je **voyagerai un peu.**
– Bonne idée!

1. ingénieur
   c'est ça
   gagner de l'argent
2. interprète
   ah, oui
   aller en Europe
3. vétérinaire
   certainement
   travailler dans une ferme
4. scientifique
   naturellement
   devoir finir mes études secondaires

K tu rêves!

– Sais-tu où je **prendrai mes vacances** quand je serai plus âgé?
– Où ça?
– **En France**! Ah, **les beaux hôtels, les restaurants...!**
– **Arrête!** Tu oublies un petit détail, n'est-ce pas?
– Quel détail?
– Où trouveras-tu l'argent pour tout ça?
– C'est très simple! Je serai célèbre et riche!
– Tu rêves!

1. passer mes étés
   en Suisse
   les montagnes, le plein air
   assez
2. aller
   en Louisiane
   les bayous, la cuisine créole
   attends un peu
3. habiter
   à New York
   les boutiques, les théâtres
   vraiment
4. aller
   en Europe
   les grandes villes, les monuments
   minute

LE TREIZIÈME JOUR DE JAMAIS

On dit que tu seras libre
On dit que tu seras homme
Mais ce temps te semble loin
Comme le treizième jour de jamais.

On dit que les pierres chanteront
Que les barrières éclateront
On dit que les temps changeront
Mais ces temps te semblent loin
Comme le treizième jour de jamais.

Alors agis, change ta vie
Donne ton âme pour d'autres vies
Sauve les vents, offre la mer
Défends ton coeur contre la haine
Repeins le ciel pour l'amitié
Pour que le treizième jour de jamais
Ce soit demain.

Maria
16 ans

– extrait de *Poèmes d'adolescents,*
Avec les quelques mots qui enfantent le jour,
Pédagogie Freinet, Éditions Casterman.

petit vocabulaire

agir	to act
une âme	soul, heart
une amitié	friendship
une barrière	barrier
le ciel	sky
le coeur	heart
défendre	to protect, to defend
éclater	to collapse, to shatter, to break up
la haine	hatred
offrir	to offer (up), to dedicate
une pierre	stone
pour que	so that
repeindre	to repaint
sauver	to save, to redeem
sembler	to seem
soit	might be
les temps	the times
le vent	wind

bon voyage!

A du tac au tac

liste A

1. As-tu déjà pris rendez-vous chez le conseiller?
2. Tu continueras tes études en histoire?
3. Mais pourquoi tous ces cours en maths?
4. Sensass! Alors, tu iras à l'université, n'est-ce pas?
5. As-tu toujours l'intention d'aller en Europe?

liste B

Non. J'ai déjà choisi trois cours en maths.

Je veux devenir programmeur!

Oui. Je lui ai parlé hier.

J'espère que oui. Après tout, l'Europe, c'est mon rêve. Mais, on verra.

Pas tout de suite. D'abord, je dois gagner un peu d'argent.

B les rêves

Complète les phrases selon tes projets d'avenir.

1. Quand je finirai mes études secondaires,...
2. Quand j'aurai vingt ans,...
3. Quand je serai célèbre,...
4. Quand je serai riche,...
5. Quand j'irai en Europe,...
6. Quand j'aurai soixante ans,...

C en l'an 3000

Comment trouvez-vous ces prédictions...

... **impossible,**
peu probable,
possible
ou **certain**?

1. Il n'y aura pas de guerres.
2. On pourra facilement aller sur d'autres planètes.
3. On habitera sur d'autres planètes.
4. Il n'y aura pas de pollution.
5. Il y aura des villes sous les océans.
6. On saura contrôler le climat.
7. On travaillera seulement deux jours par semaine.
8. On fera le voyage Toronto-Paris en une heure.
9. Les robots feront tout le travail.
10. Il n'y aura pas de gouvernement. Les machines prendront toutes les décisions importantes.
11. Les maladies n'existeront pas.
12. Notre nourriture sera en forme de liquide ou de pilules.
13. On pourra apprendre le français en cinq minutes.
14. On ira partout en fusée.
15. Les ordinateurs remplaceront les professeurs.
16. Tout le monde sera content.

petit vocabulaire

une fusée	rocket	**une maladie**	illness
une guerre	war	**la nourriture**	food
une langue	language	**une pilule**	pill

D priorités

De la liste suivante, mettez ces choses dans l'ordre d'importance pour vous.

Dans dix ans, je veux...

A être très riche
B avoir beaucoup de temps libre
C travailler pour moi-même
D avoir une famille
E aider les autres
F être en bonne santé
G avoir beaucoup de pouvoir
H être célèbre
I avoir un emploi intéressant
J voyager beaucoup
K avoir beaucoup de responsabilité
L avoir ma propre maison

petit vocabulaire

le pouvoir power
propre own
la santé health

E test d'aptitude

De chaque liste, choisis **une** préférence.

1. Si je dois faire un projet pour ma classe de français, je...
   a) construirai un modèle en bois de la tour Eiffel
   b) dessinerai un graphe qui montre les populations francophones du Canada
   c) ferai un collage de cartes postales françaises
   d) donnerai un rapport oral sur la ville de Montréal
2. De ces quatre passe-temps, je préfère...
   a) construire un modèle réduit
   b) jouer au Monopoly
   c) faire des charades
   d) jouer au Scrabble
3. De ces quatre livres, je préfère...
   a) *Comment tout réparer à la maison*
   b) *Le Monde des ordinateurs*
   c) *Histoire de la musique contemporaine*
   d) *L'Art de la persuasion*
4. De ces quatre films documentaires, je préfère...
   a) *La Course automobile de Monte Carlo*
   b) *Explorations de l'univers*
   c) *Les Grands Ballets russes*
   d) *Les Mass-Média*
5. De ces quatre magazines, je préfère...
   a) *La Mécanique illustrée*
   b) *Le Digest de science-fiction*
   c) *Les Vedettes d'Hollywood*
   d) *Société et culture*
6. Si je visite une grande ville, j'irai...
   a) à une exposition de voitures
   b) au Centre des Sciences
   c) au Musée d'Art
   d) au Musée d'Histoire
7. À l'école, je suis fort en...
   a) travaux manuels
   b) maths
   c) dessin
   d) langues
8. L'été, je préfère un emploi dans...
   a) un garage
   b) une banque
   c) un théâtre
   d) un grand magasin
9. De ces cadeaux d'anniversaire, je préfère...
   a) des outils
   b) une calculatrice
   c) une guitare
   d) un magnétophone

10. De ces émissions de télé, je préfère...
    a) *L'Atelier des bricoleurs*
    b) *Les Centrales nucléaires: oui ou non?*
    c) *Sculpteurs de la Renaissance*
    d) *Télé-opinion: les grandes questions du jour*
11. Le personnage du passé que j'admire le plus, c'est...
    a) les frères Wright
    b) Albert Einstein
    c) Léonard de Vinci
    d) Winston Churchill

les résultats

Si tu as une majorité de réponses (**a**), tu aimes travailler avec tes mains et tu as des aptitudes mécaniques.
Carrières possibles: mécancien, électricien, charpentier, plombier, machiniste, ingénieur.

Si tu as une majorité de réponses (**b**), tu as l'esprit analytique.
Carrières possibles: scientifique, comptable, banquier, médecin, programmeur.

Si tu as une majorité de réponses (**c**), tu as des talents créateurs.
Carrières possibles: artiste, musicien, acteur, danseur, écrivain, architecte.

Si tu as une majorité de réponses (**d**), tu as des talents de communicateur.
Carrières possibles: interprète, journaliste, conseiller, annonceur, professeur, avocat, agent de police, vendeur, commis.

petit vocabulaire

un atelier	workshop
le bois	wood
un bricoleur	handyman
construire	to make, to build
contemporain	contemporary
un écrivain	writer
un esprit	mind
fort en	good at
une langue	language
un modèle réduit	model
un outil	tool
russe	Russian
les travaux manuels	industrial arts
une vedette	star

F l'interprétation des rêves

Savez-vous qu'il y a des gens qui insistent sur le fait qu'il est possible de prédire l'avenir par l'analyse des rêves? Selon eux, vos rêves sont pleins de symboles qui révèlent votre avenir. Mais vous aussi, vous pouvez interpréter ces symboles!

les symboles	l'interprétation
1. un singe	Vous aurez des problèmes personnels.
2. une montagne	Vous aurez des difficultés dans vos études.
3. un chat noir	Vous aurez de la malchance.
4. un avion	Vous ferez un long voyage.
5. une fleur	Vous serez heureux.
6. un oeuf	Vous deviendrez riche.
7. une ambulance	Vous aurez un accident.
8. des clefs	Vous aurez beaucoup d'enfants.
9. la mer	Vous aurez une longue vie.
10. une porte ouverte	Vous réussirez à l'école.
11. un couteau	Vous vous marierez très jeune.
12. un éléphant	Vous aurez beaucoup de responsabilités.
13. tous ces symboles dans le même rêve	Vous aurez besoin d'un psychiatre!

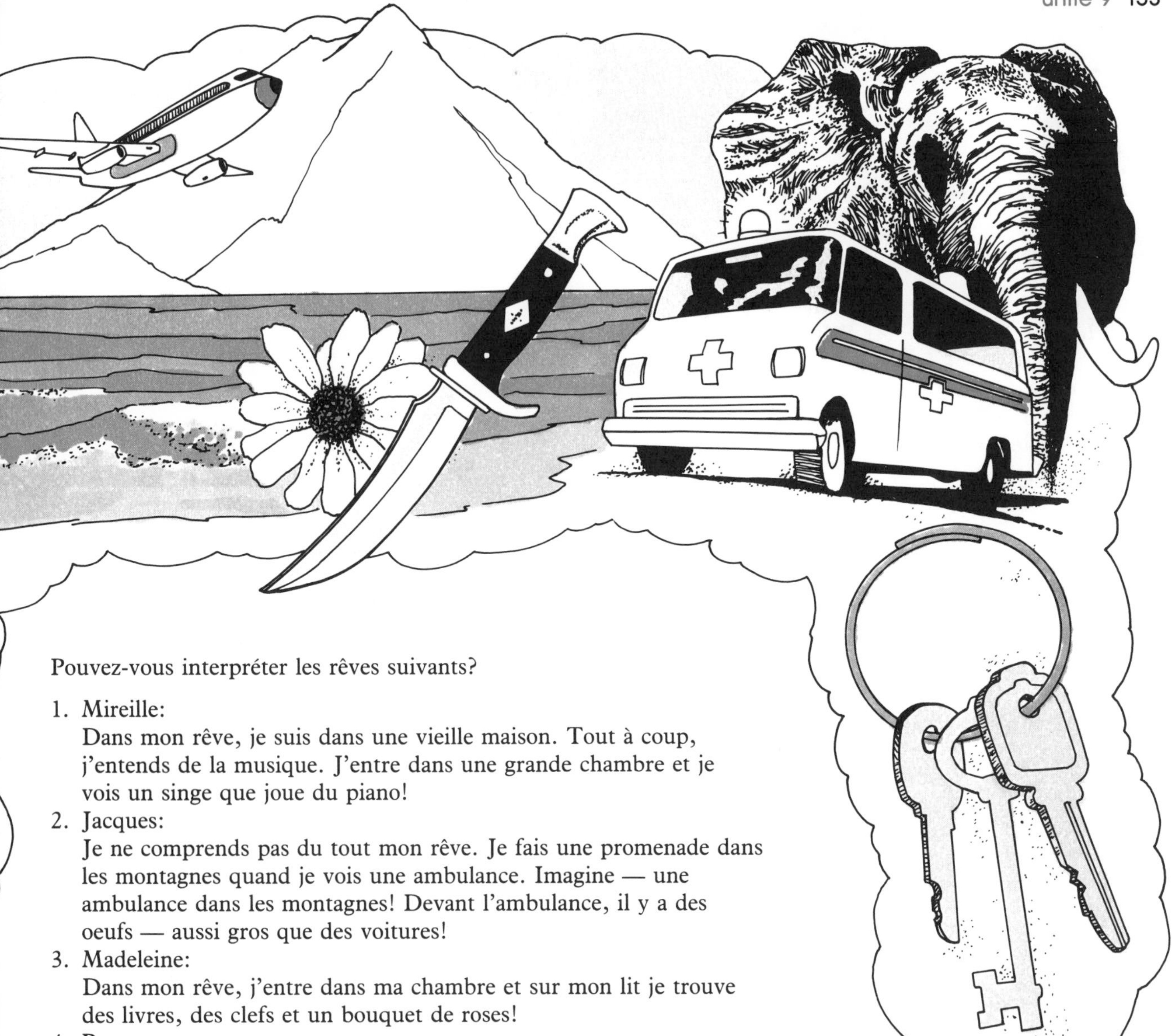

Pouvez-vous interpréter les rêves suivants?

1. Mireille:
   Dans mon rêve, je suis dans une vieille maison. Tout à coup, j'entends de la musique. J'entre dans une grande chambre et je vois un singe que joue du piano!
2. Jacques:
   Je ne comprends pas du tout mon rêve. Je fais une promenade dans les montagnes quand je vois une ambulance. Imagine — une ambulance dans les montagnes! Devant l'ambulance, il y a des oeufs — aussi gros que des voitures!
3. Madeleine:
   Dans mon rêve, j'entre dans ma chambre et sur mon lit je trouve des livres, des clefs et un bouquet de roses!
4. Roger:
   Voici mon rêve. Je descendais en ville quand, à ma grande surprise, j'ai rencontré un bel éléphant! Cet animal était très aimable et il m'a demandé de lui dire où était l'école.
5. Guy:
   Mon ami Marc était dans mon rêve! Nous étions en train de manger des sandwichs aux oeufs dans un restaurant magnifique. Chose curieuse — dans ce restaurant les garçons de table étaient des chats noirs!
6. Colette:
   J'ai eu un si beau rêve! J'étais dans un avion où il y avait beaucoup de fleurs — des fleurs partout!

petit vocabulaire

une clef	key
la malchance	bad luck
un oeuf	egg
un singe	monkey

je me souviens!

la négation

Je **ne** sors **pas**.
Je **ne** suis **jamais** sorti avec elle.
Je **ne** vais **pas** sortir.
Ne sont-ils **jamais** sortis ensemble?

J'ai **un** livre. → Je n'ai pas **de** livre.
Il a acheté **du** fromage. → Il n'a jamais acheté **de** fromage.

Après une négation,

un
une
des → **de**
du
de la
de l'

C'est un livre. → Ce n'**est** pas un livre.
Il n'y a pas de changement après le verbe **être**.

A Mettez les phrases à la négative avec **ne...pas.**

1. Il a son permis de conduire.
2. Je choisirai mes cours demain.
3. Il va faire beau.
4. Nous regardions un film français.
5. Ils se sont dépêchés.
6. C'est un prof.
7. A-t-il écrit à ses parents?
8. On doit partir.
9. J'ai mangé des biscuits.
10. Il y avait du vin dans le verre.

B Mettez les phrases à la négative avec **ne...jamais.**

1. Je pourrai faire tout ce travail.
2. Il m'a donné de l'argent.
3. Je me suis promené en autocar.
4. Elle a vu un accident.
5. Il va devenir architecte.
6. Sont-ils allés à Paris?
7. Nous avons visité ce musée.
8. Il s'est fâché.
9. On lui téléphonera.
10. Seras-tu content?

DIX

language the negative expressions **ne ... plus, ne ... rien** and **ne ... personne** • verbs followed by infinitives

communication listening to and expressing opinions about other people

situation chatting about friends

ça parle et ça parle...

À une table de la cafétéria, deux jeunes filles sont en train de chuchoter. Elles échangent les derniers potins...

NADINE – Dis donc! Tu as vu Marielle? Elle a une nouvelle coiffure!

MONIQUE – Ça lui va bien, je trouve.

NADINE – Il paraît que son petit ami n'aime pas ça du tout!

MONIQUE – Pauvre Marielle! ... Tiens! Tu sais quoi?

NADINE – Non, dis!

MONIQUE – Jean-Pierre ne sort plus avec Hélène!

NADINE – C'est pas possible!

MONIQUE – Si! On m'a dit que vendredi dernier, il est allé au cinéma avec quelqu'un d'autre!

NADINE – Ça ne m'étonne pas. En fait, rien ne m'étonne avec Jean-Pierre. Pauvre Hélène! Je crois qu'elle était bien amoureuse de lui! Et imagine, maintenant, elle ne sort avec personne!

MONIQUE – Ne t'en fais pas pour Hélène! Je l'ai rencontrée à une party samedi soir.

NADINE – Mais, elle était seule, hein?

MONIQUE – Tu rigoles! Hélène ne reste jamais longtemps seule! Quand Robert a vu qu'elle n'était plus avec Jean-Pierre, il l'a invitée à danser. Ils sont restés ensemble toute la soirée. Il l'a ramenée chez elle.

NADINE – Sur sa moto?

MONIQUE – Eh, oui! Et elle qui portait sa nouvelle robe en soie bleu ciel!

NADINE – Incroyable! Mais, pour Robert, ça se comprend! ... Ne te retourne pas maintenant, mais Yvon et Gilbert sont dans le coin derrière toi. Ça parle et ça parle! ... Et Gilbert te regarde tout le temps!

MONIQUE – Gilbert? Je ne peux pas le sentir! Il est tellement snob!

Dans le coin, Yvon et Gilbert chuchotent...

YVON – Regarde donc Nadine et Monique! Ça parle et ça parle!

GILBERT – Nadine Lemieux, moi, je la trouve bien, mais l'autre, Monique Lerain, je ne peux pas la voir! Elle est tellement snob!

avez-vous compris?

1. Où sont Nadine et Monique?
2. Que font-elles?
3. Selon Nadine, qu'est-ce que Marielle a fait?
4. Qu'est-ce que Monique pense de cela?
5. Quelle a été la réaction de l'ami de Marielle?
6. Quels sont les derniers potins sur Jean-Pierre et Hélène?
7. Selon Monique, qu'est-ce que Jean-Pierre a fait vendredi dernier?
8. Pourquoi Nadine dit-elle: «Pauvre Hélène!»?
9. Où et quand Monique a-t-elle rencontré Hélène?
10. Qu'est-ce qui indique que Robert aime bien Hélène?
11. Comment Robert a-t-il ramené Hélène chez elle?
12. Qu'est-ce qu'elle portait?
13. Où sont Yvon et Gilbert? Que fait Gilbert?
14. Pourquoi Monique n'aime-t-elle pas Gilbert?
15. Que pense Gilbert de Monique? Pourquoi?

entre nous

1. À la cafétéria de ton école, de quoi parle-t-on en général?
2. Quelle est ta réaction quand on te raconte des potins? Pourquoi?
3. Donne trois adjectifs qui décrivent les personnes que tu aimes ou n'aimes pas.

avez-vous remarqué?

quelqu'un d'autre

quelqu'un
quelque chose
personne
rien } de (d') + adjectif

1. Hier, j'ai rencontré … de sympa.
2. Je préfère faire … d'autre.
3. … d'intéressant n'est arrivé.
4. A-t-il parlé à … d'autre?
5. Il n'y avait … de difficile dans ce test!
6. Je n'ai … d'autre à faire.

la personnalité

qualités		défauts
aimable	↔	méchant, méchante
sincère	↔	hypocrite
modeste	↔	vaniteux, vaniteuse
discret, discrète	↔	indiscret, indiscrète
patient, patiente	↔	impatient, impatiente
honnête	↔	malhonnête
travailleur, travailleuse	↔	paresseux, paresseuse

le bon usage

emmener / ramener } une personne — apporter / rapporter } une chose

1. Paul est allé à la party. Il a … sa petite amie, Joséphine.
2. Mireille aussi est allée à la party. Elle a … des disques.
3. Raymond a beaucoup dansé avec Joséphine. À minuit, il l'a … chez elle.
4. Mireille a oublié ses disques, alors Paul les a … chez elle.

quand tu commences une conversation…

Tu sais quoi?
Tu sais ce qui est arrivé à … ?
C'est incroyable, mais… .
Dis donc, on m'a dit que… .
Tu sais les derniers potins?
Je n'ai rien contre …, mais … .
On m'a raconté que… .
Il paraît que… .

réactions possibles

Sans blague!
C'est pas vrai!*
Vraiment!
Tu exagères!
Tu rigoles!
Ça ne m'étonne pas!
Ça se comprend!
Incroyable!
C'est dommage!
C'est la vie!
Je n'en reviens pas!
Tu plaisantes!
Oh là là!
C'est pas possible!*

*langue familière

vocabulaire

masculin

un défaut fault
un petit ami boy friend

féminin

une petite amie girl friend
une qualité quality, virtue

verbes

chuchoter to whisper
échanger to exchange
ramener to bring back, take back (a person)
rapporter to bring back, take back (an object)
rigoler to laugh; to joke
se retourner to turn around

adjectifs

discret, discrète discreet, tactful
honnête honest
hypocrite hypocritical
indiscret, indiscrète indiscreet, tactless
malhonnête dishonest
méchant mean, spiteful, bad
paresseux (-euse) lazy
pauvre poor, unfortunate
travailleur (-euse) hard-working
vaniteux (-euse) vain, conceited

adverbes

longtemps long, for a long time
ne … personne nobody
ne … plus no more, no longer
ne … rien nothing

expressions

ça ne m'étonne pas! I'm not surprised!
ça se comprend that's understandable; of course
être amoureux (-euse) de to be in love with
hein? eh?
je ne peux pas le / la sentir I can't stand him / her!
je ne peux pas le / la voir! I can't stand him / her!
les derniers potins the latest gossip
ne t'en fais pas! don't worry!
quelqu'un d'autre someone else
tout le temps all the time
tu rigoles! you're joking

les mots-amis

une cafétéria
impatient
modeste
patient
sincère
snob

observations

la négation

comparez:

Il va encore à l'école. Il **ne** va **plus** à l'école.

exemples

à l'affirmative	**à la négative**
Il écoute.	Il n'écoute pas.
Il écoute toujours.	Il n'écoute jamais.
Il écoute tout.	Il n'écoute rien.
Il écoute tout le monde.	Il n'écoute personne.
Il écoute encore.	Il n'écoute plus.

les expressions négatives au passé composé

Il n'a pas compris.
Il n'a jamais compris.
Il n'a rien compris.
Il n'a compris personne.
Il n'a plus téléphoné.

Attention! On place le mot **personne** après le participe passé:
Je n'ai vu personne.

l'article indéfini, l'article partitif et la négation

Jeannette fait de la voile. Jeannette ne fait plus **de** voile.
Il a acheté un dictionnaire. Il n'a jamais acheté **de** dictionnaire.

un, une, des
du, de la, de l' 〉 **de**

rien ou personne comme sujet de la phrase

phrases affirmatives	**phrases négatives**
Tout l'intéresse.	Rien ne l'intéresse.
Quelqu'un a téléphoné.	Personne n'a téléphoné.

Les expressions rien ne ou personne ne précèdent le verbe.
Après rien ne ou personne ne, le verbe est toujours à la troisième personne du singulier.

---

comparez:

– Qu'est-ce qui est arrivé? – Qu'est-ce qui est arrivé?
– **Rien n**'est arrivé! – **Rien!**

– Qui a téléphoné? – Qui a téléphoné?
– **Personne n**'a téléphoné! – **Personne!**

On peut répondre avec seulement les mots rien ou personne.

---

rien ou personne comme objet d'une préposition

– Tu as téléphoné à Guy?
– Non, je n'ai téléphoné **à personne**.

– À quoi penses-tu?
– **À rien!**

– C'est un secret!
– D'accord! Je n'en parlerai **à personne**!

les verbes suivis d'un infinitif

comparez:

Paul **veut** finir ses devoirs.
Paul **se dépêche de** finir ses devoirs.
Paul **réussit à** finir ses devoirs.

En français, certains verbes prennent **à** ou **de** devant un infinitif.

verbe + infinitif	verbe + **à** + infinitif	verbe + **de** + infinitif
adorer	aider à	accepter de
aimer	apprendre à	arrêter de
aller	commencer à	attendre de
désirer	continuer à	avoir besoin de
détester	demander à	avoir l'intention de
devoir	inviter à	avoir le temps de
espérer	recommencer à	avoir peur de
penser	réussir à	conseiller de
pouvoir		continuer de
préférer		décider de
savoir		demander de
vouloir		se dépêcher de
		essayer de
		être en train de
		finir de
		oublier de
		regretter de
		rêver de

Attention! Avec le verbe **continuer**, on a le choix entre **à** ou **de**:
Je continue à le faire. = Je continue de le faire.

Attention! **Je lui ai demandé de sortir.** I asked him to go out.
Je lui ai demandé à sortir. I asked him for permission to go out.

on y va!

A je sais les expressions négatives!

1. (ne rien) Elle sait beaucoup.
   ▶ **Elle ne sait rien.**
2. (ne plus) Paul y va.
3. (ne pas) Mireille est amoureuse.
4. (ne personne) Nous avons téléphoné à Jacques.
5. (ne jamais) Ils chuchotent toujours.
6. (ne plus) Je travaillerai le soir.
7. (ne rien) Elle a tout fait.
8. (ne jamais) Il y va souvent.

B je sais rien ne et personne ne!

1. (rien ne) Cela m'étonne.
   ▶ **Rien ne m'étonne.**
2. (personne ne) Quelqu'un t'a vu.
3. (rien ne) Tout l'intéresse.
4. (personne ne) Tout le monde partira.
5. (rien ne) Quelque chose est arrivé.
6. (personne ne) Toute la classe a répondu.

C je sais les verbes suivis d'un infinitif!

1. Il aime / parler français.
   ▶ **Il aime parler français.**
2. Ils ont décidé / vendre leur voiture.
   ▶ **Ils ont décidé de vendre leur voiture.**
3. J'apprendrai / faire de la voile.
   ▶ **J'apprendrai à faire de la voile.**
4. Elle déteste / conduire.
5. Il va pouvoir / se débrouiller.
6. Elles ont besoin / étudier.
7. Ils recommencent / chuchoter.
8. Je réussirai / finir ce travail.
9. Vous avez oublié / fermer les fenêtres.
10. Il n'a pas voulu / assister au match.

D jamais le dimanche!

1. Il va à l'école.
   ▶ **Mais le dimanche il ne va jamais à l'école.**
2. Elles se réveillent de bonne heure.
3. Nous travaillons au bureau.
4. Vous prenez l'autobus.
5. Je fais mes devoirs.
6. Nous allons à la disco.
7. Tu manges au restaurant.
8. Il porte ses jeans.

E quand on était jeune!

1. Sylvie allait à l'école.
   ▶ **Maintenant elle ne va plus à l'école.**
2. Paul jouait au hockey.
3. Nous lisions des bandes dessinées.
4. On habitait à la campagne.
5. J'avais peur de prendre l'avion.
6. Elles se promenaient à bicyclette.
7. Marc et Pierre jouaient ensemble.
8. Je voulais être pilote.

F rien ou personne?

1. Est-ce qu'il cherche quelqu'un?
   ▶ **Non, il ne cherche personne.**
2. Est-ce que Jacqueline lit le journal?
   ▶ **Non, elle ne lit rien.**
3. Est-ce que Robert a parlé au conseiller?
4. Est-ce que les Dupont emmènent leurs enfants?
5. Est-ce que Lise et Anne font une promenade?
6. Est-ce qu'elle a dit quelque chose?
7. Est-ce que tu as téléphoné à Albert?
8. Est-ce que tu as fait tes devoirs?
9. Est-ce que vous avez perdu quelque chose?
10. Est-ce que tu as dansé avec Gisèle?

G bien sûr que non!

1. Paul est venu?
   ▶ **Non, personne n'est venu.**
2. Quelque chose est tombé?
   ▶ **Non, rien n'est tombé.**
3. Quelque chose est arrivé?
4. Tous les étudiants ont compris?
5. Les joueurs se sont fâchés?
6. Le verre est cassé?
7. Quelqu'un a rigolé?
8. Les enfants ont eu peur?
9. Tout est fini?
10. Cet exercice est facile?

H pas ou plus?

1. Est-ce que Marie mange un hot-dog?
   ▶ **Non, elle ne mange pas de hot-dog.**
2. Est-ce que Georges fait encore de la voile?
   ▶ **Non, il ne fait plus de voile.**
3. Est-ce que Jacqueline essaie des robes?
4. Est-ce que tu conduis encore une voiture de sport?
5. Est-ce que les Dupont habitent un appartement?
6. Est-ce que Lucien achète des disques «pop»?
7. Est-ce que tu portes encore une cravate?
8. Est-que les Paulin connaissent de bons restaurants?

I tu rigoles!

1. Paul est **toujours** irrité?
   ▶ **Mais non, Paul n'est jamais irrité!**
2. **Quelqu'un** est arrivé en retard?
3. Jacques fait **encore** partie de l'équipe?
4. Tu as **encore** faim?
5. Il gagne **souvent**?
6. Elle a **tout** fait?
7. Les Dupont sont **encore** là?
8. Tu as invité **tout le monde**?
9. **Quelque chose** est arrivé?
10. Sylvie a **souvent** peur?
11. **Quelqu'un** téléphonera?
12. Elle fait **souvent** la grasse matinée?

J que de choses à faire!

1. Il **apprend à** faire de la voile.
   (vouloir / commencer / décider)
   ▶ **Il veut faire de la voile.**
   ▶ **Il commence à faire de la voile.**
   ▶ **Il décide de faire de la voile.**
2. Nous **aimons** lire.
   (continuer / arrêter / commencer)
3. Marie **a réussi à** finir ce travail.
   (pouvoir / accepter / essayer)
4. Je **vais** passer un week-end à la plage.
   (rêver / désirer / préférer)
5. Guy et Luc **adorent** se raconter des histoires.
   (être en train de / aimer / commencer)
6. **Avez**-vous **pu** y aller?
   (réussir / décider / oublier)
7. Est-ce qu'il **accepte de** le faire?
   (attendre / avoir besoin / détester)
8. Elle n'**a** pas **l'intention de** venir.
   (aller / se dépêcher / avoir peur)
9. Ils **sauront** se débrouiller.
   (pouvoir / apprendre / réussir)

K les gens difficiles

– Veux-tu essayer cette robe **rouge**?
– Non! Je n'ai jamais aimé le rouge.
– Alors, ce **pantalon** gris?
– Le gris? Quelle horreur!
– Tu ne trouves rien ici?
– C'est ça! Moi, je veux quelque chose de pratique. D'ailleurs, c'est le vert que j'adore.
– Ça y est! On n'a plus besoin de chercher!
– Comment ça?
– À la maison, j'ai un grand sac en plastique vert!

1. blanc	2. bleu	3. jaune	4. noir
tailleur	blouse	chandail	jupe

L tu rigoles!

– **Tu sais quoi?**
– Raconte, donc!
– **Denise** ne sort plus avec **Raoul**!
– Ça ne m'étonne pas! Elle, c'est une fille **sincère**. Lui, il est tellement **hypocrite**.
– Ah, mais il est beau! C'est quelque chose.
– Pour moi, ce n'est rien du tout.
– Tu rigoles! Moi, je te connais!

1. tu as entendu?
   Brigitte / Paul
   honnête / malhonnête
2. j'ai quelque chose à te dire!
   Barbara / Vincent
   patiente / impatient
3. tu sais ce qui est arrivé?
   Nicole / Jean-Pierre
   aimable / méchant
4. tu ne vas pas le croire!
   Diane / Frédéric
   modeste / snob

Hollywood en flash

... la récolte de la semaine en exclusivité par l'échotier René Renaud

...la célèbre actrice hongroise, Nana Mae Zalor, se marie pour la treizième fois. «C'est le numéro treize, a dit Nana, mon numéro porte-bonheur.» Son mari (le nouveau) est le célèbre «Monsieur Biceps», propriétaire de la chaîne d'instituts de santé «Superhomme»...

...Marcel Météore, chanteur principal du «Plastique Rock Band», a enfin enregistré son nouvel album. Intitulé «Moi non plus», le microsillon doit sortir le mois prochain. Les critiques sont perplexes devant la signification de ce titre énigmatique...

...Beau Jolly, «le plus grand comique de notre époque», d'après le magazine *Hollywood*, annonce sa retraite. «À 86 ans, je ne suis plus ce que j'étais,» a remarqué Beau. Comme c'est la vingtième fois qu'il annonce sa retraite, tout le monde attend vivement l'annonce de son retour triomphal...

...«Maintenant, c'est la guerre,» a dit Gérard de la Boudinière, ancien confident et coiffeur de la célèbre actrice Bessie Mae Mucho. Il s'agit d'une dispute avec Paolo Trappu, l'ancien garde du corps de Mlle Mucho. La raison: les millions de dollars laissés après sa mort par cette grande actrice des films muets...

...Le cheik Mohammed Ben Salad vient d'acheter une villa de 12 millions de dollars dans le quartier de Bel Air près d'Hollywood. Très heureux de son achat, le cheik nous a confié: «J'avais besoin d'une petite maison de campagne!»...

petit vocabulaire

un achat	purchase
il s'agit de	it concerns
ancien, ancienne	former
confier	to confide
un échotier	gossip columnist
énigmatique	mysterious
enregistrer	to record
une époque	era, age, time
un garde du corps	bodyguard
la guerre	war
hongrois	Hungarian
se marier	to get married
un microsillon	LP
moi non plus	me neither
la mort	death
muet, muette	silent
perplexe	puzzled
porte-bonheur	lucky
un(e) propriétaire	owner
un quartier	district, section
une récolte	harvest
une retraite	retirement
la santé	health
un titre	title
vient d'acheter	has just bought
vivement	expectantly

Hollywood en flash

1. Combien de fois est-ce que l'actrice Nana Mae Zalor s'est mariée?
2. Quel est son numéro porte-bonheur?
3. Qui est son nouveau mari? Que fait-il?
4. Comment s'appelle le groupe de Marcel Météore?
5. Quel est le nom de son nouvel album?
6. Pourquoi est-ce que les critiques sont perplexes?
7. Qui est Beau Jolly? Quel âge a-t-il?
8. Combien de fois a-t-il annoncé sa retraite?
9. Qu'est-ce qu'on attend vivement?
10. Qui est Gérard de la Boudinière?
11. Pourquoi a-t-il dit: «Maintenant, c'est la guerre!»?
12. Où est-ce que le cheik Mohammed Ben Salad a acheté une villa?
13. Combien est-ce que la villa lui a coûté?
14. Qu'a-t-il confié à l'échotier René Renaud?

quiz

1. Un échotier, c'est un…
   A acteur **B** chanteur **C** journaliste
2. Un synonyme de **célèbre**, c'est…
   A cher **B** bien connu **C** comique
3. Un numéro qui ne porte pas bonheur, c'est…
   A sept **B** onze **C** treize
4. Enregistrer un album, ça veut dire…
   A écrire un livre **B** faire un disque
   C collectionner des timbres
5. Un microsillon, c'est un…
   A virus **B** petit ami **C** disque
6. On annonce sa retraite quand on…
   A est vieux **B** est amoureux **C** a trop mangé
7. Un comique raconte des histoires…
   A drôles **B** sérieuses **C** muettes
8. On dit ses secrets à un…
   A secrétaire **B** professeur **C** confident
9. Pendant une dispute, on est…
   A fauché **B** fâché **C** sourd
10. On trouve des quartiers…
    A à la ville **B** à la campagne **C** à la banque
11. Un célèbre acteur des films muets était…
    A Charlie Chaplin **B** Marlon Brando
    C Warren Beatty
12. Franz Liszt et Béla Bartók étaient…
    A des financiers suédois **B** des chefs italiens
    C des musiciens hongrois

l'explosion des mots!

un film d'aventure	une comédie musicale
un film policier	un dessin animé
un film d'espionnage	un film historique
un film d'horreur	un grand classique
un western	un documentaire
une comédie	

Donnez un exemple de chaque sorte de film!

perspectives

l'espéranto

Il y a plus de 3000 langues dans le monde. Naturellement, il est impossible pour les gens qui parlent ces langues différentes de se comprendre. Beaucoup de personnes pensent que les problèmes entre les nations, comme la guerre, par exemple, sont un résultat de ce manque de compréhension. Pour résoudre ce problème, un oculiste polonais nommé Ludovic Zamenhof a inventé une langue artificielle, l'**espéranto**, qu'il a présentée au monde en 1887. C'était le rêve du docteur Zamenhof de voir le monde entier parler cette nouvelle langue simple et pratique. Aujourd'hui, plus d'un million de personnes, partout dans le monde, ont appris à parler **espéranto**.

---

petite grammaire de l'espéranto

- au singulier, tous les noms se terminent en «o» avec le pluriel en «oj»
- au singulier, tous les adjectifs se terminent en «a», avec le pluriel en «aj»
- tous les adverbes se terminent en «e»
- tous les infinitifs se terminent en «i»
- le présent de tous les verbes se terminent en «as»

Pouvez-vous comprendre le paragraphe suivant en **espéranto**?

> La inteligenta persono lernas Esperanto rapide kaj facile. Esperanto estas la moderna lingvo por la internacia mondo. Esperanto estas simpla, fleksebla kaj praktika.

mini-lexique

la – le, la, les
kaj – et

bon voyage!

A du tac au tac

1. Tu as parlé à Jean-Paul ce matin?
2. Tiens! Marie a l'air différent aujourd'hui!
3. Pierre ne veut pas venir à la soirée avec moi.
4. Pourquoi est-ce que Michel ne danse jamais?
5. Georges ne me dit jamais bonjour!
6. Pauvre Paul! Hélène ne veut pas sortir avec lui.
7. Ce gars-là pense qu'il est beau et intelligent!
8. J'ai déjà demandé quatre fois à Hélène de sortir avec moi!

Il a peur des filles peut-être!
À mon avis, il a raison!
Lui? Non! Je ne peux pas le sentir!
Ça se comprend! Elle ne sort jamais avec personne!
Ne t'en fais pas! Avec elle, on doit être patient.
Oui! Elle est allée chez le coiffeur.
Ça ne m'étonne pas! Il est tellement snob!
Eh bien, demande à quelqu'un d'autre!

B l'idéal

Quelles sont tes préférences?

1. Pour moi, le copain idéal est...
2. Pour moi, la copine idéale est...
3. Pour moi, le professeur idéal est...
4. Pour moi, le mari idéal est...
5. Pour moi, la femme idéale est...
6. Pour moi, le patron idéal est...
7. Pour moi, le père idéal est...
8. Pour moi, la mère idéale est...
9. Pour moi, le frère idéal est...
10. Pour moi, la soeur idéale est...
11. Pour moi, le compagnon de voyage idéal est...
12. Pour moi, le confident idéal est...

C connaître et se connaître

Pose ces questions à un / une camarade de classe. Note ses réponses sur une feuille de papier et fais un rapport à la classe.

1. Quel est l'homme que tu admires le plus? Pourquoi?
2. Quelle est la femme que tu admires le plus? Pourquoi?
3. Si une fois tu es naufragé sur une île déserte, avec quelle sorte de personne voudras-tu être?
4. Avec quelle sorte de garçons aimes-tu sortir? Pourquoi?
5. Avec quelle sorte de filles aimes-tu sortir? Pourquoi?
6. Comment sont les personnes que tu admires le plus?
7. Comment sont les personnes que tu admires le moins?

petit vocabulaire

naufragé shipwrecked
une île déserte deserted island

D à vous maintenant!

Complétez les phrases suivantes!
1. Je n'ai jamais ... parce que ...
2. Je ne fais jamais ... parce que ...
3. Je ne vais jamais ... parce que ...
4. Je ne fais plus de .. parce que ...
5. Je n'aime plus ... parce que ...
6. Je ne me fâche jamais parce que ...

E soyons logiques!

Changez le mot qui ne va pas.
1. Tout le monde déteste les personnes honnêtes.
2. Il parle toujours de lui; il est modeste.
3. Elle m'a aidé à faire mon travail; elle est méchante.
4. Paul ne finit jamais ses devoirs; il est travailleur.
5. À chaque garçon qu'elle rencontre, Chantal dit qu'elle est amoureuse de lui; elle est sincère.
6. Il ne sait pas garder un secret; il est discret.

F as-tu bon ou mauvais caractère?

Fais le test suivant et utilise la section **interprétation** pour déterminer ton caractère.

1. Dans un restaurant, le garçon laisse tomber un plat de spaghettis sur tes genoux, et tu dis:
   a) Espèce d'imbécile!
   b) Ça ne fait rien! J'ai d'autres pantalons.
   c) Mon pauvre! Maintenant, vous devez aller chercher un autre plat de spaghettis.
2. Tu as rendez-vous avec un(e) ami(e) pour aller au cinéma. Quand il / elle arrive avec quinze minutes de retard, tu lui dis:
   a) C'est toujours la même chose avec toi!
   b) Tu as probablement eu des problèmes avec la circulation.
   c) Je m'excuse. J'étais en avance.
3. Tu es seul(e) à la maison. La même personne a déjà téléphoné quatre fois pour parler à ton frère. La cinquième fois, tu dis:
   a) Je vous ai déjà dit quatre fois qu'il n'est pas là! Vous êtes sourd?
   b) Il n'est pas là. Il va revenir à cinq heures. Téléphonez-lui à ce moment-là.
   c) C'est toujours un plaisir de vous parler, mais mon frère n'est pas encore rentré.
4. Tu vas à un concert de rock. Tu attends trois heures pour des billets, mais quand tu arrives au guichet, il n'y en a plus et tu dis:
   a) Vous êtes mal organisés! C'est terrible ça, de faire attendre les gens pour rien.
   b) Je n'ai pas de chance, mais je vais écouter le concert à la radio.
   c) Il faisait beau, et j'ai fait de nouveaux amis. Il n'y a plus de billets? Ce n'est pas un problème.
5. Tu as prêté ta guitare à un(e) ami(e). Quand il / elle te la rapporte, elle est cassée, et tu dis:
   a) C'est bien la dernière fois que je te prête quelque chose!
   b) Si tu es aimable, tu vas m'aider à payer la réparation.

   c) En fait, c'est bien. Maintenant je peux arrêter de prendre des leçons.
6. Tu as acheté quatre disques. Plus tard, tu réalises que tu as payé deux dollars de trop, à cause d'une erreur faite par le vendeur. Quand tu retournes au magasin, il dit que non. Tu lui dis:
   a) Vous êtes malhonnête! Je vais parler à votre patron.
   b) Pouvez-vous vérifier encore une fois?
   c) C'est probablement moi qui ai fait une erreur.
7. Tu sors avec quelqu'un de nouveau. On va au restaurant et puis au cinéma; c'est toi qui paies tout. À la fin de la soirée, ton ami(e) ne dit même pas merci. Tu dis:
   a) La prochaine fois, c'est toi qui paies!
   b) Ça m'a fait plaisir de t'inviter.
   c) J'ai passé une belle soirée. Merci de ta compagnie.
8. Tu vas à une party avec un(e) ami(e). Pendant toute la soirée, il / elle danse avec tout le monde... mais jamais avec toi. Plus tard, tu lui dis:
   a) C'est la dernière fois que je sors avec toi!
   b) Est-ce que tu es fâché(e) contre moi?
   c) J'ai probablement besoin d'un nouveau désodorisant.

interprétation

- Si tu as cinq réponses (**a**) ou plus, va vivre sur une île déserte.
- Si tu as cinq réponses (**b**) ou plus, tu as bon caractère. On t'aimera dans la vie.
- Si tu as cinq réponses (**c**) ou plus, tu es super-aimable ou fou / folle.

je me souviens!

les expressions avec avoir, être et faire

avoir beaucoup à faire	être en train de	faire attention à
avoir besoin de	être à	faire des achats
avoir l'air	être amoureux de	faire de son mieux
avoir le temps		faire la grasse matinée
avoir rendez-vous		faire la vaisselle
avoir peur de		faire partie de
avoir bon goût		faire les bagages
avoir l'intention de		faire le ménage

---

quelle expression peut-on utiliser?

1. Mes jeans sont trop petits. J'ai ... en acheter une autre paire.
2. Qu'est-ce qu'il y a? Tu as ... fatigué!
3. J'ai trop de devoirs. Je n'ai pas ... aller au cinéma avec toi.
4. Elle achète toujours des vêtements très chic. Elle a ... .
5. Tu auras besoin de parler français. As-tu ... l'étudier?
6. Ils sortent ensemble depuis longtemps. Ils sont ... .
7. À qui est ce livre? C'est ... moi!
8. Robert est ... parler à sa copine. Je ne peux pas utiliser le téléphone!
9. Faites ... ! C'est dangereux!
10. Tu peux améliorer ton bulletin de notes. Fais ... !
11. Demain les magasins seront fermés; je dois faire ... aujourd'hui.
12. Jacques est très grand! Est-ce qu'il fait ... l'équipe de basket-ball?
13. Souvent, après un repas excellent, on ne veut pas ... .
14. J'ai ... ce matin; je ne peux pas ... .

que sais-je?

A les associations

Quelles idées vont ensemble?

1. **les études**	la nature
2. l'informatique	une vendeuse
3. payer	une ferme
4. le plein air	l'Europe
5. une cafétéria	des maisons
6. un agriculteur	un ordinateur
7. comique	bilingue
8. les bottes	de l'argent
9. le denim	**l'université**
10. la Belgique	rigoler
11. la mode	se regarder
12. un architecte	le cuir
13. une boutique	les vêtements
14. une interprète	des jeans
15. un miroir	manger

B au contraire!

1. **pauvre**	pire
2. plus	personne
3. travailleur	discret
4. cher	**riche**
5. un défaut	ouvrir
6. sincère	moins
7. quelqu'un	rien
8. impatient	une qualité
9. aimable	jamais
10. quelque chose	modeste
11. malhonnête	à meilleur marché
12. toujours	méchant
13. indiscret	hypocrite
14. meilleur	patient
15. vaniteux	paresseux
16. fermer	honnête

C c'est la même chose!

1. **Sans blague!**	quelque chose d'autre
2. à la mode	Tu plaisantes!
3. une boutique	sans argent
4. Tu rigoles!	toujours
5. Je ne peux pas le sentir!	le dernier cri
	Ce n'est pas vrai!
6. fauché	Formidable!
7. Chic alors!	Je le déteste!
8. tout le temps	un magasin
9. autre chose	Je ne suis pas d'accord.
10. Je pense que non.	

D c'est logique!

De la liste suivante, complétez chaque phrase.

miroir, Europe, malhonnête, mécanicien, cours, paresseux, chuchote, indiscret, chic, amoureux, en plein air, taille, lavable, cuir, ordinateur

1. Un vêtement qu'on peut laver est … .
2. En général, les ceintures sont en … .
3. La France est en … .
4. Souvent, quand on échange les derniers potins, on … .
5. Pour acheter des vêtements, on doit savoir sa … .
6. Si on est élégant, ses vêtements sont … .
7. À l'université, les profs donnent des … .
8. Si on fait un pique-nique, on mange … .
9. Quelqu'un qui répare des autos est un … .
10. On peut se regarder dans un … .
11. Un programmeur travaille avec un … .
12. Quelqu'un qui n'aime jamais travailler est … .
13. Paul et Jacqueline, qui sortent toujours ensemble, sont … .
14. Quelqu'un qui aime raconter les secrets des autres est … .
15. Quand on dit quelque chose qui n'est pas vrai, on est … .

E l'élimination des mots

Quel mot ne va pas?

1. honnête, méchant, discret, aimable
2. chic, à la mode, dégueulasse, élégant
3. l'Europe, la Belgique, la France, la Suisse
4. un charpentier, un avocat, un électricien, un mécanicien
5. visiter, chuchoter, parler, raconter
6. lavable, pratique, bilingue, confortable
7. le cuir, le denim, le velours, le vestiaire
8. le coton, la laine, la soie, le nylon

F les adjectifs

Faites des phrases avec tous les adjectifs.

1. danseur: bon, vaniteux
   ▶ **C'est un bon danseur.**
   ▶ **Ce sont de bons danseurs.**
   ▶ **C'est un danseur vaniteux.**
   ▶ **Ce sont des danseurs vaniteux.**
2. robe: chic, élégant, pratique, beau
3. femme: discret, bilingue, honnête, intelligent
4. agriculteur: vieux, travailleur, fatigué, essoufflé
5. petite amie: amoureux, sincère, patient, nerveux
6. voiture: cher, rapide, beau, pratique
7. comptable: occupé, malhonnête, discret, paresseux
8. qualité: meilleur, bon, excellent, fantastique

G ah, les verbes!

Complétez chaque phrase au présent et à l'imparfait avec la forme correcte du verbe.

1. Il ne (pouvoir) pas la sentir!
2. D'habitude, je (ramener) mon petit frère de l'école.
3. Nous ne (avoir) pas l'intention de rester longtemps.
4. On (voir) un film chaque semaine.
5. Est-ce qu'elle (être) amoureuse de Paul?
6. Ils (faire) de la voile tous les week-ends.
7. Mes copains et moi, nous (échanger) souvent des disques.
8. Dans la bibliothèque, on (chuchoter) tout le temps.

H plus, moins, aussi!

Dites si les autres vêtements sont plus, moins ou aussi chers que la robe, qui coûte $70.00.

1. le pantalon: $65.00
   ▶ **Le pantalon est moins cher.**
2. l'ensemble: $92.50
3. les bottes: $68.00
4. le tailleur: $99.98
5. les jeans: $35.00
6. la jupe: $65.00
7. la ceinture: $8.00
8. les souliers de tennis: $22.50

I quelle collection!

1. Paul / plus / hypocrite
   ▶ **Paul est le garçon le plus hypocrite de l'école.**
2. Charles / moins / discret
3. Jacqueline / plus / vaniteux
4. Suzanne / moins / sympa
5. Robert / moins / paresseux
6. Éric / moins / aimable
7. Janine / plus / snob
8. Louis / moins / sincère
9. Catherine / moins / patient
10. Georges / plus / malhonnête

J encore plus!

1. Jacques conduit vite / Colette
   ▶ **Jacques conduit vite, mais Colette conduit plus vite.**
2. cet ensemble coûte cher / ce tailleur
3. Pierre est resté tard / Yvon
4. mon oncle Henri habite loin / mon oncle Paul
5. mon frère se rase lentement / moi
6. Raymond voyageait souvent / Louis
7. Christine stationne bien / sa soeur
8. Paul danse bien / Robert

K c'est qui?

1. finir vite
   ▶ **Qui a fini le plus vite?**
2. travailler fort
3. jouer bien
4. manger beaucoup
5. perdre peu
6. partir tard
7. stationner facilement
8. patiner bien

L d'un temps à l'autre

1. aller au cinéma / je
   ▶ **Je vais au cinéma.**
   ▶ **Je suis allé au cinéma.**
   ▶ **J'allais au cinéma.**
   ▶ **J'irai au cinéma.**
2. prendre le train / tu
3. faire les bagages / vous
4. pouvoir répondre / nous
5. réfléchir à cela / Paul et Charles
6. venir chez moi / Jeannette
7. vouloir manger / je
8. voir la tour / tu
9. essayer ces jeans / nous
10. être prêt / Jacqueline et Brigitte
11. savoir le faire / vous
12. avoir beaucoup à faire / je

M on le fera!

1. Samedi, je vais lui acheter un cadeau.
   ▶ **C'est certain! Samedi, je lui achèterai un cadeau!**
2. Mardi, nous allons voir un film.
3. La semaine prochaine, on va te téléphoner.
4. Dimanche, on va manger au restaurant.
5. L'année prochaine, ils vont venir chez nous.
6. Dimanche, Paul ne va pas faire la grasse matinée.
7. Dans une semaine, nous allons finir ce travail.
8. Vendredi, on va avoir le temps de discuter.
9. Ce week-end, elle ne va pas pouvoir sortir.
10. Aujourd'hui, on va écrire à Gilbert.

N bien sûr!

1. elle / avoir de l'argent / acheter une auto
   ▶ **Bien sûr, quand elle aura de l'argent, elle achètera une auto.**
2. je / être plus âgée / avoir un bon emploi
3. vous / avoir le temps / lire ce livre
4. on / être en vacances / voyager
5. nous / habiter en ville / manger souvent au restaurant
6. tu / quitter l'école secondaire / aller à l'université
7. je / être fatigué / faire la grasse matinée
8. ils / comprendre la question / répondre

O à la négative!

1. (ne ... pas) Elle est allée au cinéma.
   ▶ **Elle n'est pas allée au cinéma.**
2. (ne ... jamais) Elle se réveille de bonne heure.
3. (ne ... plus) Neige-t-il?
4. (ne ... pas) Auras-tu peur?
5. (ne ... plus) Ils font de la voile.
6. (ne ... jamais) Vous fâchez-vous?
7. (ne ... pas) As-tu l'intention de partir?
8. (ne ... plus) On ira à ce restaurant.
9. (ne ... jamais) As-tu sauté en parachute?
10. (ne ... pas) Ça m'étonne!
11. (ne ... plus) As-tu de l'argent?
12. (ne ... jamais) Je suis allé en Suisse.

P rien ou personne?

1. Cela m'étonne.
   ▶ **Rien ne m'étonne.**
2. Quelqu'un a téléphoné.
3. Tout m'intéresse.
4. Tout le monde a compris.
5. Tout est facile.
6. Tout le monde le connaît.
7. Quelqu'un l'a vu.
8. Quelque chose arrivera.

Q mais non!

1. Est-ce qu'il voyage souvent?
   ▶ **Mais non, il ne voyage jamais!**
2. Est-ce qu'il se retourne encore?
3. Est-ce que tu vas souvent à la piscine?
4. Est-ce que vous avez parlé à quelqu'un?
5. Est-ce qu'elle lui téléphone encore?
6. Est-ce que tu as dit quelque chose?
7. Est-ce que Lise est encore amoureuse de Michel?
8. Est-ce que vous allez toujours vous promener en auto?

R préposition: oui ou non?

1. Elle **sait** se débrouiller. (pouvoir)
   ▶ **Elle peut se débrouiller.**
2. Tu **as l'intention de** venir?
   (aller, vouloir, avoir peur)
3. Ils **aiment** rigoler.
   (adorer, être en train de, commencer)
4. On **pourra** faire de la voile.
   (apprendre, devoir, essayer)
5. Il **a décidé d'**y aller.
   (réussir, se dépêcher, avoir peur)
6. Nous n'**avons** pas **oublié de** les fermer.
   (décider, vouloir, pouvoir)

S questions personnelles

1. Où est-ce que tu aimes faire tes achats? Pourquoi?
2. Qu'est-ce que tu mets pour aller à l'école? Pour passer le week-end? Pour sortir à une party?
3. Qu'est-ce que tu considères avant d'acheter des vêtements?
4. Quelle est ta couleur favorite? Ton étoffe favorite?
5. Pour toi, est-ce qu'il est important de porter des vêtements à la mode? Pourquoi? Pourquoi pas?
6. Quels cours as-tu choisis pour l'année prochaine?
7. Que veux-tu devenir plus tard? Pourquoi?
8. Quelles qualités aimes-tu chez tes amis?
9. Quels défauts n'acceptes-tu pas chez les autres?
10. Selon toi, quels sont tes qualités et tes défauts?

tout ensemble

A les associations

Quelles idées vont ensemble?

1. **une party**	un concert
2. une chemise froissée	chercher un endroit
3. une boutique	une ferme
4. un chanteur	un gâteau d'anniversaire
5. un dictionnaire	une vendeuse
6. un interprète	l'université
7. un feu rouge	se réveiller
8. les cheveux	l'Europe
9. un couvert	**s'amuser**
10. la France	se peigner
11. les études	bilingue
12. une carte routière	mettre la table
13. des bougies	s'arrêter
14. le matin	chercher des mots
15. un agriculteur	repasser

B au contraire!

Trouvez le mot ou l'expression contraire.

1. **monsieur**	honnête
2. riche	travailleur
3. une qualité	aimable
4. modeste	**madame**
5. cher	fermer
6. discret	meilleur
7. maximum	pauvre
8. accepter	vaniteux
9. ouvrir	sincère
10. paresseux	indiscret
11. pire	un défaut
12. hypocrite	minimum
13. jamais	refuser
14. malhonnête	toujours
15. méchant	à meilleur marché

C chaque chose en son temps

Trouvez l'activité qui va avec l'objet.

1. **une cuiller**	On conduit.
2. un manuel scolaire	On fait de la voile.
3. des vêtements	On téléphone à la police.
4. une bagnole	On voyage.
5. un miroir	On lit et on rigole.
6. la mer	**On mange de la soupe.**
7. un spectacle	On fait des préparatifs.
8. les bagages	On écrit.
9. le shampooing	On s'habille.
10. un accident	On répare les autos.
11. une party	On mange en plein air.
12. une lettre	On va au théâtre.
13. un pique-nique	On fait ses devoirs.
14. une bande dessinée	On se lave les cheveux.
15. une station-service	On se regarde.

D quel verbe? quelle forme?

Choisissez un verbe de la liste et complétez chaque phrase au présent. Après, complétez les phrases à l'imparfait.

écrire, faire, lire, venir, voir, mettre, dire, connaître, conduire, pouvoir, savoir, prendre

1. Il ... toujours des jeans le week-end.
2. Mon père ... le journal tous les soirs.
3. Non, je ne ... pas son frère.
4. Est-ce que vous ... leur adresse?
5. Sa tante lui ... une lettre chaque mois.
6. Je ne ... pas le sentir!
7. Pierre ne ... plus de voile.
8. Le matin, nous ... souvent l'autobus.
9. De sa fenêtre, Paul ... la tour CN.
10. Est-ce qu'ils ... toujours avec eux?
11. Je ... une Mustang rouge.
12. Elle me ... souvent de me laver.

E l'élimination des mots

Quel mot ne va pas?

1. méchant, vaniteux, paresseux, patient
2. un médecin, un charpentier, un avocat, un professeur
3. lavable, pratique, gauche, confortable
4. carrière, station-service, emploi, job
5. froissé, orange, bleu, vert
6. un désodorisant, une brosse à cheveux, un défaut, un rasoir
7. à droite, d'abord, à gauche, au milieu de
8. une cravate, un short, un pantalon, des jeans
9. rigoler, plaisanter, s'amuser, fermer
10. bagnole, autobus, voiture, auto

F les participes passés

1. mettre ▶ **mis**
2. connaître
3. savoir
4. ouvrir
5. essayer
6. voir
7. écrire
8. lire
9. conduire
10. faire

G les décisions

Choisissez bien pour compléter chaque phrase.

1. On fait des études (à une party, à l'université, au vestiaire).
2. Quand on est en retard, on doit (chuchoter, se regarder, se dépêcher).
3. On range le désodorisant dans (la salle de bains, la boutique, la cuisine).
4. Paris est (au Canada, en Belgique, en France).
5. Quand on est paresseux, on n'aime pas (faire la grasse matinée, payer, travailler).
6. Au bord de la mer, il y a (des plages, des glaçons, des bougies).
7. Une sorte d'hôtel pour les jeunes, c'est (une auberge de jeunesse, un ordinateur, un ensemble).
8. Quand on conduit, on doit s'arrêter (aux feux rouges, aux feux verts, aux permis).
9. On trouve des bandes dessinées dans (un dictionnaire, un atlas, un journal).
10. Quelque chose qui est moins cher est (à meilleur marché, de bon goût, en plein air).

H d'un temps à l'autre

1. mettre des jeans / je
   ▶ **Je mets des jeans.**
   ▶ **J'ai mis des jeans.**
   ▶ **Je mettais des jeans.**
   ▶ **Je mettrai des jeans.**
2. lire le journal / nous
3. écrire des cartes postales / vous
4. ouvrir les fenêtres / tu
5. neiger / il
6. conduire une voiture de sport / je
7. commencer de bonne heure / nous
8. essayer de le faire / on
9. voir la tour Eiffel / nous
10. faire de la voile / tu
11. être en retard / elle
12. se promener en voiture / elles
13. répéter encore une fois / on

I les pronoms

Changez les mots soulignés à un pronom, puis répétez la phrase.

1. Elle a préparé le punch.
   ▶ **Elle l'a préparé.**
2. Paul a apporté l'ouvre-bouteille.
3. Jacqueline a ouvert une bouteille de coca.
4. Jacqueline préfère le coca.
5. Paul et Pierre sont venus à la party.
6. Paul a acheté beaucoup de vêtements.
7. Pierre arrive de France.
8. Il a pris du gâteau.
9. Jeannette n'aime pas les décorations.
10. Robert demande à Jacqueline pourquoi elle n'aime pas les décorations.
11. Elle ne répond pas à la question.
12. Étienne a emmené sa nouvelle petite amie, Josette.
13. Il montre les décorations à Josette.
14. Elle préfère manger de la pizza.
15. Il donne des hot-dogs à Chantal.

J savoir dire non

1. Il veut toujours aller au cinéma? (ne ... jamais)
   ▶ **Non, il ne veut jamais aller au cinéma.**
2. Tout l'intéresse? (rien ne)
   ▶ **Non, rien ne l'intéresse.**
3. Elle se maquille toujours? (ne ... jamais)
4. Tout le monde est arrivé? (personne ne)
5. Elle aime se promener en voiture? (ne ... plus)
6. Quelque chose va arriver? (rien ne)
7. Ils savent se débrouiller? (ne ... pas)
8. Il a encore la carte routière? (ne ... plus)
9. Paul a toujours été très honnête? (ne ... jamais)
10. Quelqu'un doit téléphoner? (personne ne)
11. Robert connaît tout le monde ici? (ne ... personne)
12. Tout marche bien? (rien ne)

K vive la différence!

Donnez la forme correcte du verbe **connaître** ou **savoir**.

1. ...-vous quelle heure il est?
2. Moi, je ... les meilleurs restaurants de la ville.
3. Je ne ... pas si c'est vrai.
4. Il ne ... pas mon père.
5. ...-tu la soeur de Paul?
6. Elles ... bien les endroits intéressants de cette ville.
7. Il ne ... pas qu'elle était malade.
8. Je ne ... pas la réponse.

L les professions

Qu'est-ce qu'ils vont devenir?

1. Gisèle est bilingue.
   ▶ **Elle va devenir interprète.**
2. Georges veut réparer les voitures.
3. Christine veut arrêter des criminels.
4. Marc veut travailler sur une ferme.
5. Yvonne veut aider les animaux malades.
6. Henri veut chanter des chansons.
7. Marie veut travailler avec les ordinateurs.
8. Jacqueline veut jouer des rôles dans des pièces de théâtre.
9. André veut conduire un taxi.
10. Paul et Chantal veulent aider les malades dans un hôpital.

M changements nécessaires!

1. On **sait** le faire. (commencer)
   ▶ **On commence à le faire.**
2. On **a le temps de** le faire. (aimer)
3. On **veut** le faire. (arrêter)
4. On **réussit à** le faire. (devoir)
5. On **va** le faire. (rêver)
6. On **est en train de** le faire. (désirer)
7. On **peut** le faire. (apprendre)
8. On **recommence à** le faire. (détester)
9. On **préfère** le faire. (décider)
10. On **essaie de** le faire. (se dépêcher)

N réflexions

Mettez les verbes réfléchis suivants au présent, au passé composé, à l'imparfait, au futur et au futur proche.

1. se réveiller / je
   ▶ **Je me réveille.**
   ▶ **Je me suis réveillé.**
   ▶ **Je me réveillais.**
   ▶ **Je me réveillerai.**
   ▶ **Je vais me réveiller.**
2. se maquiller / elle
3. se regarder / il
4. se fâcher / nous
5. se promener / elles
6. se dépêcher / vous
7. s'amuser / je
8. se débrouiller / nous
9. se raser / tu
10. se calmer / ils

O l'accord du participe passé

Mettez les phrases au passé composé, puis mettez chaque phrase à la négative.

1. Margot se maquille bien.
   ▶ **Margot s'est bien maquillée.**
   ▶ **Margot ne s'est pas bien maquillée.**
2. Voilà la robe qu'elle met.
3. Se prépare-t-elle?

4. Voici la voiture qu'il achète.
5. Son père se rase.
6. Les fenêtres? Paul les ouvre.
7. Paul se lave les mains.
8. Tout le monde s'amuse.
9. La robe? Je la repasse.
10. Les élèves se dépêchent.

P questions et réponses

Voici des réponses. Quelles sont les questions?

1. J'ai acheté **de la pâte dentifrice.**
   ▶ **Qu'est-ce que tu as acheté?**
2. Ils sont allés **à la plage.**
3. Elle est ici **depuis hier.**
4. Paul a l'intention d'aller **en France.**
5. **Il neigeait.**
6. Il est **trois heures moins le quart.**
7. Ça coûte **douze dollars.**
8. Elle met une robe **parce que c'est dimanche.**
9. C'est **Paul** qui a téléphoné.
10. Elle s'appelle **Mathilde.**
11. **Ça va très bien.**
12. **Elle se brosse les dents.**
13. C'est **le français** qui m'intéresse le plus.
14. Il est arrivé **lundi matin.**
15. Ce chandail est **à moi.**
16. Ils ont voyagé **en autocar.**

Q plus, moins, aussi!

Dites si les autres vêtements sont plus, moins ou aussi chers que le chandail qui coûte $49.98.

1. les bottes: $96.75
   ▶ **Les bottes sont plus chères que le chandail.**
2. le pantalon: $36.50
3. la blouse: $29.98
4. l'imperméable: $77.10
5. les jeans: $49.98
6. la ceinture: $8.20
7. la robe: $69.99
8. le tailleur: $128.00
9. les souliers: $49.98

R gagnants et perdants

1. Paul / travailleur (+)
   ▶ **C'est Paul qui est le plus travailleur.**
2. Charles / travailler (−)
   ▶ **C'est Charles qui travaille le moins souvent.**
3. Jacqueline / honnête (+)
4. Suzanne / conduire vite (+)
5. Louis / conduire bien (−)
6. Jean / paresseux (−)
7. Marie-Louise / snob (+)
8. Robert / parler vite (+)
9. Pierre et Paul / sincères (+)
10. Gisèle / se fâcher souvent (−)

S les pronoms accentués

Remplacez le mot en caractères gras par un pronom.

1. Nous sommes allés au concert avec **Gérard.**
   ▶ **Nous sommes allés au concert avec lui.**
2. Elle a l'intention de le faire pour **ses enfants.**
3. C'est **Charles** qui a fait cela.
4. Il n'a pas peur de **l'examinatrice.**
5. Nous pensons souvent à **Pierre et à Paul.**
6. Aura-t-il besoin de **son professeur**?
7. Ce sont **nos parents** qui ont dit non.
8. Cet ouvre-bouteille n'est pas à **Jacques.**

T qui a fait ça?

1. Qui a fait ça? (je)
   ▶ **C'est moi!**
2. Qui a écrit ça? (nous)
3. Qui a préparé ça? (je)
4. Qui a dit ça? (ils)
5. Qui a apporté ça? (il)
6. Qui a dessiné ça? (elles)
7. Qui a gagné ça? (elle)
8. Qui a demandé ça? (vous)
9. Qui a mangé ça? (tu)
10. Qui a acheté ça? (je)

U encore des pronoms!

1. Mets **l'ouvre-bouteille** ici!
   ▶ **Mets-le ici!**
2. Montre-moi **ton dictionnaire**!
   ▶ **Montre-le moi!**
3. Allons **au cinéma**!
4. Attachez **vos ceintures**!
5. Donne-nous **la réponse**!
6. Ne mettez pas **de sucre**!
7. Explique-moi **cette phrase**!
8. Emmenez **Paul et Robert**!
9. Louons **cette voiture**!
10. Ne continue pas **ce travail**!
11. Pose-lui **la question**!
12. Ne dites rien **aux enfants**!

V qu'est-ce que tu faisais?

1. quand / arriver / manger
   ▶ **Quand il est arrivé, je mangeais.**
2. pendant que / se raser / se laver
   ▶ **Pendant qu'il se rasait, je me lavais.**
3. quand / téléphoner / faire la vaisselle
4. pendant que / regarder la télé / lire
5. quand / rentrer / faire des mots croisés
6. pendant que / écrire une lettre / faire mes devoirs
7. quand / arriver / se maquiller
8. pendant que / se peigner / s'habiller
9. quand / sonner à la porte / prendre un bain
10. pendant que / jouer de la guitare / chanter

W l'imparfait ou le passé composé?

Mettez les phrases suivantes au passé.

1. Hier / il vient me voir.
   ▶ **Hier, il est venu me voir.**
2. Mon grand-père se rase / tous les jours.
   ▶ **Mon grand-père se rasait tous les jours.**
3. Tout à coup / mon frère s'arrête.
4. Il fait ses devoirs / toujours après le dîner.
5. D'habitude / Georges prend l'autobus.
6. Après le match / nous partons.
7. Le dimanche / mes parents font la grasse matinée.
8. Hier / j'oublie mon imperméable chez moi.
9. Dimanche / ils vont voir un film.
10. D'habitude / on écoute le professeur.

grammaire

1 les adjectifs

singulier		pluriel	
masculin	**féminin**	**masculin**	**féminin**
américain	américaine	américains	américaines
amoureux	amoureuse	amoureux	amoureuses
beau • (bel*)	belle	beaux	belles
blanc	blanche	blancs	blanches
bon •	bonne	bons	bonnes
canadien	canadienne	canadiens	canadiennes
ce • (cet*)	cette	ces	ces
cher †	chère	chers	chères
discret	discrète	discrets	discrètes
drôle	drôle	drôles	drôles
épais	épaisse	épais	épaisses
favori	favorite	favoris	favorites
fou (fol*)	folle	fous	folles
gros •	grosse	gros	grosses
jaloux	jalouse	jaloux	jalouses
mauvais •	mauvaise	mauvais	mauvaises
meilleur •	meilleure	meilleurs	meilleures
nouveau • (nouvel*)	nouvelle	nouveaux	nouvelles
occupé	occupée	occupés	occupées
pire •	pire	pires	pires
premier •	première	premiers	premières
quel •	quelle	quels	quelles
tout •	toute	tous	toutes
travailleur	travailleuse	travailleurs	travailleuses
vieux • (vieil*)	vieille	vieux	vieilles

• Ces adjectifs précèdent le nom. On met aussi devant le nom:
autre, dernier, excellent, grand, jeune, joli, même,
pauvre, petit, plusieurs, quelque et **seul**.

* On utilise ces formes devant une voyelle.

† **Attention!**
Mes **chers amis** achètent des **vêtements chers**.

Les adjectifs **chic, extra, sensass** et **snob** sont invariables.

Le mot **des** devient **de** ou **d'** devant un adjectif pluriel qui précède le nom:

J'ai **de** mauvaises notes.
D'autres invités sont arrivés.

---

la comparaison des adjectifs

Je suis **grand**.
Mon père est **plus grand que** moi.
Ma mère est **moins grande que** moi.

Mes soeurs sont **aussi grandes** que moi.
De toute la famille, mon père est **le plus grand**.
Mon frère est **le moins grand** de toute la famille.

Attention!
C'est **mon plus cher** ami.
Voici les jeans les plus chers **du** magasin.
Je ne suis pas aussi âgé que **lui**.

la comparaison de l'adjectif *bon, bonne*

	singulier	**pluriel**
masculin	C'est un **bon** livre.	Ce sont de **bons** livres.
	C'est un **meilleur** livre.	Ce sont de **meilleurs** livres.
	C'est **le meilleur** livre.	Ce sont **les meilleurs** livres.
féminin	C'est une **bonne** actrice.	Ce sont de **bonnes** actrices.
	C'est une **meilleure** actrice.	Ce sont de **meilleures** actrices.
	C'est **la meilleure** actrice.	Ce sont **les meilleures** actrices.

2 les adverbes

les adverbes réguliers

adjectifs		**adverbes**
certain, certaine	→	certaine**ment**
malheureux, malheureuse	→	malheureuse**ment**
naturel, naturelle	→	naturelle**ment**
seul, seule	→	seule**ment**

les adverbes irréguliers

absolument	demain	maintenant	quand
alors*	donc*	mal*	quelquefois
après	dur	même*	si
assez*	encore*	mieux*	souvent*
aujourd'hui	enfin	moins	tard
aussi*	ensemble	où†	toujours*
beaucoup*	fort	partout	très
bien*	hier	peu	trop*
bientôt	ici	plus	vite
combien†	là	pourquoi†	vraiment*
comment†	loin	presque*	
déjà*	longtemps	puis	

* Ces adverbes précèdent le participe passé:
J'ai **déjà** écrit une lettre à Paul.

† Voir aussi la section 9 (**l'interrogation**).

les expressions adverbiales

à cet instant	d'habitude	ne ... pas	plus tard
à l'heure	en avance	ne ... jamais	tant de
à merveille	en ce moment	ne ... personne	tout à coup
d'abord	en même temps	ne ... plus	tout de même
d'ailleurs	en retard	ne ... rien	tout de suite
de bonne heure	là-bas	non plus	tout le temps
de temps en temps			

la comparaison des adverbes

Georges se fâche **souvent**.
Louise se fâche **plus souvent que** Georges.
Marc se fâche **moins souvent que** Louise.
Hélène se fâche **aussi souvent que** lui.
Louise se fâche **le plus souvent**.

bien	**peu**	**beaucoup**
Gisèle écrit **bien**.	Yves conduit **peu**.	Marie lit **beaucoup**.
Charles écrit **mieux**.	Sylvie conduit **moins**.	Jean-Marc lit **plus**.
Lise écrit **le mieux**.	Guy conduit **le moins**.	Chantal lit **le plus**.

3 les articles

l'article défini

	singulier	**pluriel**
masculin	**le** chauffeur	**les** chauffeurs
	l'horaire	**les** horaires
féminin	**la** dame	**les** dames
	l'assiette	**les** assiettes

l'article indéfini

	singulier	**pluriel**
masculin	**un** scientifique	**des** scientifiques
	un endroit	**des** endroits
féminin	**une** scientifique	**des** scientifiques
	une histoire	**des** histoires

Attention! Marcel Météore est chanteur.
Marcel Météore est un bon chanteur.

l'article partitif

masculin	**féminin**
Prends-tu **du** punch?	J'achète **de la** laine.
On cherche **de l'**air pur.	Avez-vous **de l'**expérience?

4 les conjonctions

pendant que	Il est arrivé **pendant que** je travaillais.
parce que	On n'est pas sorti **parce qu'**il neigeait.
quand	As-tu vu Pierre **quand** il était ici?
que	Je pense **que** j'irai au match.
	Elle conduit plus vite **que** moi.

5 les expressions de quantité

J'ai **assez de** glaçons.
Il fait **peu d'**erreurs.
On a mis **trop de** couverts.
Elle a **beaucoup de** rêves.
Combien de bougies y a-t-il?*
J'ai **tant d'**ennuis!

Un verre de punch, s'il te plaît!
Achetez **deux litres de** lait.
Voici **une paire de** bottes.
Il désire **un kilo de** fromage.
J'aurai **plus de** temps demain.
On choisit **moins de** cours.

* Voir aussi la section 9 (**l'interrogation**).

Attention!
Avec une expression de quantité, on utilise **de** ou **d'** devant un nom.

Attention!
Pierre a gagné **plus de** cinquante dollars.
Il a gagné **plus que** moi!

6 le futur

formation régulière

	parler	finir	vendre
je	parler**ai**	finir**ai**	vendr**ai**
tu	parler**as**	finir**as**	vendr**as**
il	parler**a**	finir**a**	vendr**a**
elle	parler**a**	finir**a**	vendr**a**
nous	parler**ons**	finir**ons**	vendr**ons**
vous	parler**ez**	finir**ez**	vendr**ez**
ils	parler**ont**	finir**ont**	vendr**ont**
elles	parler**ont**	finir**ont**	vendr**ont**

formation irrégulière

aller	–	j'**ir**ai	faire	–	je **fer**ai
avoir	–	j'**aur**ai	pouvoir	–	je **pourr**ai
devoir	–	je **devr**ai	savoir	–	je **saur**ai
devenir	–	je **deviendr**ai	venir	–	je **viendr**ai
envoyer	–	j'**enverr**ai	voir	–	je **verr**ai
être	–	je **ser**ai	vouloir	–	je **voudr**ai

le futur du verbe *acheter*

j'achèterai	nous achèterons
tu achèteras	vous achèterez
il achètera	ils achèteront
elle achètera	elles achèteront

Attention!
Le futur des verbes **amener, emmener, se promener** et **ramener** est comme le futur du verbe **acheter**.

Attention!
Les verbes suivants sont réguliers au futur.

apprendre	**écrire**	**partir**
comprendre	**essayer**	**payer**
conduire	**lire**	**prendre**
connaître	**mettre**	**sortir**
dire	**ouvrir**	

Attention!
La dernière lettre devant les terminaisons du futur, c'est toujours la lettre **r**.

Attention!
Voyagera-**t**-elle? Choisira-**t**-il? Attendra-**t**-on?

Attention!
Pour poser une question au futur avec le sujet **je**, on utilise **est-ce que:**

Est-ce que je pourrai conduire?

le futur après *quand*

Quand nous **aurons** le temps, nous **apprendrons** à nager.

7 l'imparfait

les terminaisons de l'imparfait

-ais	**-ions**
-ais	**-iez**
-ait	**-aient**
-ait	**-aient**

À l'exception du verbe **être**, on enlève la terminaison **-ons** de la première personne du pluriel au présent et on y ajoute les terminaisons de l'imparfait.

-er	-ger	-cer	-ir	-re
je parlais	je mangeais*	je commençais†	je finissais	je vendais

*nous mangions
vous mangiez
†nous commencions
vous commenciez

l'imparfait du verbe *être*

j'étais	nous étions
tu étais	vous étiez
il était	ils étaient
elle était	elles étaient

Attention!
Pour poser une question à l'imparfait avec le sujet **je**, on utilise **est-ce que:**
Est-ce que je lisais trop vite?

Attention à l'orthographe!

nous appréciions	nous étudiions
nous criions	nous vérifiions

l'imparfait et le passé composé

On utilise l'imparfait et le passé composé pour des actions **au passé**.

On utilise l'**imparfait** pour:
a) la description des gens, des choses ou des situations
b) les actions habituelles (*used to*)
c) les actions en progrès (*was/were*)

On utilise le **passé composé** pour:
1) les actions complétées et les événements
2) les interruptions

exemples
J'ai loué une bicyclette (1)
parce que **c'était** plus pratique qu'une auto. (a)
Le vendredi, **j'allais** toujours au cinéma. (b)
Pendant que **je regardais** un film, (c)
quelqu'un **a volé** ma bicyclette! (2)

8 l'impératif

formation régulière

parler	aller	finir	vendre	partir	faire	venir
parle*	va*	finis	vends	pars	fais	viens
parlons	allons	finissons	vendons	partons	faisons	venons
parlez	allez	finissez	vendez	partez	faites	venez

formation irrégulière

avoir	être	savoir	vouloir
aie	sois	sache	veuille
ayons	soyons	sachons	veuillons
ayez	soyez	sachez	veuillez

*Sans "s".

Voir aussi la section 20 (**les pronoms objets**) et la section 24 (**les verbes réfléchis**).

9 l'interrogation

l'intonation

Tu as compté les bougies?
C'est Luc qui a téléphoné?
Il a son permis de conduire?

est-ce que

Est-ce que tu as des ennuis?
Est-ce que vous la connaissez?
Est-ce qu'elle s'est débrouillée?

l'inversion

Ont-ils essayé de le faire?
Est-ce pratique?
Ira-t-il en Europe?

Attention!
On utilise **est-ce que** pour poser une question avec le sujet **je** au présent, à l'imparfait et au futur:
  Est-ce que je commence maintenant?
  Est-ce que je devais rester?
  Est-ce que j'y arriverai à l'heure?

Mais on peut dire:
  Suis-je en retard?
  Ai-je tort?

Attention!
  Est-ce que je peux parler à Marc?
  Puis-je parler à Marc?

les mots interrogatifs

Questions				Réponses
Qui est-ce qui se rase?	→	**Qui** se rase?	–	Henri.
Qui est-ce que tu emmènes?	→	**Qui** emmènes-tu?	–	Mon copain.
Qu'est-ce qu'il mange?	→	**Que** mange-t-il?	–	De la soupe.
Pourquoi est-ce que vous vous dépêchez?	→	**Pourquoi** vous dépêchez-vous?	–	Parce qu'on est en retard.
Où est-ce qu'elle est allée?	→	**Où** est-elle allée?	–	Au concert.
Quand est-ce qu'ils sont partis?	→	**Quand** sont-ils partis?	–	Samedi passé.
Comment est-ce que tu y vas?	→	**Comment** y vas-tu?	–	En avion.
Combien de couverts **est-ce qu'**on met?	→	**Combien de** couverts met-on?	–	Six.
Quel journal **est-ce que** vous lisez?	→	**Quel** journal lisez-vous?	–	La Gazette.

10 la négation

les expressions négatives

phrases affirmatives	phrases négatives
Je joue au tennis.	Je **ne** joue **pas** au tennis.
J'ai joué au tennis.	Je **n'**ai **pas** joué au tennis.
Il est là.	Il **n'**est **plus** là.
Vous y êtes allé?	Vous **n'**y êtes **plus** allé?
Elle réussit toujours.	Elle **ne** réussit **jamais.**†
Elle a toujours réussi.	Elle **n'**a **jamais** réussi.
Tu comprends tout?	Tu **ne** comprends **rien**?
Tu as tout compris?	Tu **n'**as **rien** compris?
Il écoute tout le monde.	Il **n'**écoute **personne**.
Il a écouté tout le monde.	Il **n'**a écouté **personne**.*

* On place le mot **personne** après le participe passé.

† Le mot **jamais** sans **ne** veut dire *ever*.
Es-tu jamais allé en Europe?

l'article indéfini, l'article partitif et la négation

Il y a **une** place ici.	→	Il n'y a pas **de** place ici.
Elle met **des** couteaux sur la table.	→	Elle ne met pas **de** couteaux sur la table.
Je fais **de la** voile.	→	Je ne fais pas **de** voile.
On prend **de l'**eau.	→	On ne prend pas **d'**eau.

Attention!

Dans une phrase négative, **un, une, des, du, de la, de l'** changent à **de** (**d'**) si le verbe n'est pas **être**.

C'est **un** dictionnaire.	→	Ce n'est pas **un** dictionnaire.
C'est **du** cuir.	→	Ce n'est pas **du** cuir.

les expressions *rien ne* et *personne ne*

comme sujet de la phrase

Rien ne l'intéresse.*
Personne n'a écrit.*

comme réponse à une question

Qu'est-ce que tu fais? – **Rien**!
Qui t'a téléphoné? – **Personne**!

* Le verbe est toujours à la troisième personne du singulier.

11 les nombres cardinaux

1	un (une)	**13**	treize	**41**	quarante et un	**91**	quatre-vingt-onze
2	deux	**14**	quatorze	**42**	quarante-deux	**92**	quatre-vingt-douze
3	trois	**15**	quinze	**51**	cinquante et un	**100**	cent
4	quatre	**16**	seize	**52**	cinquante-deux	**101**	cent un
5	cinq	**17**	dix-sept	**61**	soixante et un	**102**	cent deux
6	six	**18**	dix-huit	**62**	soixante-deux	**111**	cent onze
7	sept	**19**	dix-neuf	**71**	soixante et onze	**200**	deux cents
8	huit	**20**	vingt	**72**	soixante-douze	**201**	deux cent un
9	neuf	**21**	vingt et un	**80**	quatre-vingts	**1000**	mille
10	dix	**22**	vingt-deux	**81**	quatre-vingt-un	**1001**	mille un
11	onze	**31**	trente et un	**82**	quatre-vingt-deux	**2000**	deux mille
12	douze	**32**	trente-deux	**90**	quatre-vingt-dix		

12 les nombres ordinaux

1er	premier	**6e**	sixième
1re	première	**7e**	septième
2^e^	deuxième	**8e**	huitième
3^e^	troisième	**9e**	neuvième
4^e^	quatrième	**10e**	dixième
5^e^	cinquième		

13 les noms

singulier		pluriel
un verre	→	des verre**s**
un permis	→	des permis
un cout**eau**	→	des cout**eaux**
un journ**al**	→	des journ**aux**
un **feu**	→	des **feux**
un livre de poche	→	des livre**s** de poche
une brosse à dents	→	des brosse**s** à dents
une carte routière	→	des carte**s** routière**s**

Attention!

une station-service	des station**s**-service
un ouvre-bouteille	des ouvre-bouteille

masculin	féminin
un ami	une ami**e**
un Américain	une Américain**e**
un élève	une élève
un secrétaire	une secrétaire
un invité	une invité**e**
un ac**teur**	une ac**trice**
un direc**teur**	une direc**trice**
un chan**teur**	une chan**teuse**
un dan**seur**	une dan**seuse**
un conseill**er**	une conseill**ère**
un infirm**ier**	une infirm**ière**
un copain	une copine

14 le passé composé

avec *avoir*

formation régulière

parler	finir	vendre
j'ai parlé	j'ai fini	j'ai vendu
tu as parlé	tu as fini	tu as vendu
il a parlé	il a fini	il a vendu
elle a parlé	elle a fini	elle a vendu
nous avons parlé	nous avons fini	nous avons vendu
vous avez parlé	vous avez fini	vous avez vendu
ils ont parlé	ils ont fini	ils ont vendu
elles ont parlé	elles ont fini	elles ont vendu

formation irrégulière

apprendre	–	j'ai **appris**	lire	–	j'ai **lu**
avoir	–	j'ai **eu**	mettre	–	j'ai **mis**
comprendre	–	j'ai **compris**	ouvrir	–	j'ai **ouvert**
conduire	–	j'ai **conduit**	prendre	–	j'ai **pris**
devoir	–	j'ai **dû**	pouvoir	–	j'ai **pu**
dire	–	j'ai **dit**	savoir	–	j'ai **su**
écrire	–	j'ai **écrit**	voir	–	j'ai **vu**
être	–	j'ai **été**	vouloir	–	j'ai **voulu**
faire	–	j'ai **fait**			

avec *être*

formation régulière

arriver*	partir •	descendre
je suis arrivé(e)	je suis parti(e)	je suis descendu(e)
tu es arrivé(e)	tu es parti(e)	tu es descendu(e)
il est arrivé	il est parti	il est descendu
elle est arrivé**e**	elle est parti**e**	elle est descendu**e**
nous sommes arrivé(e)s	nous sommes parti(e)s	nous sommes descendu(e)s
vous êtes arrivé(e)(s)	vous êtes parti(e)(s)	vous êtes descendu(e)(s)
ils sont arrivés	ils sont partis	ils sont descendus
elles sont arrivé**es**	elles sont parti**es**	elles sont descendu**es**

formation irrégulière

devenir - je suis **devenu(e)**
venir - je suis **venu(e)**

* comme **arriver**: **aller, entrer, monter, rentrer, rester, retourner, tomber**

• comme **partir**: **sortir**

Voir aussi la section 21 (**les pronoms relatifs**) et la section 24 (**les verbes réfléchis**).

15 la possession

les adjectifs possessifs

singulier		pluriel
masculin	**féminin**	**masculin ou féminin**
mon père	**ma** mère	**mes** parents
ton père	**ta** mère	**tes** parents
son père	**sa** mère	**ses** parents
notre père	**notre** mère	**nos** parents
votre père	**votre** mère	**vos** parents
leur père	**leur** mère	**leurs** parents

Attention! **mon amie, ton école, son histoire,** etc.

la préposition *de*

Voici le manteau **de** Lise.
Est-ce la guitare **du** chanteur?
Je suis allé au bureau **de la** conseillère.
Tu as vu la maison **de l'**actrice?
Les bottes **des** soldats sont dégueulasses.

être à

Ces bagages sont **à** M. Dupuis.
Ce journal est **à** moi.*
Est-ce que ce peigne est **à** toi?

* Pour indiquer la possession après l'expression **être à**, on utilise le **pronom accentué**.

16 le présent

le présent des verbes réguliers

parl**er**	fin**ir**	vend**re**
je parle	je finis	je vends
tu parles	tu finis	tu vends
il parle	il finit	il vend
elle parle	elle finit	elle vend
nous parlons	nous finissons	nous vendons
vous parlez	vous finissez	vous vendez
ils parlent	ils finissent	ils vendent
elles parlent	elles finissent	elles vendent

-cer	**annoncer**	– nous annon**ç**ons
	commencer	– nous commen**ç**ons
-ger	**arranger**	– nous arrang**e**ons
	changer	– nous chang**e**ons
	échanger	– nous échang**e**ons
	manger	– nous mang**e**ons
	nager	– nous nag**e**ons
	plonger	– nous plong**e**ons
	ranger	– nous rang**e**ons
	voyager	– nous voyag**e**ons

acheter*

j'achète	nous achetons
tu achètes	vous achetez
il achète	ils achètent
elle achète	elles achètent

*comme **acheter**: **emmener, ramener, se promener**

préférer**

je préfère	nous préférons
tu préfères	vous préférez
il préfère	ils préfèrent
elle préfère	elles préfèrent

comme **préférer: espérer, répéter

essayer†

j'essaie	nous essayons
tu essaies	vous essayez
il essaie	ils essaient
elle essaie	elles essaient

†comme **essayer**: **payer**

le présent des verbes irréguliers

aller	**avoir**	**connaître**	**conduire**	**devoir**
je vais	j'ai	je connais	je conduis	je dois
tu vas	tu as	tu connais	tu conduis	tu dois
il va	il a	il connaît	il conduit	il doit
elle va	elle a	elle connaît	elle conduit	elle doit
nous allons	nous avons	nous connaissons	nous conduisons	nous devons
vous allez	vous avez	vous connaissez	vous conduisez	vous devez
ils vont	ils ont	ils connaissent	ils conduisent	ils doivent
elles vont	elles ont	elles connaissent	elles conduisent	elles doivent

dire	**écrire**	**être**	**faire**	**lire**
je dis	j'écris	je suis	je fais	je lis
tu dis	tu écris	tu es	tu fais	tu lis
il dit	il écrit	il est	il fait	il lit
elle dit	elle écrit	elle est	elle fait	elle lit
nous disons	nous écrivons	nous sommes	nous faisons	nous lisons
vous dites	vous écrivez	vous êtes	vous faites	vous lisez
ils disent	ils écrivent	ils sont	ils font	ils lisent
elles disent	elles écrivent	elles sont	elles font	elles lisent

mettre	**ouvrir**	**partir**	**prendre***	**pouvoir**
je mets	j'ouvre	je pars	je prends	je peux
tu mets	tu ouvres	tu pars	tu prends	tu peux
il met	il ouvre	il part	il prend	il peut
elle met	elle ouvre	elle part	elle prend	elle peut
nous mettons	nous ouvrons	nous partons	nous prenons	nous pouvons
vous mettez	vous ouvrez	vous partez	vous prenez	vous pouvez
ils mettent	ils ouvrent	ils partent	ils prennent	ils peuvent
elles mettent	elles ouvrent	elles partent	elles prennent	elles peuvent

savoir	**sortir**	**venir•**	**voir**	**vouloir**
je sais	je sors	je viens	je vois	je veux
tu sais	tu sors	tu viens	tu vois	tu veux
il sait	il sort	il vient	il voit	il veut
elle sait	elle sort	elle vient	elle voit	elle veut
nous savons	nous sortons	nous venons	nous voyons	nous voulons
vous savez	vous sortez	vous venez	vous voyez	vous voulez
ils savent	ils sortent	ils viennent	ils voient	ils veulent
elles savent	elles sortent	elles viennent	elles voient	elles veulent

* comme **prendre**: **apprendre, comprendre**
• comme **venir**: **devenir**

17 le pronom en

pour représenter *de, du, de la, de l', des* + le nom d'une chose

Il a écrit **de son voyage**.	→	Il **en** a écrit.
J'ai mis **du sucre** dans le café.	→	**J'en** ai mis dans le café.*
Vas-tu prendre **de la glace**?	→	Vas-tu **en** prendre?•
Y a-t-il **de l'orangeade?**	→	Y **en** a-t-il?
Elle a acheté **des shorts**.	→	Elle **en** a acheté.†
Il a mangé trop **de frites.**	→	Il **en** a trop mangé.

pour représenter un nombre

Tu as **une** fourchette?	→	Tu **en** as une?
Il a **dix** complets.	→	Il **en** a dix.

* Le pronom **en** précède le passé composé.
• Le pronom **en** précède l'infinitif.
† Le participe passé ne s'accorde jamais avec le pronom **en**.

Voir aussi la section 20 (**les pronoms objets**).

18 le pronom y

pour représenter une préposition de lieu + un nom

Vous allez **en Europe**?	→	Vous **y** allez?
Les glaçons sont **dans les verres**.	→	Les glaçons **y** sont.
Comptes-tu aller **chez Margot**?	→	Comptes-tu **y** aller?*
J'ai mis la boussole **sur la table**.	→	J'**y** ai mis la boussole.•

pour représenter la préposition *à* + un nom qui représente une chose

Est-ce que vous jouez **au golf**?	→	Est-ce que vous **y** jouez?
Je pensais **à mes vacances**.	→	J'**y** pensais.
As-tu répondu **à sa lettre**?	→	**Y** as-tu répondu?†

* Le pronom **y** précède l'infinitif.
• Le pronom **y** précède le passé composé.
† Le participe passé ne s'accorde jamais avec le pronom **y**.

Attention!

à + un nom qui représente une chose	→	**y**
à + un nom qui représente une personne	→	**lui** ou **leur**

Voir aussi la section 19 (**les pronoms accentués**) et la section 20 (**les pronoms objets**).

19 les pronoms accentués

pronom sujet:	je	tu	il	elle	nous	vous	ils	elles
pronom accentué:	**moi**	**toi**	**lui**	**elle**	**nous**	**vous**	**eux**	**elles**

l'usage des pronoms accentués

a) après une préposition	Voici une cravate **pour toi**.
b) après **c'est** ou **ce sont**	**Ce n'est pas toi** qui conduis, **c'est moi!**
c) pour insister sur un nom ou sur un pronom	**Lui,** il n'aime pas cet endroit, mais Monique, **elle**, l'adore!
d) dans une phrase courte sans verbe	Qui a ouvert la porte? **Eux**!
	J'espère aller en Europe. **Moi aussi**!
	Qui sait la réponse? **Pas moi**!
e) avec **même(s)**	Tu peux te débrouiller **toi-même**!
	Ils le font **eux-mêmes**.
f) avec un autre sujet ou un autre objet	Marie et **moi**, nous étions en ville quand on les a vus, **elle** et son mari.
g) avec l'expression **être à** pour indiquer la possession	À qui est cette chemise froissée? C'est **à elle**.

Attention!

Il ne fait pas attention **aux réponses**. → Il n'**y** fait pas attention.
Il ne fait pas attention **à ses parents**. → Il ne fait pas attention **à eux**.

Je pense **au week-end**. → J'**y** pense.
Je pense **à Marie-Claire**. → Je pense **à elle**.

20 les pronoms objets

objet direct

Il **me** voyait tous les jours.
Tu vas **te** dépêcher?
Ne **te** fâche pas!
Dépêche-**toi**!
Je connais Paul. → Je **le** connais.
Tu dois repasser ton pantalon. → Tu dois **le** repasser.
Où est ma boussole? → **La** voilà!
Il n'a pas essayé cette cravate. → Il ne **l'**a pas essayée.
On ne **s'**est pas amusé.
Arrêtons-**nous**!
Vous allez **vous** calmer?
Avez-vous lu les journaux? → **Les** avez-vous lus?
Mettez vos souliers! → Mettez-**les**!
Ils **se** réveilleront bientôt.
Elles **se** sont vite retournées.

objet indirect

Il va **me** prêter de l'argent.
Prête-**moi** de l'argent!
Ne **te** brosse pas les dents!
Lave-**toi** les mains!
Je ressemble à mon père. → Je **lui** ressemble.
Il a téléphoné à sa copine. → Il **lui** a téléphoné.
Parlons au chauffeur! → Parlons-**lui**!
Il **s'**est lavé les cheveux.
On **nous** a rapporté des souvenirs.
Cette robe **vous** va très bien!
Elles écriront aux enfants. → Elles **leur** écriront.
Ne demande rien aux profs! → Ne **leur** demande rien!
Se sont-elles brossé les cheveux?

l'ordre des pronoms dans une phrase

Jean **me l'**a prêtée.
Je **le lui** ai déjà donné!
Il ne **m'en** donnera pas!
Nous allons **vous y** emmener.
Les y as-tu rencontrés?
Montrez-**les-moi**!
Ne **la leur** demande pas!

(ne)	me(m') te(t') se(s') nous vous	le(l') la(l') les	lui leur	y	en	(pas) (jamais) (rien) (plus)	(verbe/infinitif)

Attention à l'impératif!

À l'affirmative, les pronoms objets **suivent** le verbe et l'objet direct **précède** l'objet indirect.

Voir aussi les sections 14 **(le passé composé)**, 17 (**le pronom *en***), 18 (**le pronom *y***) et 24 **(les verbes réfléchis)**.

21 les pronoms relatifs

qui (se réfère au sujet)

Voici le motocycliste **qui** a eu l'accident.
Quel est le train **qui** part à 5 h 00?
Je connais des gens **qui** n'ont jamais vu la tour CN.
Ce sont eux **qui** sont arrivés en retard.*

* Dans le **passé composé** avec **être**, le participe passé s'accorde avec le pronom relatif **qui** qui représente le sujet.

Voir aussi la section 22 (**les pronoms sujets**).

que (se réfère à l'objet direct)

Voilà le motocycliste **que** le policier a arrêté.
Quel est le train **que** tu vas prendre?
Voici la voiture **que** j'ai achêtée.*

* Dans le **passé composé** avec **avoir**, le participe passé s'accorde avec le pronom relatif **que** qui représente l'objet direct.

Voir aussi la section 20 (**les pronoms objets**).

22 les pronoms sujets

Moi, **je** vais prendre un café. **Tu** en veux aussi?
Où est Paul? **Il** est en retard!
Ma cravate n'est plus là! Où est-**elle**?
Il fait froid parce qu'**il** n'y a pas de soleil.
Nous avons de nouvelles cravates. Qu'est-ce que **vous** en pensez?
Vous êtes-**vous** amusés? **Tu** parles! **On** a bien rigolé.
Voici une vieille photo de mes frères. **Ils** avaient six ans.
Comment sont Anne et Guy? **Ils** se débrouillent très bien!
Ce sont tes nouvelles lunettes? **Elles** te vont à merveille!

Voir aussi la section 21 (**les pronoms relatifs**).

Quelqu'un* a perdu son peigne.
Quelque chose* m'a réveillé à trois heures.
Rien* ne s'est passé.
Personne* n'est venu me voir.

Tout est bien qui finit bien.
Tout le monde savait bien la réponse.
Qui a repassé ma nouvelle blouse?

* Ces pronoms sont souvent suivis par **de** + un adjectif:
quelque chose **d'extraordinaire**
quelqu'un **d'autre**
rien **de spécial**
personne **d'important**

23 les verbes et l'infinitif

verbe + infinitif	verbe + *de* + infinitif		verbe + *à* + infinitif
adorer	accepter de	décider de	aider à
aimer (mieux)	s'arrêter de	demander de†	apprendre à
aller	attendre de	se dépêcher de	commencer à
désirer	avoir besoin de	essayer de	continuer à*
détester	avoir l'intention de	être en train de	demander à†
devoir	avoir le temps de	finir de	inviter à
espérer	avoir peur de	oublier de	recommencer à
penser	conseiller de	regretter de	réussir à
pouvoir	continuer de*	rêver de	
préférer			
savoir			
vouloir			

* Avec le verbe **continuer**, vous avez le choix entre **à** ou **de**.

† **Attention!**
Je lui ai demandé **de** sortir. = C'est lui qui devait sortir.
Je lui ai demandé **à** sortir. = C'est moi qui voulais sortir.

24 les verbes réfléchis

non-réfléchi	réfléchi
Roger a réveillé les enfants.	Roger **s'est réveillé**.
Elle a lavé les verres.	Elle **s'est lavée.***
Ont-ils retourné les livres?	**Se sont**-ils **retournés?***
Il ne veut jamais préparer le dîner.	Il ne veut jamais **se préparer**.

les pronoms réfléchis

présent	impératif	passé composé	imparfait	futur
je me lave	lave-toi	je me suis lavé(e)	je me lavais	je me laverai
tu te laves	lavons-nous	tu t'es lavé(e)	tu te lavais	tu te laveras
il se lave	lavez-vous	il s'est lavé	il se lavait	il se lavera
elle se lave		elle s'est lavée	elle se lavait	elle se lavera
nous nous lavons		nous nous sommes lavé(e)s	nous nous lavions	nous nous laverons
vous vous lavez		vous vous êtes lavé(e)(s)	vous vous laviez	vous vous laverez
ils se lavent		ils se sont lavés	ils se lavaient	ils se laveront
elles se lavent		elles se sont lavées	elles se lavaient	elles se laveront

* **Attention!**
Il n'y a jamais d'accord avec l'objet indirect:
Elle **s'est lavé** les mains.
Ils **se sont peigné** les cheveux.

Voir aussi la section 14 (**le passé composé**) et la section 20 (**les pronoms objets**).

vocabulaire

A

à to; at; in; **à bicyclette** on/by bicycle; **à bientôt!** see you soon! **à cause de** because of; **à côté de** beside, next to; **à demain!** see you tomorrow! **à la main** in one's hand; **à la maison** at home; **à la mode** fashionable, in style; **à la perfection** perfectly; **à la télé** on TV; **à merveille** perfectly; **à mon avis** in my opinion; **à pied** on foot; **à propos** by the way
abréviation *f.* abbreviation
absolument absolutely
Acadie *f.* Acadia
acadien, acadienne Acadian
Acadien(ne) *m.* or *f.* Acadian person
accepter to accept
accord *m.* agreement; **le bon accord** harmony
s'accorder to agree
achat *m.* purchase; **faire des achats** to go shopping
acheter to buy
acteur *m.* actor
activité *f.* activity
actrice *f.* actress
adjectif *m.* adjective; **adjectif possessif** possessive adjective
adorer to adore, to love
adresse *f.* address
aéroport *m.* airport
affirmatif(-ive) affirmative; **à l'affirmative** in the affirmative
âge *m.* age; **quel âge as-tu?** how old are you?
âgé(e) old
agence *f.* agency; **agence de recouvrement** collection agency; **agence de voyages** travel agency
agent *m.* officer, agent; **agent de police** policeman
agir to act; **il s'agit de** it concerns
agréable kind, likeable
agriculteur *m.* farmer
aimable nice, kind, likeable
aimer to like; **aimer mieux** to prefer; **j'aimerais** I would like
air *m.* air; **le plein air** the outdoors; **avoir l'air** to seem
ajouter to add
album *m.* (record) album
Allemagne *f.* Germany
allemand *m.* German (language)
allemand(e) German
aller to go; **allons-y!** let's go! **ça va?** how are you? how's it going? **ça va sans dire** that goes without saying; **on y va?** shall we go? (do you) want to go? **vas-y!** go ahead! **aller au lit** to go to bed; **pour aller à ... ?** can you tell me the way to ... ? **aller chercher** to go and get; **aller à** to suit
allô! hello! (on the phone)
alors so, well, then
Alpes *f.pl.* Alps
alpinisme *m.* mountaineering
âme *f.* soul
améliorer to improve; to help
américain(e) American
Américain(e) *m.* or *f.* American person
Amérique du Nord *f.* North America
ami *m.* friend; **petit ami** boy friend
amie *f.* friend; **petite amie** girl friend
amitié *f.* friendship
amoureux(-euse) in love; **être amoureux (de)** to be in love (with)
amusant(e) funny, amusing
s'amuser to enjoy oneself, to have a good time
an *m.* year
anchois *m.* anchovy
ancien(ne) ancient; old, former
anglais *m.* English (language)
anglais(e) English
Anglais(e) *m.* or *f.* English person
Angleterre *f.* England
animal(-aux) *m.* animal
animateur *m.* disc jockey
année *f.* year; **toute l'année** all year long; **l'année passée** last year
anniversaire *m.* birthday; **bon anniversaire!** happy birthday!
annonce *f.* announcement; **annonce classée** classified ad; **petites annonces** want ads
annoncer to announce
annonceur *m.* announcer
août *m.* August
appartement *m.* apartment
appel *m.* (telephone) call
appeler to call, to name
s'appeler to be called; **comment vous appelez-vous?** what is your name?
appétit *m.* appetite; **bon appétit!** enjoy your meal!
apporter to bring
apprécier to appreciate
apprendre to learn; to teach
appris (apprendre) learned
après after; **après les classes** after school; **après tout** after all; **d'après** according to
après-midi *m.* afternoon
arbre *m.* tree
architecte *m.* or *f.* architect
argent *m.* money; **argent de poche** pocket money
armée *f.* army
arranger to straighten, to fix
arrêt *m.* stop; arrest
arrêter to stop; to arrest
s'arrêter to stop
arrivée *f.* arrival
arriver to arrive; **qu'est-ce qui arrive?** what's happening? **qu'est-ce qui est arrivé à ...?** what happened to ...? **arriver à** to be able to
article *m.* article; **article défini** definite article; **article indéfini** indefinite article; **article partitif** partitive article
artiste *m.* or *f.* artist
ascenseur *m.* elevator
ascension *f.* ascent
aspirine *f.* aspirin
assez rather; quite; enough
assiette *f.* plate
assister à to attend
associé(e) à associated with
assurance *f.* insurance
atelier *m.* workshop

athlète *m.* or *f.* athlete
attacher to join, to attach
attendre to wait (for); **attendre un peu** to wait a bit; **ça peut attendre** it can wait
attention *f.* attention; **faire attention (à)** to listen, pay attention (to)
attraper to catch
auberge *f.* inn; **auberge de jeunesse** youth hostel
aubergine *f.* eggplant
aubergiste *m.* or *f.* innkeeper
augmentation *f.* increase
augmenter (de) to increase (by)
aujourd'hui today
aussi also, too; as; **aussi ... que** as ... as
Australie *f.* Australia
auteur *m.* author
auto(mobile) *f.* car, automobile; **en auto** by car
autobus *m.* bus; **en autobus** by bus
autocar *m.* highway bus, coach
automne *m.* autumn, fall; **en automne** in (the) fall
autoroute *f.* highway
autour de around, about
autre other; **les autres** the others, the other ones; **quelque chose d'autre** something else; **quelqu'un d'autre** someone else; **vous autres*** you guys; **autre que** other than
Autriche *f.* Austria
avance *f.* advance; **en avance** early
avant before; **avant de partir** before leaving
avare stingy, mean
avec with
avenir *m.* future
aventure *f.* adventure
avenue *f.* avenue
avertir to warn
aveugle blind
avion *m.* airplane; **en avion** by plane
avocat *m.* lawyer
avocate *f.* lawyer
avoir to have; **quel âge as-tu?** how old are you? **j'ai quinze ans** I am fifteen years old; **avoir beaucoup à faire** to have a lot to do; **avoir besoin de** to need; **avoir bon goût** to have good taste; **avoir chaud** to be hot; **avoir de la chance** to be lucky; **avoir faim** to be hungry; **avoir froid** to be cold; **avoir l'air** to seem; **avoir l'intention de** to intend to; **avoir peur (de)** to be afraid (of); **avoir raison** to be right; **avoir rendez-vous** to have a meeting, to meet; **avoir soif** to be thirsty; **avoir tort** to be wrong
avril *m.* April

B

badiner to jest; to be whimsical
bagages *m.pl.* luggage; **faire ses bagages** to pack one's luggage
bagnole* *f.* jalopy, car
bain *m.* bath; **prendre un bain** to take a bath; **salle de bains** *f.* bathroom
banane *f.* banana
bande dessinée *f.* comic strip
bannière *f.* banner
banque *f.* bank
banquier *m.* banker
barbe *f.* beard
barrière *f.* barrier
baseball *m.* (the game of) baseball
basket-ball *m.* (the game of) basketball
bateau(-x) *m.* boat; **en bateau** by boat
bâtiment *m.* building
bâton *m.* stick; **bâton de hockey** hockey stick; **bâton de ski** ski pole
battre to beat
bavarder to chat
beau(bel), belle, beaux beautiful; **il fait beau** it's nice (weather)
beaucoup very much; a lot; **beaucoup de** many
beigne *m.* ✿ doughnut
Belgique *f.* Belgium
berline *f.* (4-door) sedan
besoin *m.* need; **avoir besoin de** to need
bête silly, stupid
bête *f.* beast, animal
beurre *m.* butter
bibliothécaire *m.* or *f.* librarian
bibliothèque *f.* library
bicyclette *f.* bicycle; **à bicyclette** by bicycle
bien well; **bien sûr!** of course! sure! **ça va bien** I'm fine, things are going well; **eh bien!** well then! **bien à toi** yours truly
bienvenue! welcome!
bifteck *m.* steak
bilingue bilingual
billard *m.* billiards
billet *m.* ticket
biologiste *m.* or *f.* biologist
biscuit *m.* cookie, biscuit
blague *f.* joke; **sans blague!** no kidding!
blanc, blanche white
bleu(e) blue; **bleu ciel** *inv.* sky-blue
blond(e) blond
blouse *f.* blouse
blouson *m.* jacket
boire to drink; **quelque chose à boire** something to drink
bois *m.* wood
boisson *f.* drink, beverage
boîte *f.* box; can; **boîte de céréales** box of cereal; **boîte de sardines** can of sardines
bol *m.* bowl
bon, bonne good; right, correct; **bon anniversaire! bonne fête!** happy birthday! **bon appétit!** enjoy your meal!
bon *m.* coupon; **bon d'échange** exchange voucher
bonbon *m.* candy
bonheur *m.* happiness; luck
bonjour! hello!
bord *m.* side, edge; (sea)shore
botte *f.* boot; **bottes de ski** ski boots
bottin *m.* Bottin (a city directory)
boucherie *f.* butcher shop
bougie *f.* candle
boulangerie *f.* bakery
bouquin* *m.* book
boussole *f.* compass
bout *m.* end, tip
bouteille *f.* bottle
boutique *f.* shop
bras *m.* arm
bravo! bravo! hooray!
bricoleur *m.* handyman
brochure *f.* brochure
brosse *f.* brush; **brosse à cheveux** hairbrush; **brosse à dents** toothbrush
se brosser les dents to brush one's teeth
bruit *m.* noise
brun(e) brown, brunette
bulletin de notes *m.* report card
bureau(-x) *m.* desk; office; **bureau des objets trouvés** lost-and-found department
but *m.* goal; **marquer un but** to score a goal

C

ça it; that; **ça dépend** that depends; **comme ça** thus, in this way
cadeau(-x) *m.* gift, present
café *m.* coffee; café, coffee shop
cafétéria *f.* cafeteria
cahier *m.* notebook
Caire *m.* Cairo
caissier *m.* cashier
caissière *f.* cashier
calculer to calculate; **machine à calculer** *f.* calculating machine
calicot *m.* calico
Calicut Calcutta (India)
calme *m.* peace
se calmer to calm down
Camargue *f.* Camargue (region in southern France)
camionnette *f.* van
camp *m.* camp; **camp d'été/camp de vacances** summer camp
campagne *f.* country(side)
Canada *m.* Canada; **au Canada** in (to) Canada
canadien, canadienne Canadian
Canadien *m.* Canadian
Canadienne *f.* Canadian
canal(-aux) *m.* canal; (TV) channel
canard *m.* duck
capitaine *m.* captain
capitale *f.* capital (city)
capot *m.* hood
caractères gras *f.pl.* bold face letters
carotte *f.* carrot
carrière *f.* career
carte *f.* card; map; **carte postale** postcard; **carte routière** road map
carton *m.* cardboard
cas *m.* case; situation
cascadeur *m.* stuntman
casque *m.* helmet
casser to break
casse-tête *f.* puzzle
catégorie *f.* category, group
cause *f.* cause; **à cause de** because of
ce (cet), cette, ces it; this, that; **c'est ça!** that's right! **c'est combien?** how much is that? how much are they? **c'est dommage!** that's too bad! **c'est faux!** that's wrong! **c'est quand?** when is it? **c'est vrai!** that's right! **ce soir** this evening, tonight; **n'est-ce pas?** isn't it so? **qui est-ce?** who is it? who is that? **ce que** that which; what
cédille *f.* cedilla (ç)
ceinture *f.* belt; **ceinture de sécurité** safety belt
cela that; **comme cela** thus, in this way; **cela dépend** that depends
célèbre famous
cent *m.* cent
cent one hundred; **deux cents** two hundred; **deux cent vingt** two hundred and twenty; **cent un** a hundred and one
centaine *f.* about one hundred
centre *m.* centre; **centre d'achats** shopping centre;
cependant however
céréales *f.pl.* cereal; **boîte de céréales** *f.* box of cereal
certain(e) certain; sure; some
certainement certainly
chacun(e) each one; **chacun son goût** each to his own
chaise *f.* chair
chaleur *f.* heat
chambre *f.* room; **chambre à coucher** bedroom
champignon *m.* mushroom
championnat *m.* championship
chance *f.* luck
chanceux (-euse) lucky
chandail *m.* sweater
changement *m.* change
changer (de) to change
chanter to sing
chanteur *m.* singer
chanteuse *f.* singer
chapeau(-x) *m.* hat
chaque each, every
chat *m.* cat; **quand le chat n'est pas là, les souris dansent** when the cat's away, the mice will play
chaud(e) hot; **il fait chaud** it's hot (weather); **avoir chaud** to be hot
chauffeur *m.* driver
chaussette *f.* sock
chaussure *f.* shoe; **chaussures de marche** walking, hiking shoes
chef *m.* chief, leader; **chef (de cuisine)** chef
chemin *m.* route, path
chemise *f.* shirt
chèque-cadeau *m.* cash voucher, gift voucher
cher, chère expensive; dear; **Cher Paul,** Dear Paul; **Chère Marie,** Dear Marie
chercher to look for
cheveu(-x) *m.* hair; **se laver les cheveux** to wash one's hair
chez: chez lui at (to) his house; **je vais chez moi** I'm going home
chic *inv.* smart, stylish; **chic alors!*** great! terrific!
chien *m.* dog
chiffre *m.* number, figure
chimie *f.* chemistry
chimiste *m.* or *f.* chemist
Chine *f.* China
chocolat *m.* chocolate
choisir to choose
choix *m.* choice
chose *f.* thing; **quelque chose** something
chouette* great, super
chuchoter to whisper
ciel *m.* sky
cinéma *m.* movie theatre; movies
cinquième fifth
circulation *f.* traffic
ciré *m.* oilskins
citoyen *m.* citizen
citoyenne *f.* citizen
classe *f.* class; **après les classes** after school; **en classe** in class
classique classical
clef *f.* key
client(e) *m.* or *f.* client, customer
clignotant *m.* turn signal
climat *m.* climat
climatisé(e) air-conditioned
cloche *f.* bell
coeur *m.* heart
coffre *m.* trunk
coiffeur *m.* barber, hairdresser; **aller chez le coiffeur** to visit the barber
coiffure *f.* hairdo
coin *m.* corner; **au coin de** at the corner of
collectionner to collect
collègue *m.* or *f.* colleague
combien how much; how many; **c'est combien?** how much is that? how much are they? **combien font deux et deux?** how much are two and two?
combinaison *f.* combination
comédie *f.* comedy
comique *m.* comic
comité *m.* committee
commande *f.* order
commander to order (an article, a meal)
comme like, as; **comme d'habitude** as usual; **comme lui** like him, as he

does; **c'est comme ça que** that's how; **qu'est-ce que c'est comme ...?** what kind of ... is that? **comme tu danses bien!** how well you dance!
commencer to start, to begin
comment how; **comment?** pardon? **comment ça?** how come? why is that? **comment dit-on ... en français?** how do you say ... in French? **comment est ...?** what is ... like? **comment trouves-tu ...?** what do you think of ...? **et comment!** and how! you bet!
commérages *m.pl.* gossip
commerce *m.* commerce, business
commis *m.* sales representative
commission *f.* errand
commun(e) common
communiquer to communicate
compagnie *f.* company
compagnon *m.* companion
comparaison *f.* comparison
comparer to compare
complet *m.* suit
complètement completely
compléter to complete, to finish
compliment *m.* compliment
composer to compose
compositeur *m.* composer
compréhension *f.* understanding
comprendre to understand; **ça se comprend** that's understandable; of course
compris (comprendre) understood
comptable *m.* accountant
compter to count; to expect
comptoir *m.* counter
concert *m.* concert
conduire to drive; **permis de conduire** driver's licence
confectionner to create, to make
confident *m.* confidant
confins *m.pl.* borders; **aux confins du désert** in the farthest reaches of the desert
confiture *f.* jam
confort *m.* comfort
confortable comfortable
confus(e) confused
conjuguer to conjugate
connaître to know, to be acquainted with
se connaître to know one another, oneself; **s'y connaître** to know what one is doing
connu (connaître) known
conseil *m.* piece of advice
conseiller to advise
conseiller *m.* (guidance) counsellor
conseillère *f.* (guidance) counsellor
consommer to consume; to use
construire to build
contemporain(e) contemporary
content(e) happy, glad
continuer to continue
contraire *m.* opposite, contrary; **au contraire!** on the contrary!
contre against
conversation *f.* conversation
copain *m.* friend, pal
copine *f.* friend, pal
corde *f.* rope, cord
corps *m.* body
correct(e) correct
correspondance *f.* connection
correspondant(e) corresponding, related
correspondre to correspond, to write letters
cosmopolite cosmopolitan
costume *m.* costume; suit
Côte d'Azur *f.* the Riviera
côté *m.* side; **d'un côté** on one side; **à côté de** beside, next to
coton *m.* cotton
se coucher to go to bed
couleur *f.* colour; **de quelle couleur est ...?** what colour is ...?
couloir *m.* hall
coup *m.* blow, swing; **coup de balai** clean-up, clean sweep
coupe *f.* cup (trophy); **coupe Stanley** Stanley Cup
coupé *f.* two-door sedan, coupe
cour *f.* schoolyard; courtyard
courageux(-euse) courageous
coureur *m.* runner, racer; **coureur automobile** race-car driver
courrier *m.* mail; **par courrier** by mail; **courrier du coeur** advice to the lovelorn
cours *m.* class; course; **au cours des siècles** as the centuries have passed
course *f.* race; **course automobile** car race
court(e) short
cousin *m.* cousin
cousine *f.* cousin
coût *m.* cost; **coût de la vie** cost of living
couteau(-x) *m.* knife
coûter to cost
coûteux(-euse) expensive, costly
couture *f.* sewing; fashion; **la haute couture** high fashion
couvert *m.* place setting
couvrir (de) to cover (with)
crampon *m.* crampon, cleat
cravate *f.* necktie
crayon *m.* pencil
créateur, créatrice creative
crèche *f.* day-care centre
crème *f.* cream; **crème glacée** ice cream
créole *m.* Creole (language)
crêpe *f.* thin (French) pancake
crève: ça te crève les yeux! it's staring you in the face!
crevette *f.* shrimp
cri *m.* cry, shout; **le dernier cri** the latest thing (fashion)
crier to shout, to cry out
crise *f.* crisis; **crise de nerfs** hysterics, a fit
critique *m.* critic
critiquer to criticize
croire to believe; **je crois** I think; **vous croyez?** you think so?
cuiller *f.* spoon; **cuiller à soupe** soup spoon, tablespoon; **cuiller à thé** teaspoon
cuir *m.* leather
cuisine *f.* kitchen; cooking
curieux(-euse) curious
cyclomoteur *m.* moped, small motorbike

D

d'abord first(ly), to begin with
d'accord! all right! okay! **être d'accord (avec)** to agree (with)
d'ailleurs besides
damas *m.* damask
Damas Damascus (Syria)
dame *f.* lady
danger *m.* danger
dangereux(-euse) dangerous
dans in; into
danse *f.* dance
danser to dance
danseur *m.* dancer
danseuse *f.* dancer
d'après according to
date *f.* date

daté(e) dated
de of, from
debout standing
se débrouiller to cope, to manage
début *m.* beginning, start; **au début** at the start
décapotable *f.* convertible
décembre *m.* December
déchiffrer to decipher, to unscramble
décider to decide
décoration *f.* decoration
décorer to decorate
découragé(e) discouraged
découverte *f.* discovery
découvrir to discover
décrire to describe
dedans inside
défaut *m.* fault, weakness
degré *m.* degree; **il fait ... degrés** it's ... degrees (weather)
dégueulasse* filthy, grubby
déjà already; ever
déjeuner *m.* lunch; ✿ breakfast; **petit déjeuner** breakfast
déjeuner to have lunch
délice *m.* delight
délicieux(-euse) delicious
délire *m.* delirium, confusion
demain tomorrow; **à demain!** see you tomorrow!
demande *f.* request
demander (à) to ask (for)
se demander to wonder
démarrer to start (off)
demi(e) half
demi-heure *f.* half hour
démodé(e) old-fashioned
dent *f.* tooth; **se brosser les dents** to brush one's teeth
dentiste *m.* or *f.* dentist; **aller chez le dentiste** to visit the dentist
départ *m.* departure
se dépêcher to hurry
dépendre (de) to depend (on)
dépenser to spend
depuis since, for
dérive *f.* keel, centreboard
dernier, dernière last, final; **le dernier cri** the latest thing, fashion; **les derniers potins** the latest gossip
derrière behind
dès from, beginning; **dès aujourd'hui** starting today, this very day
désastre *m.* disaster
descendre to go/come down; **descendre en ville** to go downtown
désert *m.* desert
désirer to wish, to want; **vous désirez?** may I help you?
désodorisant *m.* deodorant
désolé(e) very sorry; **désolé, mais ...** sorry, but ...; **je suis désolé** I'm very sorry
dessert *m.* dessert
dessin *m.* drawing; art
dessiner to draw
détail *m.* detail
déterminé(e) determined
détester to detest, to hate; **je détesterais** I would hate
deuxième second
devant in front of
développement *m.* development
développer to develop
devenir to become
deviner to guess
devinette *f.* riddle
devoir to have to; to owe
devoirs *m.pl.* homework
d'habitude usually; **comme d'habitude** as usual
dialecte *m.* dialect, "non-standard" speech
dialogue *m.* dialogue, conversation
dictionnaire *m.* dictionary
Dieu *m.* God
différence *f.* difference
difficile difficult
difficulté *f.* difficulty
diligent(e) diligent, hard-working
dimanche *m.* Sunday
dîner *m.* dinner, supper; ✿ lunch
dîner to dine, to eat dinner
dire to say; **dis donc!** say! tell me! **ça va sans dire** that goes without saying; **c'est-à-dire** that is to say
directeur *m.* principal
directrice *f.* principal
discret, discrète discreet, tactful
discuter (de) to discuss
disponible available
disque *m.* record
distribuer to distribute, to hand out
dit (dire) said
diviser to divide
dixième tenth
dizaine *f.* about ten
docteur *m.* doctor
documentation *f.* notes, records
documentaire *m.* documentary
doigt *m.* finger
dollar *m.* dollar
dommage: c'est dommage! that's too bad!
donc so, therefore; **téléphone donc ...** why don't you call ... **voyons donc!** oh, come on now! **dis donc!** say! tell me!
donner (à) to give (to)
dossier *m.* file
droit(e) right; **à droite** to/on the right; **à droite et à gauche** right and left
douane *f.* Customs; **à la douane** at the Customs
douche *f.* shower
doute *m.* doubt; **sans doute** doubtless, no doubt
douzaine *f.* dozen
dramatique dramatic
drame *m.* drama
droit *m.* law
drôle curious, funny, odd; **un/une drôle de ...** a funny sort of ...
dû (devoir) had to
dur(e) hard, difficult
durer to last
dynamique dynamic

E

eau *f.* water; **eau salée** salt water
échanger to exchange
échecs *m.pl.* chess
échelle *f.* scale
éclater to shatter, to break up
école *f.* school
économie *f.* economy
écouter to listen (to)
écraser to run over
écrire to write
écrit (écrire) written
écriture *f.* (hand)writing, script
écrivain *m.* writer
édition *f.* edition
éducation *f.* education; **éducation physique** physical education
effet *m.* effect; **en effet** in fact
également also, as well
Égypte *f.* Egypt
égyptien(ne) Egyptian
eh bien! well then!
électrique electric
électronique electronic
électrophone *m.* record player
élégant(e) elegant
élève *m.* or *f.* pupil, student

elle her; she
elles them; they
embarras *m.* embarrassment, difficulty; **l'embarras du choix** a wealth of choices
émission *f.* program (on TV, radio)
emmener to take (someone somewhere)
empereur *m.* emperor
emploi *m.* job
emploi du temps *m.* time-table
employé *m.* employee
employée *f.* employee
employer to use
emporter to take (away)
emprunter to borrow
en *pron.* of it; of them; from it; from them
en *prép.* in; into; by; **en face de** in front of, facing; **en même temps** at the same time; **en panne** out of order; **en plus** furthermore, besides; **en réalité** really; **en retard** late; **en une heure** in one hour
encore again; **encore plus grand** even greater; **encore une fois** again, once more
endroit *m.* place, spot
énergie *f.* energy
énergique energetic
énerves: tu m'énerves! you're driving me crazy!
enfant *m.* or *f.* child
enfin at last, finally
s'engager to enlist
énigmatique mysterious
enlever to remove, to take off
ennemi *m.* enemy
ennui *m.* worry, problem
ennuyeux(-euse) boring
énorme enormous, huge
énormément enormously; **énormément d'argent** an enormous amount of money
enquête *f.* inquiry
enregistrer to record
ensemble *m.* outfit
ensemble together
ensuite then, next
entendre to hear
enthousiaste enthusiastic
entier, entière, entire, whole
entre between
entrée *f.* entrance; main course
entrer to enter
enveloppe *f.* envelope
environnement *m.* environment
envoyer to send
épais, épaisse thick
épaule *f.* shoulder
épicé(e) spicy
épicerie *f.* grocery store
époque *f.* epoch, era; time; **à l'époque** at the time
équipe *f.* team
s'équiper to equip oneself; to get one's gear ready
équitation *f.* horseback riding
équivalent(e) equivalent, similar
erreur *f.* error
escalier *m.* staircase
escargot *m.* snail
espace *m.* space
Espagne *f.* Spain
espagnol *m.* Spanish (language)
espagnol(e) Spanish
espèce de ...!* you ...!
espérer to hope
espionnage *m.* spying
esprit *m.* mind; wit
essayer to try (on); **essayer de** to try to
essence *f.* gasoline
essentiel *m.* the main thing, the essential
essoufflé(e) out of breath
est *m.* East
et and; **et alors?** so (then) what? **et comment!** and how! you bet! **et puis?** and then? **et toi? et vous?** and you? how about you?
étage *m.* storey, floor (of a building); **au dixième étage** on the tenth floor
États-Unis *m.pl.* United States
été *m.* summer; **en été** in (the) summer
étiquette *f.* label, tag
étoffe *f.* fabric
étoile *f.* star
étonner to astonish; **ça ne m'étonne pas!** I'm not surprised!
étrange strange
étranger, étrangère foreign; **légion étrangère** *f.* Foreign Legion
être to be; **être d'accord (avec)** to agree (with); **être dans la lune** to daydream; **être en train de faire quelque chose** to be in the middle of doing something; **être à la recherche de** to be looking for; **être à quelqu'un** to belong to someone; **ça y est!** that's it!
études *f.pl.* studies
étudiant *m.* student
étudiante *f.* student
étudier to study
eu (avoir) had
Eurasie *f.* Eurasia
Europe *m.* Europe
européen, européenne European
eux them; they
eux-mêmes themselves
événement *m.* event
éventuellement eventually, possibly
évidemment evidently, apparently
évoluer to evolve
évolution *f.* evolution
exactement exactly
exagérer to exaggerate; **tu exagères!** you're exaggerating! come off it!
examinateur *m.* examiner
examinatrice *f.* examiner
examiner to examine, to inspect
exaspéré(e) exasperated
excellent(e) excellent
exclusivité: en exclusivité on an exclusive basis
excuse *f.* excuse
excuser to excuse; **excuse(z)-moi (je m'excuse*)** excuse me
exemple *m.* example; **par exemple** for example
existant(e) existing, present
exister to exist
expérience *f.* experience; experiment
expérimenter to experiment
expert *m.* expert
experte *f.* expert
expliquer to explain
explosion *f.* explosion
expression *f.* expression, term
exprimer to express
extase *f.* ecstasy
extérieur(e) exterior, outside
extra* *inv.* super, terrific

F

fâché(e) angry
se fâcher to get angry
facile easy; **c'est facile de ...** it's easy to ...
facilement easily
façon *f.* way, manner
facteur *m.* mailman
facture *f.* bill, invoice

faim *f.* hunger; **avoir faim** to be hungry
faire to do, to make; **ça fait combien?** how much is that? **ça ne fait rien!** it doesn't matter! **c'est fait!** it's (they're) done! **ne t'en fais pas!** don't worry about it! **combien font deux et deux?** how much are two and two? **il fait ...** it's ... (weather or temperature); **faire attention (à)** to listen, to pay attention (to); **faire de la photo** to take pictures (hobby); **faire de la voile** to go sailing; **faire des achats** to go shopping; **faire des histoires** to make a fuss; **faire de son mieux** to do one's best; **faire du ski** to ski; **faire du sport** to play sports; **faire du stop** to hitch-hike; **faire la grasse matinée** to sleep in; **faire la vaisselle** to do the dishes; **faire le ménage** to do the housework; **faire le plein** to fill up; **faire le touriste** to sight-see; **faire plaisir à** to please; **faire un appel** to make a call; **faire une promenade** to go for a walk; **faire partie de** to be a member of, to be on/in; **faire ses bagages** to pack one's luggage
fait *m.* fact; **au fait** as a matter of fact; **en fait** in fact; **les faits sont évidents** the facts speak for themselves
fait (faire) done
fameux(-euse) (in)famous, notorious
familiale *f.* station-wagon
famille *f.* family; **avoir de la famille** to have relatives
fan *m.* or *f.* fan
fantastique fantastic, super
farine *f.* flour
fasciner to fascinate
fatigant(e) tiring
fatigué(e) tired
fauché(e) broke (no money)
faut: il faut it is necessary, one must
faute *f.* fault, error, mistake
faux, fausse false, not true; **c'est faux!** that's wrong! **vrai ou faux?** true or false?
favori, favorite favorite
féminin(e) feminine
femme *f.* woman; wife
fenêtre *f.* window
ferme *f.* farm
fermé(e) closed, shut
fermer to close, to shut; to turn off
fête *f.* birthday; celebration, feast; **bonne fête!** happy birthday!
feu(-x) *m.* fire; light; **feu rouge** stop light
feuille *f.* sheet of paper; leaf, **feuille d'érable** maple leaf
février *m.* February
fiche *f.* (index) card
filer* to dash, to rush (off)
fille *f.* girl; daughter; **jeune fille** young girl
film *m.* film, movie
fils *m.* son
fin *f.* end; **fin de semaine** ✿ weekend
finalement finally
fini(e) finished, ended
finir to finish, to end
finnois *m.* Finnish (language)
fleur *f.* flower
fleuriste *m.* or *f.* florist
fleuve *m.* river
fois *f.* time, occasion; **à la fois** at the same time; **encore une fois** once again; **la prochaine fois** the next time; **six fois cinq font trente** six times five are thirty; **il était une fois** once upon a time there was/were ...
fond *m.* end, bottom
fonder to found
foot *m.* football, soccer
football *m.* (the game of) soccer or ✿ football
forêt *f.* forest
forme *f.* form
former to form
formidable great, terrific
fort(e) loud; strong; **être fort en** to be good at/in
fou *m.* madman
fou (fol), folle crazy, mad; **un succès fou** a tremendous success
foule *f.* crowd
fourchette *f.* fork
frais, fraîche fresh, cool; **il fait frais** it's cool (weather)
français *m.* French (language)
français(e) French
Français(e) *m.* or *f.* French person
France *f.* France; **en France** in (to) France
franchement frankly, honestly
frein *m.* brake
freiner to put on the brakes
frère *m.* brother
frigo *m.* fridge, refrigerator
frites *f.pl.* French fries
froid(e) cold; **il fait froid** it's cold (weather); **avoir froid** to be cold
froissé(e) wrinkled
fromage *m.* cheese
frontière *f.* frontier, edge
fruits de mer *m.pl.* seafood
fusée *f.* rocket
fusil *m.* rifle
futur *m.* future; **le future proche** the near future

G

gagnant *m.* winner
gagnant(e) winning
gagner to earn; to win
gant *m.* glove
garage *m.* garage
garagiste *m.* or *f.* garage owner
garçon *m.* boy; waiter; **garçon de table** waiter
garde-à-vous! attention!
garde-robe *f.* wardrobe
garder to keep; **garder les enfants** to babysit
gare *f.* train station
garni(e) decorated
gars *m.* guy, fellow
gâté(e) spoiled
gâteau(-x) *m.* cake
gauche left; **à gauche** to/on the left
gaze *f.* gauze
gazon *m.* grass; lawn
généralement generally
généreux(-euse) generous
Gênes Genoa
genou(-x) *m.* knee
gens *m.* or *f.pl.* people
géographie *f.* geography
géologue *m.* or *f.* geologist
géométrie *f.* geometry
gérant *m.* manager
gérante *f.* manageress
geste *m.* sign, gesture
gilet *m.* vest; **gilet de sauvetage** lifejacket
girafe *f.* giraffe
glace *f.* ice (cream)
glacé(e) ice-cold, frozen
glaçon *m.* ice cube
golf *m.* golf
gomme *f.* eraser
gonflé(e) daring; overconfident
gosse* *m.* or *f.* kid

goût *m.* taste; **avoir bon goût** to have good taste
goûter *m.* snack
gouvernement *m.* government
grâce à thanks to; because of, due to
grade *m.* rank; **monter en grade** to be promoted
grasse: faire la grasse matinée to sleep in
grand(e) big, tall; **grand magasin** *m.* department store
grand-mère *f.* grandmother
grand-père *m.* grandfather
grands-parents *m.pl.* grandparents
grandir to grow (up)
grave serious; **ce n'est pas grave** it's not serious, it's O.K.
grec *m.* Greek (language)
grec(que) Greek
Grèce *f.* Greece
grenouille *f.* frog
gris(e) grey
gros, grosse big, fat
groupe *m.* group
guerre *f.* war
guichet *m.* ticket counter, wicket
guide *m.* guidebook
guitare *f.* guitar
guitariste *m.* or *f.* guitarist
gymnase *m.* gym(nasium)
gymnastique *f.* gymnastics

H

habiller to dress (someone, something)
s'habiller to get dressed
habitant *m.* inhabitant
habiter to live in (at)
hamburger *m.* hamburger
hâte *f.* haste
hein?* eh?
heure *f.* hour; time; **à l'heure** on time; **quelle heure est-il?** what time is it? **de bonne heure** early; **en une heure** in one hour; **c'est l'heure de** it's time for; **il est deux heures** it's two o'clock; **il est une heure du matin** it's one o'clock in the morning; **heure légale** standard time
heureusement luckily, happily
heureux(-euse) happy
hier yesterday
histoire *f.* history; story; **faire des histoires** to make a fuss
hiver *m.* winter; **en hiver** in (the) winter
hockey *m.* hockey; **hockey sur gazon** field hockey; **hockey sur glace** ice hockey; **match de hockey** hockey game
homme *m.* man
hongrois *m.* Hungarian (language)
hongrois(e) Hungarian
honnête honest
hôpital *m.* hospital
horaire *m.* schedule
horizontalement horizontally; across
horreur *f.* horror; **quelle horreur!** how awful! what a disaster!
hôte *m.* or *f.* host
hôtel *m.* hotel
hôtesse *f.* stewardess
huitième eighth
humidité *f.* humidity
humour *m.* humour; **sens de l'humour** *m.* sense of humour
hyper-solde *m.* "monster" sale
hypocrite hypocritical

I

ici here
idée *f.* idea
identifier to identify
identité *f.* identity
idiot(e) idiotic, stupid, silly
île *f.* island
Île-du-Prince-Édouard Prince Edward Island
il y a there is; there are; **il n'y a pas de mal** it's all right; **il n'y a pas de quoi** don't mention it; **il y a deux heures** two hours ago
image *f.* picture
imaginer to imagine
imbécile! (you) dope! dummy!
imitation *f.* imitation
imiter to imitate
immeuble *m.* (apartment) building
impatience *f.* impatience; **avec impatience** impatiently
impatient(e) impatient
imperméable *m.* raincoat
important(e) important
impression *f.* impression
impulsif(-ive) impulsive
incapable *m.* or *f.* incompetent
incendie *m.* fire
inconnu(e) unknown
incroyable unbelievable
Inde *f.* India
indépendant(e) independent
indicatif régional *m.* area code
indiquer to indicate
indiscret, indiscrète indiscreet, tactless
infirmier *m.* nurse
infirmière *f.* nurse
information *f.* information
informatique *f.* computer science
ingénieur *m.* engineer
s'inquiéter to worry; **ne t'inquiète pas!** don't worry!
insecte *m.* insect
insister to insist; **insister sur** to emphasize
instant *m.* moment; **à cet instant** at that moment; **un instant!** just a minute! **attendre un instant** to wait a moment
instruction *f.* instruction
intellectuel, intellectuelle intellectual
intelligent(e) intelligent
intention *f.* intention; **avoir l'intention de** to intend to
intéressant(e) interesting
intéressé(e) interested; **être intéressé à** to be interested in
interplanétaire interplanetary
interprète *m.* or *f.* interpreter
interruption *f.* interruption
interview *f.* interview
intitulé(e) entitled
inventer to create, to invent
inventeur *m.* inventor
invention *f.* invention
invitation *f.* invitation
invité *m.* guest
invitée *f.* guest
inviter to invite
Irak *m.* Iraq
Irlandais(e) *m.* or *f.* Irish person
irresponsable irresponsible
irrité(e) irritated, annoyed
Italie *f.* Italy
italien *m.* Italian (language)
italien, italienne Italian

J

jalousie *f.* jealousy
jaloux, jalouse jealous
jamais ever; never; **jamais de la vie!** not on your life!

jambe *f.* leg
jambon *m.* ham
janvier *m.* January
Japon *m.* Japan
jardin *m.* garden
jaune yellow
jeans *m.pl.* jeans
jet *m.* jet (plane)
jeter to throw away
jeu *m.* game; set
jeudi *m.* Thursday
jeune *m.* or *f.* young person, teenager
jeune young
job *m.* or ✿ *f.* job
joli(e) pretty
jouer to play; **jouer à un sport** to play a sport; **jouer aux cartes** to play cards; **jouer aux échecs** to play chess; **jouer d'un instrument de musique** to play a musical instrument; **jouer un rôle** to play a role
joueur *m.* player
jour *m.* day; **de tous les jours** everyday
journal(-aux) *m.* newspaper; diary
journaliste *m.* or *f.* journalist, reporter
journée *f.* day (time)
joyeux(-euse) joyful, happy
juger to judge
juillet *m.* July
juin *m.* June
jupe *f.* skirt
jusqu'à until, up to
juste fair
justement exactly, just so

K

karaté *m.* karate
ketchup *m.* ketchup
kilo(gramme) *m.* kilogram (kg)
klaxon *m.* horn

L

la, l' *pron.* her; it
là there; **là-bas** over there, down there
laboratoire *m.* laboratory
lac *m.* lake
laine *f.* wool
laisser to leave (behind)
lait *m.* milk; **lait frappé** milk shake
lancer to launch; to throw
lanceur *m.* (baseball) pitcher
langue *f.* language; **langues germaniques** Germanic languages; **langues romanes** Romance languages; **langue vivante** living language
latin *m.* Latin
lavable washable
laver to wash (someone, something)
se laver to get washed; **se laver les cheveux** to wash one's hair
le, l' *pron.* him; it
leçon *f.* lesson
lecture *f.* reading
légume *m.* vegetable
lendemain *m.* next day
lentement slowly
les *pron.* them
lettre *f.* letter
leur *pron.* (to) them
leur(s) *adj.* their
se lever to get up
liaison *f.* liaison
liberté *f.* liberty
librairie *f.* bookstore
libre free
lieu *m.* place, spot
ligne aérienne *f.* airline
limitation *f.* limit; **limitation de vitesse** speed limit
liquidation *f.* liquidation, selling-off
lire to read
liste *f.* list
lit *m.* bed; **au lit** to bed; in bed
litre *m.* litre (L)
livre *m.* book; **livre de poche** pocket book, paperback
loger to stay
loin far; **loin de** far from; **loin de la foule** far from the crowd
loisirs *m.pl.* leisure activities, pastimes
Londres London
long, longue long
longtemps long, for a long time
loterie *f.* lottery
louer to rent
Louisiane *f.* Louisiana
lu (lire) read
lui he; (to) him/her
lumière *f.* light
lundi *m.* Monday
lune *f.* moon; **être dans la lune** to daydream
lunettes *f.pl.* (eye)glasses
luxe *m.* luxury

M

M. (monsieur) Mr.
ma my
machine *f.* machine
madame Mrs.
mademoiselle Miss
magasin *m.* store; **grand magasin** department store
magazine *m.* magazine
magnétophone *m.* tape recorder
magnifique wonderful, great, magnificent
mai *m.* May
maillot *m.* shirt, suit; **maillot de bain** swimsuit
main *f.* hand; **à la main** in one's hand
maintenant now
mais but; **mais oui!** why yes!
maison *f.* house
maître *m.* master
maître-cylindre *m.* master cylinder
majuscule: lettre majuscule *f.* capital letter
mal badly; **ça va mal** things are going badly; **il n'y a pas de mal** it's all right
malade sick, ill
maladie *f.* sickness, illness
malchance *f.* bad luck
malgré in spite of
malheureusement unfortunately
malheureux(-euse) unhappy
malhonnête dishonest
maman *f.* mom
manger to eat
manière *f.* manner, way
manquer to miss; to be missing; to lack
manteau(-x) *m.* overcoat
manuel scolaire *m.* textbook
maquillage *m.* make-up
se maquiller to put on one's make-up
marchand *m.* merchant
marché *m.* bargain, deal; **(à) bon marché** cheap; **(à) meilleur marché** less expensive
marcher to work, to function; to walk; **ça ne marche pas!** it doesn't work!
mardi *m.* Tuesday
mari *m.* husband
se marier to get married
marque *f.* brand, make
marquer to score; **marquer un but** to score a goal
mars *m.* March

masculin(e) masculine
masque *m.* mask
mât *m.* mast
match *m.* game
matériel *m.* gear, equipment
mathématiques *f.pl.* mathematics
maths *f.pl.* mathematics
matière *f.* (school) subject
matin *m.* morning; **lundi matin** (on) Monday morning
matinée: faire la grasse matinée to sleep in
mauvais(e) bad; **mauvaises notes** bad marks (at school); **il fait mauvais** it's bad (weather)
maximum *m.* maximum
mécanicien *m.* mechanic
mécanicienne *f.* mechanic
mécanique mechanical
méchant(e) mean, spiteful, bad
médaille *f.* medal
médecin *m.* doctor; **médecin de famille** family doctor
Méditerranée *f.* Mediterranean sea
meilleur(e) better; best; **le/la/les meilleur(e)(s)** the best
mélanger to mix
membre *m.* member
même *adv.* even; **quand même** anyway, even so; **tout de même** all the same, anyway
même *adj.* same; **en même temps** at the same time
mémoire *f.* memory
ménage *m.* housework; **faire le ménage** to do the housework
mentionner to mention
mer *f.* sea; **au bord de la mer** at the seashore
merci thank you
mercredi *m.* Wednesday
Mercure *f.* Mercury
mère *f.* mother
merveille *f.* marvel; **à merveille** perfectly
mes my
message *m.* message
météo *f.* weather report
météore *f.* meteor
métier *m.* trade; profession
mètre *m.* metre
métro *m.* subway; **en métro** by subway; **prendre le métro** to take the subway; **station de métro** *f.* subway station
mettre to place, to put (on); **mettre à la poste** to mail; **mettre la radio** to turn on the radio; **mettre la table** to set the table; **mettre des vêtements** to put on clothes
micro *m.* microphone, "mike"
micro-ordinateur *m.* microcomputer
midi *m.* noon; **le midi** the South of France
midinette *f.* dressmaker's assistant
mieux better; best; **aimer mieux** to prefer; **ça va mieux** that's better; I'm feeling better; **c'est beaucoup mieux** that's a lot better; **faire de son mieux** to do one's best; **il va mieux** he's feeling better
mignon, mignonne cute
mil thousand (with dates); **mil neuf cent quatre-vingts** (the year) nineteen-eighty
milieu *m.* middle; **au milieu de** in the middle of
mille *inv.* thousand
millier *m.* thousand
million *m.* million; **cent millions de personnes** a hundred million people
minimum *m.* minimum
ministre *m.* minister; **le premier ministre** the Prime Minister, Premier
minuit *m.* midnight
minute *f.* minute; **minute!** hold on a minute! not so fast!
miroir *m.* mirror
mis (mettre) put
misérable miserable, wretched
mistral *m.* Mistral (cool, dry, seasonal wind found in southern France)
Mlle (mademoiselle) Miss
Mme (madame) Mrs.
mode *f.* fashion; **à la mode** fashionable, in style
modèle *m.* model, example
moderne modern
modique inexpensive, moderate
moi I; (to) me; **moi aussi** me too; **moi-même** myself; **chez moi** at (to) my house; **moi non plus** me neither
moins *prep.* less, minus; **il est deux heures moins (le) quart** it's a quarter to two (one forty-five); **il fait moins sept degrés** it's minus seven degrees (-7°); **six moins deux font quatre** six minus two is four
moins *adv.* less; **moins ... que** less ... than; **moins de** fewer than; **le/la/les moins** the least; **au moins** at least
mois *m.* month
moitié *f.* half
moment *m.* moment; **à ce moment-là** at that moment; **en ce moment** at this time, right now
mon my
monde *m.* world; **tout le monde** everybody, everyone
monnaie *f.* money; change
monsieur *m.* gentleman
monsieur sir; Mr.
montagne *f.* mountain
monter to go/come up; **monter en grade** to be promoted
montre(-bracelet) *f.* wristwatch
montrer to show, to point out
mort *f.* death
mort(e) dead
Moscou Moscow
mot *m.* word; **mot-ami** easy word; **mots-croisés** crossword puzzle
motel *m.* motel
moteur *m.* motor
moto(cyclette) *f.* motorcycle; **à moto** by motorbike
motocycliste *m.* or *f.* motorcyclist
motoneige *f.* snowmobile
moulin *m.* windmill
mousseline *f.* muslin
Moussol Mosul (Iraq)
moustique *f.* mosquito
moutarde *f.* mustard
moyen *m.* method, means
muet(te) silent; **film muet** silent movie
mur *m.* wall
musée *m.* museum
musicien *m.* musician
musique *f.* music
mystère *m.* mystery
mystérieux(-euse) mysterious

N

nage: traverser à la nage to swim across
nager to swim
naissance *f.* birth
naître to be born; **je suis né(e) le vingt avril** I was born on April 20
nappe *f.* tablecloth
natation *f.* swimming
nationalité *f.* nationality
nature *f.* nature
naturel, naturelle natural

naturellement naturally

navré(e) terribly sorry

ne ... jamais never

ne ... pas not

ne ... personne nobody

ne ... plus no more, no longer

ne ... rien nothing

né(e): je suis né I was born; **quand es-tu né?** when were you born?

nécessaire necessary

négatif(-ive) negative; **à la négative** in the negative

neige *f.* snow

neiger to snow

nerf *m.* nerve; **crise de nerfs** hysterics, a fit

nerveux(-euse) nervous

n'est-ce pas? isn't it so? don't you? aren't we? haven't they? etc.

nettoyer to clean; **nettoyer à sec** to dry-clean

neuf, neuve new; **quoi de neuf?** what's new?

neuvième ninth

nez *m.* nose

Niçois *m.* person who lives in Nice

niçois(e) of, from Nice

Noël *m.* Christmas

noir(e) black

nom *m.* name; noun

nombre *m.* number

nommé(e) named

non no; **mais non!** not at all! **non plus** neither, (not) either

nord *m.* North

normal(e) normal

normalement normally

Norvège *f.* Norway

norvégien *m.* Norwegian (language)

nos our

note *f.* mark (at school)

notre our

nourriture *f.* food

nous we; (to) us

nouveau(nouvel), nouvelle, nouveaux new

Nouveau-Brunswick *m.* New Brunswick

nouvelle *f.* (piece of) news; **les nouvelles** the news (report)

Nouvelle-Écosse *f.* Nova Scotia

novembre *m.* November

nuit *f.* night; **bonne nuit!** good night!

numéro *m.* number, numeral; **numéro de téléphone** telephone number

nylon *m.* nylon

O

objet *m.* object

observation *f.* observation

obtenir to obtain, to get

occasion *f.* opportunity; occasion; **d'occasion** second-hand

occupé(e) occupied, taken; busy

océan *m.* ocean

octobre *m.* October

oeil (yeux) *m.* eye

oeuf *m.* egg

office *m.* bureau, agency

offre *f.* offer

offrir to offer

oh là là! wow!

oignon *m.* onion

on we; you; they; people

oncle *m.* uncle

opinion *f.* opinion

optimiste optimistic

or *m.* gold

orange *f.* orange

orangeade *f.* orangeade

orchestre *m.* orchestra

ordinateur *m.* computer

ordre *m.* order, command; **de l'ordre!** order please!

oreille *f.* ear

organisé(e) organised

organiser to organise

origine *f.* origin

ou or

où where

ouaouaron🍁 *m.* bullfrog

oublier to forget

ouest *m.* West

oui yes

outil *m.* tool

ouvert(e) open

ouvert (ouvrir) opened

ouverture *f.* opening

ouvre-bouteille *m.* bottle opener

ouvrir to open

P

pain *m.* bread

paire *f.* pair

paix *f.* peace

palmes *f.pl.* flippers

panne *f.* breakdown; **en panne** out of order

pantalon *m.* (pair of) trousers

panthère *f.* panther

papa *m.* dad

papier *m.* paper

par by

paraître to seem; **il paraît que** it seems that

parc *m.* park

parce que because

pardon! pardon me! **pardon?** pardon?

pare-brise *m.* windshield

pare-chocs *m.* bumper

parent *m.* parent; **grands-parents** grandparents

parenthèses *f.pl.* parentheses, brackets

paresseux(-euse) lazy

parfait(e) perfect

parfum *m.* perfume

Parisien *m.* Parisian

Parisienne *f.* Parisian

parking *m.* parking lot

parler to speak, to talk; **parlé(e)** spoken; **tu parles!** you must be kidding! oh yeah, sure!

parmi among

parole *f.* word

part *f.* share; **à part** except for

partager to share

partenaire *m.* or *f.* partner

participe passé *m.* past participle

participer (à) to participate (in)

partie *f.* part, portion; game; **faire partie de** to be part of, to be on/in

partir (de) to leave, to go away (from)

partout everywhere

party *f.* or 🍁 *m.* party

pas (see **ne ... pas**); **pas de problème!** no problem! **pas du tout** not at all; **pas très bien** not very well; **pas mal** not bad; **pas possible!** incredible! wow! **pas question!** no way! **pas vrai!** you don't say!

passager *m.* passenger

passé *m.* past; **le passé composé** the past tense (of verbs)

passé(e) last, past; **l'année passée** *f.* last year

passeport *m.* passport

passer to pass; to spend; **le temps passe vite!** time passes quickly! time flies! **passer un week-end** to spend a weekend

se passer to happen, to take place

passer à/chez to stop by; **passer à l'épicerie** to stop by the grocery store; **passer chez Paul** to stop by Paul's house

passer en revue to review (troops)
passe-temps *m.* pastime
pâte *f.* paste; **pâte dentifrice** toothpaste
patin *m.* skate; skating; **patin sur glace** ice skating
patiner to skate
patineur *m.* skater
pâtisserie *f.* pastry shop
patron *m.* boss
pauvre poor, unfortunate
payer to pay (for)
pays *m.* country
peigne *m.* comb
peigner to comb
se peigner to comb one's hair
peintre *m.* or *f.* painter
pendant during
pendant que *conj.* while
pendule *f.* clock
pénible tiresome; **il est pénible!** he's a pain!
penser to think; **qu'en pensez-vous?** what do you think (of that)?; **je pense que oui (non)** I (don't) think so
pente *f.* hill, slope
perdre to lose
père *m.* father
perfection *f.* perfection; **à la perfection** perfectly
permettre to allow, to permit
permis de conduire *m.* driver's licence
perse *m.* Persian, Parsi
personnage *m.* character, personage, figure
personnalité *f.* personality
personne *f.* person
personne (not) anybody, nobody
personnel, personnelle personal
petit(e) small, little; **petites annonces** *f.pl.* want ads
pétrole *m.* petroleum, oil
peu *m.* little; **un peu** a little bit
peu *adv.* little, not much
peuple *m.* people, populace
peur *f.* fear; **avoir peur (de)** to be afraid (of)
peut-être maybe, perhaps
phare *m.* headlight
pharmacie *f.* drugstore
pharmacien(ne) *m.* or *f.* pharmacist
photo *f.* photograph; **faire de la photo** to take pictures (hobby)
photographe *m.* or *f.* photographer
phrase *f.* sentence; **phrase complète** complete sentence; **phrase affirmative** affirmative sentence; **phrase négative** negative sentence
physicien(ne) *m.* or *f.* physicist
pianiste *m.* or *f.* pianist
piano *m.* piano
pièce *f.* room; piece; play
pied *m.* foot; **à pied** on foot
pierre *f.* stone
piéton *m.* pedestrian
pilote *m.* or *f.* pilot
pilule *f.* pill
piolet *m.* (climber's) axe
pique-nique *m.* picnic
pire worse; **le/la pire** the worst
piscine *f.* swimming pool
piton *m.* piton, climber's spike
pizza *f.* pizza
place *f.* place, seat; **sur place** on the spot
placeur *m.* ✽ usher
placeuse *f.* ✽ usherette
plafond *m.* ceiling
plage *f.* beach; **à la plage** at the beach
plaisanter to joke, to kid; **tu plaisantes!** you're kidding!
plaisir *m.* pleasure
plaît: s'il te plaît/s'il vous plaît please
plan *m.* diagram, plan; **plan de la ville** city map
planche *f.* board; **planche à roulettes** skateboard; **planche à surfing** surfboard; **faire de la planche à roulettes** to skateboard
planète *f.* planet
planifier to plan
plastique *m.* plastic
plat *m.* dish (plate or food)
plein(e) full; **faire le plein** to fill up; **le plein air** the outdoors; **en plein sur** right on; **pleins feux sur** spotlight on
pleurer to cry
pleut: il pleut it's raining
pleuvait: il pleuvait it was raining
pleuvoir to rain
plonger to dive
plongeur *m.* diver
pluie *f.* rain
pluriel *m.* plural; **au pluriel** in the plural
plus *adv.* more; **plus … que** more … than; **plus de** more than; **en plus** besides; **non plus** (not) either, neither; **le/la/les plus** the most
plusieurs several
Pluton *m.* Pluto
pneu *m.* tire; **pneu de rechange** spare tire
poème *m.* poem
point *m.* point; **point de vue** point of view
poisson *m.* fish
poivre *m.* pepper (spice)
police *f.* police
policier *m.* detective show, movie
politesse *f.* politeness
politique *f.* politics
pollution *f.* pollution
pomme *f.* apple
pomme de terre *f.* potato
pompe *f.* pump
pompiste *m.* or *f.* gas-pump attendant
pont *m.* bridge
populaire populaire
populeux(-euse) populous
portatif(-ive) portable
porte *f.* door
portefeuille *m.* wallet
porter to wear
portière *f.* (car) door
portuguais *m.* Portuguese (language)
poser to ask; **poser une question** to ask a question
possibilité *f.* possibility
possible possible; **pas possible!** unreal! incredible!
potage *m.* soup
poterie *f.* pottery
potins: les derniers potins *m.pl.* the latest gossip
pouding *m.* pudding
poulet *m.* chicken; **poulet rôti** roast chicken
pour for; **pour aller à …?** can you tell me the way to …?
pourboire *m.* tip, gratuity
pourquoi why; **pourquoi pas?** why not?
pousser to push
pouvoir to be able (to); **ça peut attendre** it can wait; **puis-je …?** may I …?
pratique practical
pratique *f.* practice, drill
pratiquer to practise
précéder to precede
précis(e) precise; **à neuf heures précises** at nine o'clock sharp
précisément precisely
préciser to specify
prédire to predict
préférer to prefer

premier, première first; **le premier ministre** the Prime Minister, Premier; **le premier juin** (on) June 1
prendre to take; **prendre le dîner** to eat dinner; **prendre le train** to take the train; **prendre rendez-vous** to make an appointment; **prendre un bain** to take a bath
prénom *m.* first name
préparatif *m.* preparation
préparer to prepare
se préparer to get ready
préposition *f.* preposition
près (de) near, close (to); **tout près** right near
présentation *f.* presentation, performance
présenter to introduce, to present
se présenter to introduce oneself
président *m.* president
présidente *f.* president
presque almost, nearly
pressé(e) in a hurry
prêt(e) ready; **être prêt à ...** to be ready to ...
prêter (à) to lend (to)
printemps *m.* spring; **au printemps** in (the) spring
pris (prendre) taken
privé(e) private
prix *m.* price
probablement probably
problème *m.* problem; **pas de problème!** no problem!
prochain(e) next; **la prochaine fois** the next time; **le mois prochain** next month
proche nearby, near; **le futur proche** the near future
prof(esseur) *m.* teacher
profession *f.* profession
profiter de to take advantage of
programmeur *m.* computer programmer
projet *m.* plan; **projet d'avenir** future plan
promenade *f.* walk; **faire une promenade** to take a walk
se promener to go for a walk; **se promener en voiture** to go for a drive
pronom *m.* pronoun; **pronom accentué** disjunctive pronoun
prononcer to pronounce
prononciation *f.* pronunciation
propos: à propos by the way
proposer to propose
propre own
propriétaire *m.* or *f.* owner
propulser to propel
protester to protest, to object
prouver to prove
provençal *m.* Provencal (a dialect of southern France)
provençal(e) Provencal
Provence *f.* Provence
psychiatre *m.* or *f.* psychiatrist
puis next, then
puissance *f.* power, strength
puissant(e) powerful
pull-over *m.* pullover, sweater
pupitre *m.* student's desk
pur(e) pure
pyjama *m.* pyjamas

Q

quadrupède *m.* quadrupede
qualité *f.* quality, virtue
quand when; **c'est quand?** when is it? **quand même** anyway, all the same
quart *m.* quarter; **il est une heure et quart** it's one-fifteen; **il est deux heures moins (le) quart** it's a quarter to two
quartier *m.* district, section
quatrième fourth
que *pron.* what; that; which; whom; **que sais-je?** what do I know? **qu'en penses-tu?** what do you think (of that)? **que fais-tu** what are you doing? **qu'est-ce que c'est?** what is it? what's that?
que *conj.* that, which; whom; **je pense que non** I don't think so
que de ...! so many ...!
Québec *m.* Quebec (province)
quel, quelle which, what
quelque some, a few; **quelque chose** something; **quelque chose à faire** something to do; **quelque chose d'extraordinaire** something amazing; **quelques exemples** a few examples
quelquefois sometimes
quelqu'un someone; **quelqu'un d'autre** someone else
question *f.* question; **questions personnelles** personal questions; **pas question!** no way! **poser une question** to ask a question
qui *pron.* which; who; **qui est-ce?** who is it? who is that?
quitter to leave; **ne quittez pas!** don't hang up!
quoi what; **il n'y a pas de quoi** don't mention it; **je ne sais pas trop quoi** I don't really know what; **qui a fait quoi?** who did what? **quoi de neuf?** what's new?

R

rabais *m.* discount, price reduction
raconter to relate, to tell
radiateur *m.* radiator
radio *f.* radio; **à la radio** on the radio
ragoût *m.* stew
raison *f.* reason; **avoir raison** to be right
raisonnable reasonable
ramener to bring/take back (a person)
ranger to tidy, to clean up
rapide fast
rapidement quickly
rappeler to remind; to call back
se rappeler to remember
rapport *m.* report
rapporter to bring/take back (an object)
raquette *f.* racquet; snowshoe
rarement rarely
se raser to shave
rasoir *m.* razor
ratatouille *f.* ratatouille (a vegetable casserole unique to the south of France)
ravi(e) delighted; **être ravi de** to be delighted with
réagir to react
réaliste realistic
réception *m.* reception (desk)
réceptionniste *m.* or *f.* receptionist
recevoir to receive
recherche *f.* research
recommencer (à) to begin again (to)
récréation *f.* recess; recreation
réfléchir (à) to think (about), to consider
réflexion *f.* reflection, thought
refuser (de) to refuse (to)
regard *m.* look, glance
regarder to look (at)
se regarder to look at oneself
région *f.* region, area
règle *f.* ruler; rule

régler to settle
regretter to regret; **je regrette d'être en retard** I'm sorry to be late
relire to re-read
remarquer to notice
remboursement *m.* reimbursement, refund
remettre to refill, to put back
remonter to go back up
remplacer to replace
remplir to fill (up)
rencontrer to meet
rendez-vous *m.* appointment; **avoir rendez-vous** to have an appointment; **prendre rendez-vous** to make an appointment
rendre to give (back)
renseignement *m.* (piece of) information
renommé(e) famous, renowned
rentrer to return (home); **rentrer dans** to crash into
renverser to knock over, to knock down
se répandre to extend
réparation *f.* repair
réparer to repair
repas *m.* meal
repasser to iron, to press
répéter to repeat; to rehearse
répétition *f.* repetition; rehearsal
répondre (à) to answer
réponse *f.* answer; **en réponse à** in answer to; **la bonne réponse** the right answer
reportage *m.* report, commentary
repos *m.* peace, calm, rest
reposant(e) relaxing
représentant *m.* representative
requérant(e) *m.* or *f.* applicant
réseau *m.* network; system
résoudre to resolve
respecter to respect; to obey
responsable responsible
ressembler à to resemble, to look like
restaurant *m.* restaurant
rester to stay; to remain
résultat *m.* result
retard *m.* lateness; delay
retour *m.* return; **au retour** on the return trip
retourner to return, to go back
se retourner to turn around
réussir to succeed
rêve *m.* dream
réveil *m.* alarm clock
se réveiller to wake up
révéler to reveal
revenir to come back; **je n'en reviens pas!** I can't get over it!
rêver (de) to dream (of)
revue *f.* magazine
rez-de-chaussée *m.* ground floor, main floor
riche rich; **riche à millions** enormously rich
rien (not) anything, nothing; **de rien** you're welcome!
rigoler to laugh, to joke; **tu rigoles!** you're joking!
rivalité *f.* rivalry
rivière *f.* river
robe *f.* dress
robuste robust, strong
roi *m.* king
rôle *m.* role, part; **jouer un rôle** to play a part
romain(e) Roman
roman(e) Romance (from Latin); **langues romanes** *f.pl.* Romance languages
romanche *m.* Swiss dialect derived from Latin
romantique romantic
rondelle *f.* ✿ hockey puck
rosbif *m.* roast beef
rôti *m.* roast
roue *f.* wheel
rouge red
rouler to roll (up)
route *f.* road; highway; **en route!** off we go! let's go!
routier: carte routière *f.* road map
rue *f.* street
Russe *m.* or *f.* Russian
russe Russian
Russie *f.* Russia

S

sa his; her; its
sac *m.* bag
saison *f.* season
salade *f.* salad
salaire *m.* salary
salle *f.* room; **salle à manger** dining room; **salle de bains** bathroom; **salle de classe** classroom; **salle de récréation** recreation room
salon *m.* living room
salut! hi!
samedi Saturday; **le samedi** on Saturdays
sandwich *m.* sandwich
sans without; **sans blague!** no kidding! **sans doute** doubtless
santé *f.* health
sarcasme *m.* sarcastic remark
sardine *f.* sardine
saut *m.* jump
sauter to jump
sauver to save
savoir to know (how to); **saviez-vous?** did you know? **tu sais quoi?** you know what?
savon *m.* soap
scène *f.* scene
sciences *f.pl.* science
scientifique *m.* or *f.* scientist
séance *f.* meeting, session
seconde *f.* second
secrétaire *m.* or *f.* secretary
sécurité *f.* safety
sel *m.* salt
selon according to
semaine *f.* week
sembler to seem
sens *m.* sense; meaning; **sens de l'humour** sense of humour
sensass* *inv.* super, great
sensible sensitive
sentiment *m.* feeling
sentir : je ne peux pas le/la sentir! I can't stand him/her!
septembre *m.* September
septième seventh
sergent *m.* sergeant
sérieux(-euse) serious
serpent *m.* snake
serveuse *f.* waitress
service *m.* service; favour; **à votre service!** glad to be of help!
serviette *f.* towel; napkin
servir to serve
ses his; her; its
seul(e) only; alone; single; **un(e) seul(e)** a single one
seulement only
sévère strict
shampooing *m.* shampoo
short *m.* (pair of) shorts
si *adv.* so; as
si! yes! (in answer to a negative question)
si *conj.* if; **s'il te plaît/s'il vous plaît** please

siècle *m.* century, era
siège *m.* seat
signal (-aux) *m.* signal; sign
signalisation routière *f.* highway signs
signification *f.* meaning
signifier to mean, to signify
singulier *m.* singular; **au singulier** in the singular
sixième sixth
ski *m.* skiing; **ski alpin** downhill skiing; **ski de fond** cross-country skiing; **ski nautique** water-skiing; **faire du saut à skis** to ski-jump; **faire du ski** to go skiing
snack-bar *m.* snack bar
snob *inv.* snobbish, stuck-up
soccer *m.* ✿ soccer
société *f.* society
soeur *f.* sister
soi(-même) oneself
soie *f.* silk
soif *f.* thirst; **avoir soif** to be thirsty
soir *m.* evening; **le soir** in the evening(s)
soirée *f.* evening; party
soldat *m.* soldier
solde *m.* sale, discount item; balance; **en solde** on sale
soleil *f.* sun
solitude *f.* solitude
solution *f.* solution
sombre dark; **il fait sombre** it's dark, dull (weather)
son his; her; its
sonner to ring
sophistiqué(e) sophisticated
sorte *f.* sort, kind
sortie *f.* outing; exit
sortir (de) to leave, to go out (of)
soucoupe *f.* saucer; **soucoupe volante** flying saucer
soulier *f.* shoe; **souliers de tennis** tennis shoes, sneakers
souligner to underline
soupe *f.* soup
souper *m.* ✿ dinner, supper
sourd(e) deaf
sourire *m.* smile
sous under(neath)
sous-directeur *m.* vice-principal
sous-directrice *f.* vice-principal
sous-vêtements *m.pl.* underclothes
souvenir *m.* souvenir
souvent often, frequently
spacieux(-euse) spacious
spécialité *f.* specialty
spectacle *m.* show
spectateur *m.* spectator
sport *m.* sport; **faire du sport** to play sports
sportif(-ive) athletic, fond of sports
stade *m.* stadium
station *f.* station; **station de radio** radio station; **station de métro** subway station
station-service *f.* service station
stationner to park
stop: faire du stop to hitch-hike
stupide dumb, stupid
stylo *m.* pen
su(savoir) known
succès *m.* success; **un succès fou** a tremendous success
succursale *f.* branch (office)
sucre *m.* sugar
sud *m.* South
suffit: ça suffit! that's enough!
suisse Swiss
Suisse *f.* Switzerland
suite *f.* coherence; **avoir de la suite dans les idées** to be single-minded, purposeful
suivant(e) following
suivre to follow
sujet *m.* subject
superficiel, superficielle superficial
supermarché *m.* supermarket
sur on
sûr(e) sure, certain; safe; **sûr de moi** sure of myself; **bien sûr!** of course!
surpris(e) surprised
surprise-party *f.* surprise party
surtout above all, especially
survêtement *m.* sweatsuit
S.V.P.(s'il vous plaît) please
sympa(thique) likeable
sydicat d'initiative *m.* tourist bureau
Syrie *f.* Syria
système *m.* system

T

T-shirt *m.* T-shirt
ta your
table *f.* table
tableau(-x) *m.* chalkboard, blackboard
tac: du tac au tac give and take
taille *f.* size
tailleur *m.* ladies' suit
talent *m.* talent
tant de so many, so much
tante *f.* aunt
tard late
tarif *m.* fare; price; rate
tarte *f.* pie; **tarte aux pommes** apple pie
tas *m.* pile; **un tas de*** lots of
tasse *f.* cup
taxi *m.* taxi
technologie *f.* technology
télé *f.* TV, television; **à la télé** on TV
téléphone *m.* telephone; **numéro de téléphone** telephone number; **au téléphone** on the phone
téléphoner (à) to telephone
téléphonique telephone; **cabine téléphonique** *f.* telephone booth
téléphoniste *m.* or *f.* telephone operator
téléspectateur *m.* TV viewer
tellement so; so much
température *f.* temperature; **quelle est la température? quelle température fait-il?** what is the temperature?
temps *m.* time; weather; (verb) tense; **temps libre** free time, spare time; **de temps en temps** from time to time, now and then; **en même temps** at the same time; **le temps passe vite!** time flies! **quel temps fait-il?** what's the weather like? **tout le temps** all the time; **avoir le temps (de)** to have time (to)
tenue *f.* outfit, suit
terminaison *f.* ending
terminer to finish
se terminer to end
terrain de camping *m.* camping ground
terrasse *f.* terrace
Terre-Neuve *f.* Newfoundland
terrible terrible; great, super
te, t' (to) you
tes your
test *m.* test
testament *m.* will
tête *f.* head
thé *m.* tea
théâtre *f.* theatre
tiens! look! hey!
timbre(-poste) *m.* (postage) stamp
timide timid, shy
tirer to pull
tiroir *m.* drawer
titre *m.* title
toi you; **et toi?** and you? how about you? **pour toi** for you; **bien à toi** yours truly

toilettes *f.pl.* washrooms
tomate *f.* tomato
tomber to fall (down); **vous tombez bien!** you're in luck!
ton your
toque *f.* cap, toque
tôt soon; **tôt ou tard** sooner or later
toucher (à) to touch
toujours always; **comme toujours** as always
tour *m.* tour, visit; turn; **à son tour** in its turn
tour *f.* tower
touriste *m.* or *f.* tourist
touristique tourist
tourne-disque *m.* record player
tourner to turn; **tourner à droite** to turn right; **tourner à gauche** to turn left
tournoi *m.* tournament
tout(e), tous all, every; **tout à coup** suddenly; **tout à fait** completely; **tout comme** just like; **tout d'abord** at the very beginning, at the outset; **tout de même** all the same, anyway; **tout droit** straight ahead; **tout de suite** right away; **tout le monde** everybody; **tout le temps** all the time; **après tout** after all; **tout en restant** while still remaining
toutefois however, all the same
traduisez! translate!
train *m.* train; **en train** by train
tranche *f.* slice
tranquille peaceful, quiet
travail(-aux) *m.* work; **au travail!** (get) to work! **travaux manuels** shopwork; industrial arts
travailler to work
travailleur *m.* worker
travailleur(-euse) hard-working
travers: de travers askew
traverser to cross
trentaine *f.* about thirty
très very; **très bien!** very well! very good!
triomphal(e) triumphal, triumphant
triomphe *m.* triumph
triste sad
troisième third
se tromper to be wrong; to make a mistake
trop too much; too many
trottoir *m.* sidewalk
trousse *f.* kit; **trousse de réparation** repair kit
trouver to find
se trouver to be situated
type *m.* guy, fellow
typique typical

U

uniforme *m.* uniform
Union soviétique *f.* Soviet Union
unique unique, special
uniquement uniquely; strictly
unité *m.* unit
univers *m.* universe
universitaire university
université *f.* university
urgence *f.* emergency; **en cas d'urgence** in case of emergency
urgent(e) urgent
usage *m.* usage, use; **le bon usage** proper usage
utile useful
utiliser to use

V

va-et-vient *m.* comings and goings
vacances *f.pl.* holidays, vacation; **en vacances** on vacation
vaccin *m.* vaccine
vaisselle *f.* dishes; **faire la vaisselle** to do the dishes
valeur *f.* value
valise *f.* suitcase
vanille *f.* vanilla
vaniteux(-euse) vain, conceited
vapeur *f.* steam
vaut: une image vaut mille mots one picture is worth a thousand words
vedette *f.* star
véhicule *m.* vehicle
veillée *f.* late-night party
vélo *m.* bicycle; bicycling
velours *m.* velvet
vendeur *m.* seller; salesman
vendeuse *f.* saleslady
vendre to sell; **à vendre** for sale
vendredi Friday
venir to come
vent *m.* wind
vente *f.* selling, sale; **en vente** for sale
venu (venir) came
verbe *m.* verb
vérifier to verify, to check
verre *m.* glass
vers towards; about (with time)
verser to pour
vert(e) green
verticalement vertically; down
veste *f.* jacket
vestiaire *m.* cloakroom
vêtements *m.pl.* clothes, clothing
vétérinaire *m.* veterinarian
viande *f.* meat
victoire *f.* victory
vie *f.* life; **c'est la vie!** that's life! **vie nocturne** night life
vieux(vieil), vieille, vieux old
village *m.* village
ville *f.* city; **en ville** in (to) town; downtown; **la ville-lumière** Paris
vin *m.* wine
vinaigre *m.* vinegar
vingtaine *f.* about twenty
violent(e) violent
violet, violette violet, purple
violon *m.* violin
violoniste *m.* or *f.* violinist
vingtième twentieth
visibilité *f.* visibility
viste *f.* visit
visiter to visit
visiteur *m.* visitor
vite quickly, fast; **vite!** hurry up! quick!
vitesse *f.* speed; **limitation de vitesse** speed limit
vivant(e) living, alive
vive/vivent long live; **vive le français!** long live French! horray for French!
vivre to live
voici here is, here are
voilà there is; there are
voile *f.* sail; **faire de la voile** to go sailing
voir to see; **vous allez voir!** you'll see! **voyons ...** let's see ...; **mais voyons!** come on (now)! **je ne peux pas le/la voir!** I can't stand him/her!
voisin *m.* neighbour
voiture *f.* car; **voiture de sport** sports car; **en voiture** by car
voix *f.* voice; **à haute voix** out loud
volant *m.* steering wheel
voler to rob; to fly
volontiers gladly
volley-ball *m.* (the game of) volleyball
vos your
voter to vote
votre your

vouloir to want (to); **vouloir, c'est pouvoir** where there's a will, there's a way; **vouloir dire** to mean; **comme tu veux!** as you wish!
voulu (vouloir) wanted (to)
vous (to) you; **vous autres*** you guys
voyage *m.* voyage, trip
voyager to travel
voyageur *m.* traveller
voyelle *f.* vowel
vrai(e) true
vraiment really, truly
vu(voir) seen
vue *f.* view
vulgaire popular, of the people

W

W.C. *m.pl.* washrooms
week-end *m.* weekend
western *m.* western

Y

y there; to it, to them; **ça y est!** that's it!
yeux (un oeil) *m.pl.* eyes; **il a les yeux bleus** he has blue eyes

Z

zéro zero
zut! darn it!

index